S0-ATN-234
GOLDMANN

Buch

Shirley MacLaines drittes Buch »Zwischenleben« liegt hiermit vor, in USA wurde diese Beschreibung ihrer »Reise nach innen« als »Out on a Limb« wiederum zum Bestseller. Es ist eine ungewöhnliche Reise, die der Leser mit ihr antritt: Ausgangspunkt zum Nachdenken über sich selbst ist die heimliche Liebesaffäre mit einem englischen Politiker und die Freundschaft zu David, der ihr mit seinen eigenen Erfahrungen viele Anstöße zum Glauben an Reinkarnation, ja an außerirdische Existenz von hochintelligenten Lebewesen vermittelt. Während einer gemeinsamen Reise nach Peru macht sie ausführliche Notizen, die sie nach ihrer Rückkehr zu diesem außergewöhnlichen Buch verarbeitet, um sich Klarheit über alle Erkenntnisse und die Fortführung ihres Lebens zu verschaffen.

Autorin

Shirley MacLaine – in Virginia geboren und aufgewachsen – begann ihre Karriere als Broadway-Tänzerin, bevor sie international angesehene Drehbuchautorin, Regisseurin und Schauspielerin wurde. Für ihre Bühnenauftritte gewann sie fünf »Emmy Awards«, und für ihre Filmarbeit erhielt sie 1984 den »Oscar« (»Zeit der Zärtlichkeit«).

Sie bereiste die ganze Welt, und ihre Erlebnisse in Afrika, Indien, dem Fernen Osten sowie in der Hollywood-Filmgemeinde waren der Grundstock ihres ersten Buches »Don't Fall Off the Mountain«, das in Amerika ein Bestseller und in 8 Sprachen übersetzt wurde. Shirley MacLaine weitete ihre Aktivitäten auf die Politik, insbesondere Frauenfragen und -rechte, aus, und sie führte die erste Frauen-Delegation Amerikas auf Einladung der rotchinesischen Führung nach China. Ihr zweites Buch »Can Get There From Here« beschreibt ihre persönliche Entwicklung während und nach der in China verbrachten Zeit und wurde ebenfalls zum Bestseller.

Shirley MacLaine

Zwischenleben

Deutsche Erstausgabe

Titel der amerikanischen Originalausgabe:
Out on a Limb
Bantam Books, Inc., New York
Aus dem Amerikanischen übersetzt
von Traudi Kurz-Perlinger, München

Einige der Personen, die in diesem Buch beschrieben werden, sind als Zusammensetzung verschiedener Charaktere dargestellt, um ihre Identität zu wahren. Die Reihenfolge einiger Begebenheiten ist sinngemäß geändert. Aber alle geschilderten Begebenheiten entsprechen der Wahrheit.

Made in Germany · 9/84 · 1. Auflage · 1112

Umschlaggestaltung: Design Team München
Umschlagbild Bantam Books, Inc., New York
Satz: Fotosatz Glücker, Würzburg
Druck: Elsnerdruck GmbH, Berlin
Verlagsnummer: 6769
Lektorat: Gerda Weiss
Herstellung: Sebastian Strohmaier
ISBN 3-442-06769-3

Für meine Mutter
und meinen Vater

»Du sollst nie diese Worte aussprechen: ›Ich kenne das nicht, also ist es falsch.‹ Man muß lernen, um zu wissen; wissen, um zu verstehen; verstehen, um zu beurteilen.«

Lehrspruch von Narada

»Es gibt mehr Dinge im Himmel und auf Erden, als eure Schulweisheit sich träumen läßt, Horatio.«

Hamlet

1. Kapitel

»Die Träume antiker und moderner Menschen sind in der gleichen Sprache geschrieben wie die Mythen, deren Urheber zu Beginn der Geschichte lebten ... Ich halte die Symbolsprache für die einzige Fremdsprache, die jeder von uns lernen sollte. Wenn wir sie verstehen, kommen wir mit einer der bedeutsamsten Quellen der Weisheit in Berührung ... Tatsächlich sind sowohl Träume wie Mythen wichtige Mitteilungen von uns selbst an uns selbst.«

Erich Fromm
»Märchen, Mythen, Träume – Eine vergessene Sprache«

Der Sand war kühl und weich, als ich den Strand entlangjoggte. Bis zum Sonnenuntergang würde die steigende Flut die Stützpfähle der Häuser an der Malibu Road erreicht haben. Ich liebte es, kurz vor Sonnenuntergang zu joggen, denn das Anilinrot der Wolken über der Brandung lenkte mich davon ab, wie sehr meine Beine schmerzten. Ein Sportlehrer hatte mir einmal gesagt, drei Meilen im weichen Sand zu joggen, das sei soviel wie sechs Meilen auf festem Boden. Und ich wollte sportlich bleiben, so schmerzhaft es auch sein mochte. Wenn ich nicht tanzte, hielt ich mich durch Laufen fit.

Aber was war das noch mal für eine Geschichte, die ich erst gestern gehört hatte – von den zwei Brüdern? Der eine ein Gesundheitsapostel, der jeden Tag seines Lebens, egal wie er sich fühlte, frühmorgens fünf Meilen joggte. Der andere trieb überhaupt keinen Sport. Eines Morgens, als der Gesundheitsapostel wieder einmal die Straße entlangschnaufte, drehte er sich nach seinem faulen Bruder um, um ihm warnend mit dem Zeigefinger zu drohen – bums: Er hatte den Lastwagen einfach nicht gesehen ...

Vielleicht ist es wirklich nicht wichtig, was wir tun, um gesund zu bleiben. Denn irgendwo ist immer ein Lastwagen. Wichtig ist, daß wir uns von negativen Aspekten nicht irritieren, unser Leben davon nicht bestimmen lassen.

Ich erinnerte mich an ein Gespräch während eines Mittagessens in meinem Elternhaus in Virginia. Ich war etwa zwölf, und ein Gedanke beschäftigte mich, egal wie glücklich ich mich auch fühlen mochte: mir war immer der damit verbundene Kampf *bewußt*. Die »Schwierigkeit« nannte ich es damals... alles war mit irgendeiner Schwierigkeit, einem Problem verbunden. Und mein Vater hatte gesagt, ich sei unbeabsichtigt auf einen Grundsatz der alten Griechen gestoßen – der Pythagoreer, sagte er, glaube ich. Vater war eine Art Provinzphilosoph und hätte beinahe an der Hopkins-Universität in Philosophie promoviert. Er liebte es, über philosophische Auslegungen zu grübeln. Ich glaube, diesen Zug habe ich von ihm geerbt. Er sagte, mein Gedanke habe eine tiefe, fundamentale Bedeutung, die auf alles Leben zutrifft. Wie positiv etwas auch sein mag, es ist dabei immer ein negativ beeinträchtigender Aspekt zu beachten. Umgekehrt gilt natürlich dasselbe Prinzip – sagte er –, doch Dad schien sich mehr auf das Negative zu konzentrieren. Und mir wurde die Dualität im Leben bewußt. Mit einer blitzartigen Erkenntnis hatte ich gespürt, daß ich zwar *etwas* erfaßte, ohne aber genau zu wissen, was ich erfaßte.

Wind kam auf und setzte den Wellen weiter draußen im Meer weiße Schaumkronen auf. Strandläufer trippelten in das seichte Wellengekräusel, um sich an Nahrung zu holen, was die Flut anschwemmte. Die eleganten Pelikane mit ihren weiten Schwingen stürzten herab, tauchten wie verrückte Kamikazepiloten kopfüber in Fischschwärme draußen im tieferen Wasser.

Ich hätte gerne gewußt, wie man sich als Vogel fühlt, mit nichts anderem im Sinn als zu fliegen und nach Nahrung Ausschau zu halten. Ich erinnerte mich, gelesen zu haben, daß der kleinste Vogel Tausende von Meilen über den Pazifischen Ozean allein und ungeschützt fliegen könne, er brauche nur ein Gepäckstück... einen Zweig. Er würde den Zweig im Schnabel bei sich haben, und wenn er müde wäre, ließe er sich einfach aufs Wasser hinab und von den Wellen tragen, bis er, wieder erholt, weiterfliegen könne. Er saß und schlief auf dem Zweig, und er fischte von dort aus, was er als Nahrung brauchte. Wer brauchte da die *Queen Mary*? Er schlug einfach mit den Flügeln, nahm sein Überlebensfloß in den Schnabel und erhob sich in die Lüfte, um mehr von der Welt zu sehen.

Was für ein Leben. Ich fragte mich, ob dieser Vogel je einsam sein würde. Aber auch wenn er einsam war, schien er den richtigen Lebenskurs gefunden zu haben. Vögel hatten einen angeborenen Kompaß, der sie immer dorthin führte, wohin sie wollten.

Ich erinnerte mich an ein Erlebnis. Ich nenne es Erlebnis und nicht einen Traum, obwohl ich dabei schlief. Ich empfand es realer als einen Traum. Ich hing über der Erde und wurde von den Luftströmungen getragen wie ein Vogel. Ich schwebte über Täler und Berge, Flüsse und Bäume. Im Dahinschweben glitten die Baumwipfel zart über meinen Körper, und ich achtete darauf, kein einziges Blatt an den Zweigen zu beschädigen, denn jedes Teil war ein Teil von mir und ich ein Teil von allem, was mich umgab. Ich wollte weiter, schneller und höher schweben –, und je höher ich flog, desto intensiver empfand ich die Verbindung; mein Sein konzentrierte und weitete sich gleichzeitig. Ich hatte das Gefühl, daß sich dies alles tatsächlich ereignete, daß mein Körper unwichtig war, und *das* gerade war ein Teil meiner Erfahrung. Mein wirkliches Ich schwebte frei und klar, erfüllt mit dem Frieden der Vereinigung mit jeglicher Existenz.

Es war nicht der übliche sexuell orientierte Traum vom Fliegen, wie die Psychologie ihn deutet. Es war mehr. Es gab noch eine andere Dimension. Das Wort, nachdem ich während des Laufens suchte, ist »außerhalb«. Das war der Grund, warum ich mich so lebhaft daran erinnerte. Und immer, wenn ich mich unzufrieden, einsam, verwirrt oder angespannt und nervös fühlte, dachte ich an dieses Erlebnis und wie friedlich mir zumute war, als ich außerhalb meines physischen Körpers schwebte und mich mit allem, was über und unter mir war, vereint fühlte.

Das Gefühl, zu »allem« zu gehören, gab mir mehr Glücksgefühl als irgend etwas anderes. Mehr Glücksgefühl als die Arbeit, als der Liebesakt, als der Erfolg oder sonst irgend etwas, wonach die Menschen streben, um Glücksgefühle zu empfinden. Ich liebte es, zu *denken*. Ich liebte es, mich zu konzentrieren. Ich liebte es, *teilzuhaben* an Problemen, die außerhalb meines Ichs stehen. Offen gesagt, glaubte ich, dies sei mein Weg, um mich selbst zu verstehen, um zu meinem Selbst zu finden. Irgendwo tief in meinem Inneren verborgen lagen die Antworten auf alles, was Angst und Verwirrung in der *Welt* hervorrief. Welch arroganter Gedanke! Aber wenn ich es schaffte, eins mit *mir* zu werden, konnte ich eins mit der Welt sein... vielleicht sogar mit dem Universum. Deshalb war ich politisch aktiv, eine Feministin, eine Reisende, eine Art wißbegierige Reporterin in eigener Sache. Wahrscheinlich bin ich deshalb Schauspielerin geworden. Ich mußte mein Inneres erkennen, wenn ich die Welt verstehen und in meiner Arbeit gut sein wollte. Deshalb habe ich wahrscheinlich als Tänzerin begonnen. Wenn ich mich bewegte, fühlte ich, wer ich war. Wie auch immer... die wichtigste Reise, die ich je unternahm, war die Reise durch mein Inneres.

Ein kühler Wind wehte mir beim Laufen Sand um die Beine. Ich verlangsamte das Tempo, denn nach anstrengender Körperarbeit ist es wichtig, allmählich aufzuhören, um zu verhindern, daß die Milchsäure in den Muskeln gerinnt. »Das ist der Grund für einen Muskelkater«, hatte der Sportlehrer gesagt. »Hören Sie nie abrupt mit anstrengendem Sport auf. Tun Sie es langsam. Dann haben Sie später weniger Schmerzen.«

Ich hörte allem aufmerksam zu, was mit Körperkultur zu tun hat, denn ich begriff, daß ich dadurch ein größeres Verständnis für mich selbst bekam. Ich respektierte meinen Körper, denn er ist der einzige, den ich habe, und den will ich mir erhalten. Das war oft eine quälende Angelegenheit, zumal ich fünfzehn Jahre vergehen ließ, ohne nennenswerten Sport zu treiben. Wie dumm von mir, dachte ich im Gehen. All die Jahre als Schauspielerin hatte ich meinen Körper nicht besonders wichtig genommen. In meiner Jugend bekam ich eine solide tänzerische Ausbildung; das sollte reichen, dachte ich, und das war falsch. Die Menschen müssen sich ihres Körpers jeden Tag bewußt sein, sonst wachen sie eines Morgens auf und stellen fest, daß er nicht das tut, was sie von ihm verlangen. Dann sagen sie, sie seien alt. Ich fühlte mich immer alt, wenn ich keine Beziehung zu meinem Körper hatte. Und indem ich mir Zugang zu meinem Körper verschaffte, bekam ich Zugang zu meinem wirklichen Selbst in diesem Körper. Und was war mein wirkliches Selbst? Was war es, das mich Fragen stellen, suchen, denken und fühlen ließ? War es lediglich das physische Gehirn, waren es diese kleinen grauen Zellen, oder war es der Verstand, der mehr ist als das Gehirn? Enthielten »Verstand« oder vielleicht »Persönlichkeit« das, was die Menschen »Seele« nennen? Waren diese Begriffe zu trennen? Oder heißt »Mensch sein« die Erkenntnis, daß dies die Summe aller dieser Begriffe ist? Und wenn ja, wie paßten sie zueinander?

Davon handelt dieses Buch... es handelt von der Erfahrung, wie ich mit Anfang Vierzig zu mir selbst fand. Es handelt davon, was diese Erfahrung mit meinem Verstand, meiner Selbstbeherrschung, meiner Nachsicht, meinem Geist bewirkte und *für* meine Geduld und meinen Glauben. Es handelt von der Beziehung zwischen Verstand, Körper und Geist. Die Lehren, die ich daraus zog, haben mich dazu befähigt, mein Leben als beinahe umgewandelter Mensch zu führen.

Dieses Buch handelt also von der Suche nach meinem Selbst – einer Suche, die mich auf eine lange Reise führte, die sich mir allmählich auftat und die zu jeder Zeit höchst erstaunlich war. Ich versuchte mit wachem Verstand dabei zu sein, denn ich fand mich langsam, aber stetig Dimensionen von Zeit und Raum ausgesetzt, die für mich bislang in die Welt der Science Fiction oder in ein Gebiet, das ich mit Okkultismus bezeichnen würde, gehörten. Doch es ist mir widerfahren, wenn auch langsam. Es geschah in einem Tempo, das offenbar mein eigenes war, da ich glaube, alle Menschen erleben solche Dinge. Die Menschen machen in der Weise Fortschritte, wie sie dafür aufnahmebereit sind. Ich muß bereit gewesen sein, das zu erfahren; für mich war die richtige Zeit gekommen.

Ich hatte etwa fünfunddreißig Filme gemacht – ein paar gute, ein paar schlechte, und von jedem habe ich gelernt, von den schlechten mehr als von den guten. Ich hatte die ganze Welt bereist, manchmal als Privatperson, meist unerkannt (weil ich es so wollte); und manchmal als Star (da wollte ich erkannt werden), entweder um einen meiner Filme zu einem guten Start zu verhelfen, um ein Fernseh-Special aufzuzeichnen oder wenn ich mit einer Live-Show auf Tournee war. Ich liebte die Welt des Theaters, denn dadurch konnte ich mein Publikum *spüren.* Was die Menschen denken, wo ihre Interessen liegen, ihre verschiedenen Arten von Humor. Aber am meisten liebte ich es, neue Menschen kennenzulernen, und mich kopfüber in fremde Kulturen zu stürzen, bis ich lernte, mich darin wohl zu fühlen.

Auf diese Weise schuf ich mir einen Freundeskreis in der ganzen Welt. Meist Künstler – Bühnenleute, Filmleute in jedem Land, das Filme produziert, Schriftsteller (ich habe selbst zwei Bücher über meine Reisen und meine dabei erlebten Abenteuer geschrieben, die in viele Sprachen übersetzt wurden), Staatsoberhäupter, Premierminister, Könige und Königinnen (auch meine politischen Aktivitäten wurden weltweit mit positiven und negativen Kritiken bedacht). Ich hatte hart um meinen Erfolg gekämpft, doch ich empfand es immer als Glück und sozusagen als *Privileg*, das mir ermöglichte, jeden Menschen kennenzulernen und mit ihm zu diskutieren, von Castro, dem Papst, der Königin von England und anderen Würdenträgern bis zu den Kranken und Sterbenden in Indien, revolutionären Bauern auf den Philippinen oder den Sherpas im Himalaja, um nur einige zu nennen.

Und je mehr ich reiste und je mehr Menschen ich kennenlernte, desto mehr wurde mein politisches Gewissen aktiviert. Und je aktiver es wurde, desto mehr identifizierte ich mich mit den »Underdogs«, wie mein Vater sie nannte. Und ich sagte ihm, die Mehrheit der Menschen könne als Underdogs bezeichnet werden. Jedenfalls dachte ich viel darüber nach, was in dieser Welt falsch lief. Das läßt sich nicht vermeiden, wenn man das Elend, die Hungersnöte und den Haß wirklich *sieht*. Mit neunzehn fing ich an zu reisen und jetzt, Mitte Vierzig, mußte ich objektiv feststellen, daß die Zustände sich unaufhörlich verschlechterten. Für mich schien demokratischer Idealismus nicht mehr möglich zu sein. Viele Menschen, die sich eine demokratische Lebensform zu eigen gemacht hatten, waren offensichtlich nur darauf aus, ihre eigenen Interessen zu befriedigen. Sie trieben Mißbrauch mit der Grundphilosophie des Wohlergehens der Allgemeinheit. Nicht viele Menschen hielten sich an allgemein gültige, ethische Begriffe. »Politisches Denken« schien sich auf zwei Begriffe – Machtpolitik und materielles Wirtschaftsdenken – reduziert zu haben, mit Lösungen, die in Form von Statistiken, Tabellen, Kurven, Wählerverhalten und Wirtschaftsprogrammen ausgedrückt werden, das menschliche Individuum dabei jedoch völlig vergaßen.

Zu allen Zeiten gab es irgendwo auf unserem Planeten Krieg,

Gewalt, Verbrechen, Unterdrückung, Diktaturen, Hungersnot, Völkermord – ein globales Spektakel menschlicher Verzweiflung und des Elends. Weltweit untersuchten Staatsmänner und Politiker die Probleme ausschließlich in Begriffen der *Probleme selbst*, ohne ihren wahren Bezug zu einer größeren und universellen Notwendigkeit zu erkennen –, der dringenden Notwendigkeit, eine dauerhafte, friedliche Geisteshaltung auf individueller Basis zu erreichen mit all den breitgefächerten Verflechtungen, die dies zur Folge haben würde. Sie boten nur vorübergehende Lösungen für permanente Probleme. Oder, wie mein Vater sich ausdrückte, »sie legen ein Heftpflaster auf ein Krebsgeschwür«.

Ich hatte endlose Diskussionen mit Freunden in der ganzen Welt darüber, ob die Menschheit grundsätzlich egoistisch und selbstsüchtig sei und primär danach strebe, leibliches Wohl und persönlichen Gewinn in den Vordergrund zu stellen. Ich meine, daß persönliche Selbstsucht und Wettbewerbsdenken nicht nur dem eigenen Glück, sondern auch dem persönlichen Erfolg abträglich sind. Mir schien, daß die Weltmächte die Notwendigkeit gemeinsamer humaner Interessen zwar erkannten, sich aber immer mehr an ökonomischer Wettbewerbspolitik orientierten, was unweigerlich zu menschlichen Konflikten, Zwietracht und folglich zu Kriegen führte. Etwas fehlte, das war ganz klar.

Später, als ich meine Reisen fortsetzte, bemerkte ich gewisse Wandlungen. Menschen, mit denen ich sprach, begannen darüber nachzugrübeln, was denn da fehlte. Die Stimmung unserer Gespräche wechselte von Bestürzung und Ratlosigkeit zu der Überlegung, daß die Antworten vielleicht in uns selbst liegen und das selbstgeschaffene Leid der Menschheit nichts mit ökonomischen Lösungen zu tun hat. Wir fingen an, Vermutungen über die innere Suche nach der tatsächlichen Bedeutung des Menschen anzustellen. Warum gab es uns? Hatten wir eine Aufgabe, oder waren wir lediglich ein vergänglicher Zufall? Daß wir *Körper* sind, war klar. Unsere körperlichen Bedürfnisse sind, zumindest theoretisch, die primäre Sorge der Regierungen und ihrer Führer. Daß wir *denkende* Wesen sind, war ebenfalls klar. Die Verstandeswelt wird durch Erziehung, Künste, Wissenschaft und Bildungsstätten gefördert.

Aber sind wir nicht alle auch *geistige* Wesen? Ich stellte fest, daß sich immer mehr Menschen mit der Frage nach unserer inneren Geistigkeit beschäftigten, die so lange nach Anerkennung gedrängt hatte. War der Grund der Ratlosigkeit darin zu suchen, daß Geist zwar offensichtlich, aber unsichtbar ist? Die Weltreligionen schienen unsere geistig-spirituellen Bedürfnisse weder zu erklären noch zu befriedigen. Tatsächlich entzweien die Kirchen die Menschen nur, anstatt sie zu vereinigen – sei es das Christentum, der Islam, der jüdische Glaube oder der Buddhismus. Tatsächlich scheint die Welt einer Ära des Heiligen Krieges zuzusteuern –, denken wir nur an die gewaltsame Erhebung islamischen Stolzes in der Arabischen Welt, an die selbstgerechte christliche Bibelgläubigkeit der sogenannten schweigenden Mehrheit in Amerika oder den militanten Zionismus in Israel.

Ich befand mich in Einklang mit einem Kreis von Freunden in der ganzen Welt, die sich alle mit ihrer eigenen geistig-spirituellen Suche beschäftigten. Wir stellten einander Fragen über Sinn und Bedeutung der Menschheit, nicht nur hinsichtlich unserer physischen Perspektive des Lebens auf Erden, sondern auch hinsichtlich unserer metaphysischen Perspektive von Zeit und Raum. Es schien uns möglich zu sein, daß dieses Leben nicht alles ist. Vielleicht war die physische nicht die einzige Existenzebene. Die wunderbare Möglichkeit bestand, daß die *reale* Wirklichkeit viel mehr war.

Mit anderen Worten, vielleicht hatte Buckminster Fuller recht, der behauptet, daß 99% der Realität *unsichtbar* ist, und unsere Unfähigkeit, diese unsichtbare Realität zu erkennen, auf das, was man heute gemeinhin unser unterentwickeltes Bewußtsein nennt, zurückzuführen ist.

Als ich anfing, mich dies zu fragen und eine geistige Verwandtschaft mit anderen feststellte, die mit derselben inneren Suche beschäftigt waren, veränderten sich mein Leben und meine Perspektiven. Es war erregend, zuweilen beängstigend und immer verblüffend, denn dadurch wurde ich veranlaßt, neue Werte des Lebens zu schaffen. Vielleicht sind wir Menschen Teil eines ständigen Erfahrungsprozesses, der fortdauert, lange nachdem wir glauben, tot zu sein. Vielleicht gibt es so etwas wie den Tod gar nicht.

Aber ich greife den Dingen vor.

Die Sonne senkte sich gleißend hinter den Hügeln von Point Dume. Wie oft stand ich dort oben und blickte in die tosende Brandung des Pazifik unter mir und stellte mir die Frage, ob die menschliche Rasse wirklich ihren Ursprung im Meer hatte. Der Pazifik erinnerte mich immer an meinen Freund David. Oder vielleicht beherrschte er meine Gedanken in jenen Tagen einfach, weil ich an einer Art Wendemarke meines Lebens angelangt war und ich mich gern mit David unterhielt. Was hatte er gesagt? Etwas von der geistigen Notwendigkeit, beides, das Positive und das Negative im Leben, gleichwertig zu respektieren.

»Man kann unmöglich das eine ohne das andere haben«, hatte er gesagt. »Das Leben ist eine *Vereinigung* von beidem. Du mußt nur versuchen, das Negative durch das Positive zu *überwinden*. Dann wirst du viel glücklicher sein.«

»Sicher«, hatte ich geantwortet, »man muß kein Raketenwissenschaftler sein, um das zu wissen, aber danach zu leben, ist etwas anderes.«

David war ein interessanter Mann, etwa fünfunddreißig, ein liebenswürdiger, sehr sanfter Mensch mit ausgeprägten Wangenknochen und einem milden, traurigen Lächeln. Ich hatte ihn in einer Kunstgalerie im New Yorker Village kennengelernt. Wir freundeten uns an, weil ich mich in seiner Gegenwart wohl fühlte. Er war Maler und Dichter und überall zuhause, ein wahrer Lebenskünstler. In Manhattan gingen wir stundenlang spazieren, beobachteten die Leute und fragten uns, was sie wohl dachten. Er kam oft nach Kalifornien, dann wanderten wir am Strand von Malibu entlang. Auch David liebte das Reisen, er kannte Afrika und Indien, den Fernen Osten, Europa und Südamerika. Auf seinen Reisen malte und schrieb er. Sie kosteten ihn nicht viel, da er unterwegs alle möglichen Gelegenheitsjobs annahm. Er war auch einmal verheiratet. Doch darüber sprach er nicht. Eines Tages gestand er mir jedoch, daß er früher ein Playboy-Leben geführt habe. Auf meine Frage, was er darunter verstehe, winkte er nur ab und sagte: »Das ist vorbei. Ich bin fertig mit schnellen Wagen und hektischem Leben –, Kinderkram. Jetzt bin ich alleine und glücklich.« Auch ich sprach nicht viel über mein Privatleben. Es hatte nichts mit unserer Beziehung zu tun. David beschäftigte sich mit einer Reihe von Dingen, für die ich keine Zeit hatte – Reinkarnation, Erinnerungen an frühere Leben, kosmische Gerechtigkeit, Schwingungsfrequenzen, makrobiotische Ernährungsweisen, geistige Erkenntnisse, Meditation, Selbstfindung und Gott weiß was noch alles. Er redete ernsthaft über diese Dinge, mit fundiertem Wissen. Aber das meiste davon ging bei mir zu einem Ohr hinein und zum anderen wieder hinaus, da ich zu sehr mit Filmdrehbüchern, Fernseh-Specials und dem Einstudieren neuer Tanznummern beschäftigt war oder damit, ein paar Pfunde abzunehmen, und mit Gerry. Ich hätte gern mit David über Gerry gesprochen, doch wegen der besonderen Umstände konnte ich mit niemandem, nicht einmal mit David, über Gerry sprechen.

Jetzt, im kühlen Abendwind, tropfte mir der Schweiß aus den Haaren in den Nacken, und meine Beine schmerzten, aber es war ein schönes Gefühl. Ich hatte angestrengt gejoggt, es war ein befriedigender Schmerz. Vielleicht, wie David sagte, war das der Preis für alles im Leben. Und wenn man nach dem Kampf einen guten Platz erreicht hatte, würde es nicht mehr weh tun.

Ich warf einen letzten Blick auf die untergehende Sonne und stieg die Holztreppe hinauf. Ich liebte diese Holzstufen, verwittert und zerfallen von den Flutwellen und manchen Stürmen. Seit zwanzig Jahren stieg ich diese Stufen hinauf, seit ich das Apartmenthaus von der Gage meines ersten Films gebaut hatte.

The Trouble with Harry, unter der Regie von Alfred Hitchcock. Zunächst einmal nahm ich einen Kredit auf für dieses Mietshaus, in dem ich mietfrei wohnen konnte..., falls mich ein Lastwagen überfahren sollte und ich nicht mehr arbeiten könnte. Vermutlich meine kleinbürgerliche Erziehung. Sich für die Zukunft absichern. Man weiß ja nie.

Ich wusch mir unter der Dusche oben an der Holzstiege den Sand von den Füßen..., um keinen Sand in die Wohnung zu tragen. Schließlich war sie mit einem Teppich ausgelegt, von dem der Architekt mir abgeraten hatte – er gehöre nicht in ein Haus am Strand.

Ich stieg die letzten Stufen hinauf. Im Innenhof blieb ich stehen und betrachtete meinen japanischen Garten, den ich selbst mit einem Bonsai-Baum aus Kyoto und einem plätschernden Bach angelegt hatte. Meine Reisen in den Fernen Osten, besonders die

Jahre in Japan hatten mich tief geprägt. Der spartanische Respekt der Japaner vor der Natur berührte mich stark. Jahrhundertelang war das Volk von der Natur bekämpft worden, so daß ihm nichts anderes übrigblieb, als sich harmonisch mit ihr zu arrangieren. Die Japaner hielten nichts davon, die Natur zu unterwerfen, so wie wir im Westen es tun. Sie brauchten sie und wurden ein Teil von ihr..., das heißt, bis sie ihren Respekt vor der Natur vergaßen und ihren Sinn für Geschäfts- und Gewinnstreben entdeckten. Und als Japan verschmutzt war, fuhr ich nicht mehr hin.

In meiner Wohnung schrillte das Telefon. Ich stolperte beinahe über meine Füße, als ich mit großen Sätzen hineinraste, um den Apparat zu erreichen. Das passiert mir immer, wenn ein Telefon klingelt. Ich beantworte Telefonanrufe auch ungeniert, wenn ich bei anderen Leuten zu Besuch bin. Und ich ärgere mich über Leute, die es erst viermal klingeln lassen, bevor sie rangehen. Das halte ich für schlampig – einfach faul und schlampig.

Ich stürzte ins Wohnzimmer und warf mich mit einem Hechtsprung über den Apparat auf dem Teppich. Ich mußte über mich selbst lachen. Wer zum Teufel konnte denn so wichtig sein!

»Hallo«, sagte ich atemlos.

»Hallooo...« Es war Gerry. »Wie geht's dir?«

Entfernt hörte ich die Stimme der Telefonvermittlung. Gerrys Gesicht mit der herabfallenden Locke, seine sanften schwarzen Augen eilten blitzschnell durch mein Hirn.

»Mir geht's prima«, sagte ich, froh, daß er nicht sehen konnte, wie glücklich ich war, seine Stimme zu hören. »Und wie geht's Ihrer Majestät?«

»Wir Engländer steuern mit Würde in den Abgrund«, scherzte er mit dem ernsten Unterton, der mir mittlerweile vertraut war.

»Na ja«, räusperte ich mich, »Würde ist ein bewunderswerter Charakterzug.«

»Ja. Ich versuche mein Bestes, um zu verhindern, daß das Schiff gänzlich sinkt.«

Ich hörte, wie er an seiner Zigarette zog.

»Gerry?«

»Ja.«

»Wie läuft deine Wahlkampagne? Kommst du voran?«

»Es geht«, sagte er. Doch in seiner Stimme schwang ein leiser, bedrückter Unterton mit. »Es ist ein langer, schwieriger Prozeß. Man muß die Leute mit Samthandschuhen belehren und aufklären. Das Gleichgewicht ist nicht einfach. Aber darüber reden wir, wenn wir uns sehen.«

»Oh?« sagte ich. »Ist das denn bald?«

»Ich hoffe es. Können wir uns übers Wochenende in Honolulu treffen? Dorthin muß ich nämlich zu einem Wirtschaftskongreß.«

»O Gott. Ja«, sagte ich. »Werden viele Journalisten da sein?«

»Ja.«

»Ist das in Ordnung?«

»Ja.«

»Und du willst das Risiko eingehen?«

»Ja.«

»Okay. Dann komm' ich. Wann?«

»Freitag.«

»Wo?«

»Im ›Kahala Hilton‹. Jetzt muß ich weg. Zu einer Besprechung mit meinem Staatssekretär. Er wartet schon.«

»Schön. Ich freue mich aufs Wochenende.«

»Wiedersehen.« Er legte auf. Gerry hielt nichts von langen Verabschiedungen am Telefon, Gefühlsduseleien liebte er nicht. Er trennte scharf zwischen Privatleben und sachlicher Berufsmäßigkeit.

Ich ging unter die Dusche und fuhr langsamer als gewöhnlich zu meinem großen Haus in Encino.

Ich liebte es, in Kalifornien hinter dem Steuer zu sitzen und die breiten Highways entlangzugondeln und nachzudenken. Ich liebte es, in Kalifornien zu denken. New York ist so hektisch; dort mußte man handeln, um zu überleben, was ich kreativ und aufregend fand; doch in Kalifornien konnte ich reflektieren. Kalifornien wird nicht umsonst ›The Big Orange‹ – die große Apfelsine – genannt. Wenn man nicht aufpaßt, wird man selbst eine. Der ›Big Apple‹ ist eine Stadt, wo ich Dinge in die Tat umsetzen konnte, über die ich in der ›Big Orange‹ nachgedacht hatte. Seit ich Gerry kannte, war er noch nicht in Kalifornien gewesen.

Ich erinnerte mich an die erste Nacht, die wir gemeinsam in New York verbracht hatten. Ich war ihm schon einige Male in London begegnet, und einmal hatte er an einer Anti-Vietnam-Demonstration in New York teilgenommen. Seine lässige Selbstsicherheit, seine Schlagfertigkeit und sein brillanter Verstand hatten mich beeindruckt. Er war Parlamentarier, ein Sozialist, und er glaubte daran, daß er England wieder auf die Beine helfen konnte.

Er war nicht aufgeblasen wie viele gut erzogene Engländer, die ich kannte. Im Gegenteil: ein großer Mann, beinahe einsneunzig, mit breiten Schultern und Armen, die mich an einen Bären erinnerten, der die ganze Welt umarmen möchte. Er bewegte sich locker und ungezwungen, und der oberste Hemdknopf unter der Krawatte war stets offen. Wenn er aufgeregt war, fiel ihm eine Haarlocke in die Augen. Und wenn er den Raum mit langen Schritten durchmaß, um nach einer guten Formulierung zu suchen, meinte man, der Fußboden erbebte unter seinem Gewicht. Er schien sich seiner imposanten Statur nicht bewußt zu sein. Oft hatte er ein Loch im Strumpf. Seine Augen waren feucht und schwarz. Sie erinnerten mich an Oliven.

Als ich ihm zum ersten Mal in London vorgestellt wurde, trat ich im Palladium auf. Er kam in meine Garderobe, und er gefiel mir. Ich wußte nicht viel über englische Politik, aber er war offen, von scharfer Intelligenz und unfreiwillig komisch. Als er die Garderobe wieder verließ, ging er so unsicher, daß er über einen Stuhl stolperte, nicht ohne vorher die Garderobentür mit der Schranktür verwechselt zu haben!

Als er ein Jahr später in New York war und mich anrief, sagte ich, ja, ich freue mich, mit ihm auszugehen.

Wir gingen in ein indisches Restaurant in der 58. Straße. Er aß nicht viel, bemerkte das Essen auf seinem Teller kaum. Er hatte die Angewohnheit, mir ständig auf den Mund zu starren. Ich glaubte, meine Lippen gefielen ihm, dabei dachte er nur daran, was er als nächstes sagen sollte.

Nach dem Dinner gingen wir die ganze Strecke zu Elaines, Ecke 88. Straße und Second Avenue zu Fuß. Er wollte sehen, in welcher Kneipe sich meine Clique herumtrieb. Ich trug hohe Pfennigabsätze und hatte Mühe, mit seinen langen Schritten mitzuhalten. Ergebnis: Ich lief mir eine Blase!

Bei unserem Eintreten blickten alle Gäste auf. Aber nicht nur mir, sondern auch Gerry galt ihr Interesse, trotz seines zerknitterten Anzugs und seiner abgetragenen Schuhe. Jedenfalls belästigte uns niemand. Wir aßen Tintenfischsalat und nahmen ein paar Drinks zu uns. Wir sprachen über New York und London, und beim Verlassen des Lokals sagte ich ihm, daß ich in einer Woche eine Drehbuchbesprechung in London habe und ihn anrufen würde.

Ein Wagen sollte ihn abholen, um ihn zu einer politischen Versammlung nach Norden zu fahren, doch der Wagen kam nie. Da saß er nun in meiner Wohnung, besah sich meine Bücherregale, die mit Literatur über China, das Showgeschäft, amerikanische Politik, marxistische Theorien und übers Ballett vollgestopft waren. Er redete über die Notwendigkeit der Freiheit in einer sozialistischen Gesellschaft, saß vorgebeugt an meinem niedrigen Teetisch, und seine Haarlocke fiel ihm in die Augen. Damit fing alles an. Ich streckte die Hand aus, um sein Haar zu berühren. Ich mußte spüren, wie es sich anfühlte, und so einfach, als hätten wir einander ein Leben lang gekannt, blickte er von seiner Marx-Biographie auf, schaute mir in die Augen und zog mich an sich. Wir hielten einander einen Moment in den Armen, und ich war verloren. Das war mir noch nie vorher passiert, wenigstens nicht in dieser Form. Damals verstand ich es nicht, aber es war Teil des Rätsels, das ich später lösen sollte.

Als wir am nächsten Morgen aufstanden, machte ich zum Frühstück Tee, dazu gab es ein paar Kekse. Wir saßen in meiner sonnigen Küche. Vom Fenster aus kann man die Brücke an der 59. Straße sehen.

»Kommst du nächste Woche nach London?« fragte er. Ich sagte: »Ja.«

»Kann ich dich dann sehen?« Ich sagte: »Ja.«

»Kannst du mit mir in der Woche darauf nach Paris kommen?« Ich sagte wieder: »Ja.« Entschlossen stand er auf, ging auf das zu, was er für die Eingangstür hielt, und landete wieder im Schlafzimmer. Dann fand er die richtige Tür und war verschwunden. Er hatte weder »Auf Wiedersehen!« gesagt noch sich umgedreht.

Ich arrangierte meine Termine in London so, daß ich sowohl die Drehbuchbesprechung wahrnehmen und außerdem Gerry sehen konnte. In der Filmbranche wird viel Zeit damit verbracht, über Drehbücher zu brüten, die niemals realisiert werden. So war es auch in diesem Fall. Ich war froh, Gerry treffen zu können, dadurch war meine Zeit in London nicht völlig vergeudet. Aber vielleicht hätte mir das Drehbuch besser gefallen, wenn Gerry nicht dagewesen wäre. Wie dem auch sei, ganz London schien zu streiken, als ich ankam. Gerry hatte recht. Das Schiff war im Sinken begriffen, doch ich war mir über die Würde nicht so sicher, trotz der geblümten Teetassen und der nebligen Morgenspaziergänge im Hyde Park. Aber im Grunde war mir nur der Duft seiner Tweedjacke wichtig und die Locke, die ihm ins Gesicht fiel: seine sanften Finger auf meinen Wangen und die Art, wie er mich in seinen starken Armen wiegte, schienen die Wirklichkeit auszuschließen. Es war mir egal, ob England, mein Drehbuch oder die ganze Welt im argen lag.

Wir waren vorsichtig, nicht miteinander gesehen zu werden (ich lebte in der Wohnung von Bekannten).

Nach ein paar Tagen flog ich nach Paris, er folgte einen Tag später. Von meinem Hotelzimmer sahen wir auf die Dächer von St. Germain. Nachdem wir uns geliebt hatten, sprachen wir nie über unsere Beziehung oder darüber, was wir einander bedeuteten. Gerry und ich sprachen nie über seine Frau oder mein Privatleben. Es war weder notwendig noch ein Thema, das uns interessierte... bis zu dem Abend, als wir beim Dinner saßen und ein Tisch voller englischer Journalisten uns erkannte. Sie lächelten und winkten. Gerry erstarrte und konnte nichts mehr essen. Er sprach davon, wie sehr es seine Frau verletzen könnte – daß sie es nicht akzeptieren würde, und daß wir vorsichtiger sein müßten. Ich sagte natürlich, warum er nicht daran gedacht hatte, als wir damit anfingen? Er war so entsetzt, daß mir das Herz weh tat. In der Nacht konnte er nicht schlafen. Er sei total verwirrt, meinte er. Ich bot ihm an zu gehen, damit er wieder zu sich käme. Wir sahen uns einen Tag nicht, als er in vielen Besprechungen war. Ich hatte ohnehin vorgehabt abzureisen, als er mich einsam und verzweifelt anrief.

Er sagte, er könne es nicht ertragen, daß ich gehe. Er habe schreckliche Sehnsucht nach mir, und ob wir uns nicht sehen könnten.

Wir trafen uns außerhalb von Paris in St. Germain en Laye. Er fiel über mich her, erstickte mich mit seinen Küssen und Umarmungen, hielt mich an sich gepreßt, daß ich fürchtete, *er* bekomme keine Luft mehr. Er war voller Hingabe und voller Vernunft, flehend und fordernd zur gleichen Zeit. Es war seltsam, echt, offen, direkt und ein bißchen beängstigend zugleich.

Er sagte, er habe so etwas noch nie in seinem Leben getan. Er sei ratlos und habe schreckliche Schuldgefühle. Er sprach über die Zustände in der Welt, und wie sehr er einen Beitrag leisten wolle, sie zu verbessern. Er sprach über demokratische und sozialistische Prinzipien, und daß es möglich sei, beides gleichzeitig zu erreichen, wenn die Reichen nur ihren Wohlstand verteilten.

Er war gleichzeitig sanft und flüsternd, fordernd laut und drängend, als wolle er mit den vielen Facetten seiner Persönlichkeit experimentieren. Er fragte, ob es einen anderen Mann in meinem Leben gab.

Er schien eine Gefühlsreinigung seiner Person zu durchleben. Und als es Zeit wurde, einander zu verlassen, war er sachlich und nicht mehr sentimental. Er wollte wissen, ob es mir schwerfiel, nach Amerika zurückzukehren. Ich versicherte ihm, ich hätte aus wilderen Gegenden als der französischen Provinz meinen Weg zurück nach Hause gefunden. Er entschuldigte sich für sein Benehmen in Paris und sagte, er wolle mich bald anrufen. Ohne überflüssige Gefühlsäußerungen sagte er einfach Lebewohl in seiner spröden englischen Art, öffnete die Tür und ging. Das Dumme war nur – er stand im Schrank. Er lachte, und ohne ein weiteres Wort fand er die richtige Tür und war weg.

Das Zimmer, das wir zwei Tage zum Leben erweckt hatten, starrte mich schweigend an. Die Wände schlossen sich um mich. Keiner von uns hatte das Wort »Liebe« erwähnt. Ich spürte irgendeinen Zwang, mich dieser Beziehung zu ergeben, von der ich wußte, daß sie mir wenig zu bieten hatte außer unüberwindlichen Hindernissen. Die Frage war, *warum*?

2. Kapitel

»Rein logisches Denken kann uns keinerlei Wissen über die empirische Welt vermitteln; alles Wissen der Realität beginnt mit der Erfahrung und endet in ihr. Behauptungen, die durch rein logische Mittel aufgestellt werden, entbehren jeglicher Realität.«

Albert Einstein
»Albert Einstein als Philosoph und Naturforscher«

Ich fuhr durch den Malibu Canyon und bog auf den Ventura Freeway ein. Es war kaum Verkehr. Vor mir erstreckte sich das San Fernando Valley. Die Lichter der Häuser begannen in der Nacht zu funkeln wie eine große Schmuckschatulle.

Ich bog vom Freeway ab und fuhr die lange Auffahrt zu meinem Haus entlang. Die tiefhängenden Zweige der Kirschbäume streiften über das Autodach. Ich liebe diese Bäume, sie erinnern mich an die Kirschbäume im Garten des japanischen Hauses meines geschiedenen Mannes Steve. Steve hatte sie gepflanzt, als er in Shibuja, einem Vorort von Tokio, lebte. Er wollte in Asien leben und arbeiten. Ich wollte in Amerika leben und arbeiten. Nicht weil ich hier aufgewachsen war, sondern weil ich nur hier arbeiten konnte. Wir sprachen über die Schwierigkeiten und beschlossen, »aus dem Globus einen Golfball zu machen« und beides zu tun.

Eine Weile klappte es. Aber allmählich entwickelten wir unterschiedliche Lebensstile. Wir blieben Freunde, als wir unsere Tochter Sachi erzogen, die die ersten sieben Jahre ihres Lebens mit mir in Amerika verbrachte, die nächsten sechs in einer internationalen Schule in Japan und ihre restlichen Schuljahre in der Schweiz und in England. Sie lernte, fließend japanisch zu sprechen, zu lesen und zu schreiben (das hieß, daß sie die meisten orientalischen Sprachen lesen konnte). Sie fing an, wie ein Orientale zu *denken* und zu *beobachten*. Das war manchmal amüsant, denn Sachi ist ein sommersprossiges, blondes Mädchen, dem die Landkarte von

Irland mitten ins Gesicht geschrieben ist. Ihre schlaksigen Arme und Beine versteht sie beim Gehen oder Sitzen irgendwie zu bändigen, so als würde sie einen beengenden Kimono und den Obi tragen. Immer noch kniet sie in einem Wohnzimmer auf dem Fußboden und betrachtet jeden, der spricht, voller Bewunderung, und ihre Alice-im-Wunderland-Art kann ziemlich verwirrend sein, auch für mich, die ich glaube, sie zu verstehen. Mir gefällt die Kombination der offenen und direkten westlichen Denkungsart mit der asiatischen Vieldeutigkeit, die jede peinliche, unhöfliche oder unsensible Bemerkung ausschließt.

Ich habe von Sachi viel über Asien gelernt, wobei sie unbewußt meine Lehrerin war. Sie gehört zu einer neuen Art Mensch, deren Blut und Vorfahren westlich, deren Psychologie und Gedankengänge jedoch halb asiatisch sind. Durch unser »Golfball«-System entwickelte sich Sachi auf diese Weise. Wie alles hat diese Dualität seine Vor- und Nachteile. Auf lange Sicht glaube ich, überwiegt die gute Seite, und wenn diese nur darin besteht, daß Sachi eine Kombination zweier Welten geworden ist, und wenn sie geschickt ist, hilft sie der einen, die andere zu verstehen. Sie hat in Paris gelebt und Französisch gelernt. Dort, so meint sie, sei ihr die soziologische und kulturelle Anpassung am schwersten gefallen. Von den Grobheiten und dem Zynismus der Pariser sagte sie: »Mami, es ist wirklich schwer, sich mit japanischer Höflichkeit zu verbeugen und dabei zu sagen ›Leck mich am Arsch!‹«

Mein gemütliches Haus stand auf der Kuppe des Hügels. »MacLaine Mountain« hatte einer meiner Freunde ihn einmal genannt und gefragt, ob ich wohl je von diesem Berg herunterfallen würde. Wenn er wüßte, wie oft ich mir diese Frage gestellt hatte.

Mein Freund David hatte witzelnd gemeint, der größte Berg, den ich zu bezwingen hätte, sei ich selbst. Er hatte wenig Sinn für seichte Unterhaltung, aber er konnte Kleinigkeiten wichtig erscheinen lassen. Wenn er zum Beispiel eine Orange schälte, sie in eine Blume verwandelte, und der Saft beim Verzehr langsam über sein Kinn tropfte. Er sagte, es gäbe keine Zufälle im Leben, und grundsätzlich bedeuten wir alle etwas Wichtiges füreinander, wenn wir nur unsere Herzen und unsere Gefühle öffnen, ohne Angst vor Konsequenzen. Wir unternahmen, wie gesagt, lange Strandspaziergänge in Kalifornien, aßen im vegetarischen Restaurant und gingen zum Yoga-Unterricht. Er hatte mir oft geraten aufzuhören, an mir selbst »hochzuklettern«, statt dessen die Reise »in« mein Inneres anzutreten.

»Dort liegt alles verborgen, was du suchst«, sagte er. »Was ist mit dir los? Warum nimmst du dir keine Zeit hineinzusehen?« Er hatte das nicht ärgerlich gesagt, nur ein wenig ungeduldig.

Er gab mir Bücher über geistig-spirituelle Lehren zu lesen. Er sagte mir, ich solle meine wahre Identität besser kennenlernen. Im Grunde verstand ich nicht, was er eigentlich meinte. Ich hatte immer angenommen, daß ich das ohnehin tue. Aber offenbar sprach er auf einer anderen Ebene. Wenn ich ihn fragte, wollte er nie ausführlich darüber sprechen. Er sagte, ich solle darüber nachdenken, dann würde ich begreifen. Ich dachte über das, was er gesagt hatte, nach, überflog die Bücher und fuhr fort, alles von einem direkten, aufgeschlossenen Standpunkt zu betrachten. Nicht wirklich zufriedenstellend, aber praktisch.

Ich war kein unglücklicher Mensch – in keiner Weise. Und ich war davon überzeugt, ein gutes Gefühl für meine Identität zu haben. Das war auch die Meinung anderer Leute über mich. »Sie weiß, wer sie ist«, hieß es allgemein. Tatsächlich fiel es mir manchmal schwer, zu den Klagen der Frauenbewegung, daß sie sich von ihrer weiblichen Identität entfernten, Zugang zu finden. Damit hatte ich nie Schwierigkeiten im Leben gehabt. Im Gegenteil: Was ich fühlte und was ich wollte, dessen war ich mir so sicher, daß ich manchmal den Vorwurf zu hören bekam, ich sei so überemanzipiert, daß ich niemanden *brauche*.

Aber in diesem Punkt war ich mir mittlerweile nicht mehr so sicher. Vielleicht hatte David recht. Möglicherweise sah er etwas viel Tieferliegendes in mir, das mir entging, *weil* ich so emanzipiert war. Vielleicht sollte ich gerade *deshalb* begreifen, daß ich einen langen Weg vor mir hatte. Es ist schwer zu erfassen, daß etwas wirklich Tiefes, Bedeutendes in einem selbst fehlt, wenn man sich erfolgreich, voller Tatkraft, verantwortlich und kreativ fühlt.

Die Düfte von Maries köstlicher französischer Küche empfingen mich schon in der Einfahrt. Ich hatte sozusagen das beste Restaurant der Stadt, lud mir aber selten Gäste ein. Ich liebte es, allein zu sein, gab nicht gerne Einladungen, verbrachte meine Zeit lieber mit Lesen oder Schreiben.

Ich knallte die Haustür zu –, das Zeichen für Marie, daß ich da war, brüllte in Richtung Küche, daß ich ein Bad nehme und mich vor dem Essen ein wenig ausruhe.

Ich rannte die Treppe hinauf, zwei Stufen auf einmal nehmend, beim Öffnen der Schlafzimmertür brach ich mir einen Fingernagel ab. Verdammt noch mal, deshalb muß ich nun in den Kosmetiksalon, dachte ich. Doch dann empfing mich mein geliebtes Schlafzimmer – geräumig, blau, kühl und erfrischend.

Ich liebe mein eisblaues Schlafzimmer mit dem danebenliegenden Wohnbüro, so sehr man ein Zimmer überhaupt lieben kann. Hier verbringe ich viele Stunden ganz allein. Hier kann ich die Tür zuschließen; ohne unhöflich oder ungesellig zu erscheinen, kann ich die Welt aussperren. Ich hätte mein Leben in diesen Räumen verbringen können, wunschlos glücklich. Das Schlafzimmer habe ich selbst entworfen, in einem Blauton, der blaß und doch vital genug war, um die Morgen- und die Abendstunden zu verschönern. An einer Glaswand mit einer riesigen Schiebetür hängen duftige, reich fallende Vorhänge. Der Blick geht auf das San Fernando Valley hinaus und zu den Bergen dahinter – Berge, die mich an klaren Abenden immer wieder faszinieren. Die Möbel sind mit blauem Samt bezogen, über dem Bett liegt eine blaue Seidenbrokatdecke.

Ich hatte einmal von einer Filmdiva gelesen, die aus dem Bett gefallen war, weil sie in Satinbettwäsche schlief. Ich bevorzuge normale Bettwäsche, denn ich lese und schreibe im Bett, wenn ich keine Lust habe, aufzustehen. Bücher und Notizblöcke liegen um mich herum verstreut. Wenn ich Schwierigkeiten habe, einen Übergang zu finden oder am toten Punkt einer Geschichte angelangt bin, knipse ich die Heizdecke an und schlafe eine Runde inmitten meiner Arbeitsunterlagen, und wenn ich aufwache, weiß ich meistens weiter. Ich liebe es allein zu sein in meinem schönen Schlafzimmer, mit nichts außer mir selbst und allem, worüber ich nachdenken will. Wenn ich mich auf etwas so sehr konzentriert habe, daß ich alles um mich herum vergesse, empfinde ich hinterher eine tiefe Erfüllung. Vielleicht hatte David recht. Vielleicht sollte ich wirklich lernen zu meditieren... tief zu meditieren. Vielleicht würde ich das finden, wovon er sprach.

Ich ging ins Ankleidezimmer und zog mich um. Spiegel an allen vier Wänden und an der Decke... ein Monument der Eitelkeit, dachte ich –, es störte mich ein wenig, denn wenn ich nicht gerade einen Film drehe, ist es mir eigentlich egal, wie ich aussehe.

Ich öffnete eine der Spiegelschranktüren und holte einen Bademantel heraus. Dabei fragte ich mich, was Gerry wohl zu meiner Filmstar-Garderobe sagen würde, zu diesen vollgepackten Schränken mit Kleidern aus meinen Filmen und Sachen, die ich in jeder Großstadt der Welt gekauft hatte. Was würde er denken, wenn ich ihm sagte, daß ich das Gefühl edler Perlen um meinen Hals liebte, mir aber protzig und unpassend vorkam, wenn ich sie trug. Was würde er denken, wenn ich ihm sagte, daß ich es liebte, mich in den seidigen Pelz meines Zobelmantels zu kuscheln, ihn jedoch selten anzog, obwohl ich ihn statt Gage für einen Werbespot bekommen hatte. Wie würde er reagieren, wenn er wüßte, wie gern ich mit der »Concorde« flog, auch wenn er eine Kampagne dagegen gestartet hatte.

Ich wollte mit ihm darüber sprechen, daß ich sehr viel Geld verdient hatte, das mir ein elitäres Gefühl gab, in einer kaputten Welt alles kaufen zu können, was ich mir wünschte. Ich wollte ihn fragen, was er tun würde, wenn er für seine Dienstleistungen große Summen Geldes verlangen könnte. Ich hatte bemerkt, wie er mein Luxusgepäck im Hotel in Paris gemustert hatte. Verstießen für ihn äußere Manifestationen verdienten Wohlstands gegen sozialistische Prinzipien? Bedeutete, arm geboren zu werden, automatisch, ein besserer Mensch zu sein? Ich wollte über all das mit ihm sprechen, konnte jedoch nicht, denn einmal hatte ich ihn gefragt, ob seine Frau elegante Kleider und schönes Gepäck habe, das ein Leben lang hielt. »Nein«, hatte er gesagt, »meine Frau ist Marxistin. Sie sieht es nicht einmal gern, wenn ich im Winter Pelzhandschuhe trage.«

Ich zog den Bademantel an und öffnete eine der Spiegelwände, eine Schiebetür, die auf die Terrasse führt. Dort rauschte ein Wasserfall über Felsen inmitten tropischer Grünpflanzen und Blumen. Sie wurden von einem japanischen Gärtner gepflegt, der sie wie Kinder liebte und der Überzeugung war, Peter Tomkins habe recht, Pflanzen haben tatsächlich Empfindungen. Gerry fand mich albern, als ich davon sprach.

»Pflanzen mit Gefühlen?« lachte er. »Ich bin nur froh, daß sie keine Widerworte geben können.« Ich hatte keine Lust, weiter darüber zu sprechen, denn sein zynisches Lachen erstickte das Thema sozusagen im Keim. Wie oft sehnte ich mich danach, irgendeine metaphysische Idee weiterzuspinnen, die in zwanzig Jahren vielleicht als wissenschaftlich fundierte Erkenntnis gelten mochte. Doch Gerry gehörte zu den Menschen, die sich nur mit Dingen abgeben, die man beweisen kann – Dingen, die sichtbar und soziologisch erklärbar sind oder die er in seinen gelegentlichen Anflügen von schwarzem Humor parodieren konnte.

Das Bad neben dem Ankleidezimmer ist mein Lieblingsraum. Von der versenkten quadratischen Marmorwanne blickt man auf den Felsenwasserfall, wo jetzt die indirekte Beleuchtung mit dem herabstürzenden, tanzenden Wasser im Zwielicht spielte. Es gibt zwei Toiletten und zwei Waschbecken aus rosa Marmor und über der Wanne einen Duschkopf aus Messing. Die versenkte Wanne ist so groß, daß ich keinen Duschvorhang brauche, um den Teppich vor verspritztem Wasser zu schützen.

Ich beugte mich vor und drehte die Wasserhähne auf. Ein heißes Bad versetzt mich immer in gute Stimmung.

Schon während ich die Hände in den warmen Wasserstrahl hielt, entspannte ich mich. Wohlig seufzend setzte ich mich in das duftende Schaumbad. Meine Mutter liebte heiße Bäder ebenso sehr wie ich. Oft lag sie im warmen Wasser und dachte einfach nach. Ich fragte mich immer, ob sie darüber nachdachte, wie sie rauskommen sollte... aus ihrem Leben. Meine Mutter tat alles, was sie tat, für Dad. Und nach Dad für ihre Kinder. Aber das tut wohl jede Mutter. Beim Kochen pflegte sie tief zu seufzen. Oft schaffte sie es, etwas anbrennen zu lassen, dann rang sie die Hände. Ihre schönen Hände sind das Ausdrucksvollste an ihr. Ich wußte immer, wie sie sich fühlte, wenn ich ihre langen, schlanken Finger beobachtete, die sich ständig ineinander schlangen oder mit etwas an ihrem Hals oder ihren Handgelenken spielten. Entweder fummelte sie an ihrem Rollkragenpullover herum (Wolle auf der Haut störte sie), oder sie spielte an ihren Silberketten. Sie hatte es gern, wenn die Ketten durch ihre Finger glitten. Doch manchmal hatte ich den Eindruck, sie erwürge sich beinahe vor Frustration. Ich wollte diesen Widerspruch begreifen, sie anflehen, ihre Gefühle auszudrücken –, doch wenn sie einen gewissen Höhepunkt der

Verzweiflung erreichte, und bevor ich meine eigenen Gedanken formulieren konnte, stürzte sie sich gewöhnlich in eine neue Aufgabe, z. B. Kartoffelschälen oder Plätzchenbacken.

Meine Mutter wollte einmal Schauspielerin werden, und Dad behauptete, sie gebe ohnehin meist eine Vorstellung. Eigentlich waren sie beide ziemlich begabte Komödianten. Dad sagte einmal, mit Vierzehn wollte er mit einem Zirkus auf und davon laufen. Er liebte Eisenbahnen und das Reisen und sagte, um den Clown zu spielen, brauche er keine Schminke. Und er hatte eine Gabe, Aufmerksamkeit auf sich zu lenken, wie sonst niemand, den ich kenne. Dazu benutzte er gewöhnlich seine Pfeife. Wo immer er in einem Zimmer saß, die Pfeife wurde zum Mittelpunkt. Sein Stuhl wurde zur Bühne und Freunde oder die Familie zum Publikum. Er pflegte ein Bein übers andere zu schlagen und mit der Pfeife gegen den Absatz seines Schuhs zu klopfen, als wolle er eine Versammlung zur Ruhe ermahnen. Aus seinem Pfeifenkopf fiel dann jedesmal ein kleines Häufchen Asche auf den Teppich neben ihm.

Bis zu diesem Augenblick war es so, daß die Anwesenden bereits aufmerksam und gespannt zu ihm hinübersahen. Dann seufzte er gewöhnlich tief auf, stellte die Beine nebeneinander, brummte etwas und beugte sich langsam vor, um zu entscheiden, was mit der Asche zu tun sei. Dies war ein Meisterstück der Aufmerksamkeitswerbung. Würde er sie aufheben? Würde er das Häufchen Asche behutsam zwischen die Finger nehmen, um es nicht zu zerdrücken? Oder würde er nach einem Streichholzbriefchen in der oberen Schublade seines Pfeifenständers neben seinem Stuhl greifen, um die Asche hinaufzuschaufeln? Keinem Menschen wäre es je in den Sinn gekommen, ihm zu Hilfe zu eilen. Es handelte sich um ein wissenschaftlich ausgeklügeltes Experiment. Ebensogut hätte man auf die Bühne eilen können, um Laurence Olivier behilflich zu sein, ein Requisit, das er absichtlich fallen gelassen hatte, aufzuheben.

Gewöhnlich hob Dad die Asche mit dem Streichholzbriefchen auf. Während er sich weit vorbeugte, pflegte er plötzlich ein Stäubchen an der Schulter seiner Jacke zu entdecken. Mit der Pfeife in der einen Hand, dem Streichholzbriefchen in der anderen, die Aufmerksamkeit der Anwesenden auf die Asche gerichtet, machte er sich betulich und unbeirrt dran, das Stäubchen wegzupusten, während jeder im Zimmer darauf wartete, was mit der Asche geschehen würde. Hatte er die ungeteilte Aufmerksamkeit aller, so war er ein glücklicher Mann. Achtete jedoch niemand auf seine Vorstellung, betrank sich Dad gnadenlos.

Mutter verließ meist das Zimmer und kam erst wieder zurück, wenn sie das Gefühl hatte, daß Dads Vorstellung zur Zufriedenheit verlaufen war, um warmen, selbstgemachten Apfelkuchen anzubieten. Auf dem Weg zur Küche rannte sie meist gegen ein Möbelstück, was von den Umstehenden mit erschrockenen Sympathiekundgebungen gewürdigt wurde. Dad zog mittlerweile an seiner Pfeife, trank langsam, unbewegt von seiner Whisky-Milch-Mischung, wissend, Mutter hatte ihm wieder einmal die Schau gestohlen, und er versuchte sich damit abzufinden, daß jedes Theaterstück mehr als eine Hauptfigur hatte. Kein Wunder, daß Warren und ich Schauspieler geworden sind: wir hatten die besten Lehrmeister.

Einmal hatte Mutter die Hauptrolle in einem Stück übernommen, in dem eine Mutter langsam wahnsinnig wird. Wegen der Proben war sie mindestens vier Abende in der Woche nicht zu Hause. Also fing Dad an, sich zu beschweren, daß es kein warmes Essen mehr gebe und auf dem Kamin der Staub liege. Er neckte Mutter und behauptete, sie würde genauso werden wie »die Ziege« in dem »verdammten, blödsinnigen Stück«, und er warnte sie vor den Zuständen, die daheim allmählich einreißen würden. Langsam begann Mutter sich unter seinem Druck zu beugen. Ihre fein geschwungene Nase zog sich kraus, wenn sie versuchte, sich klar zu artikulieren, und ihre Rede wurde sprunghaft. Bald war auch sie der Meinung, daß sie zu stark in die Rolle geschlüpft sei, und das stünde wohl nicht dafür. Also gab sie die Rolle ab. Sie war auf Dads Machenschaften hereingefallen, kam nach Hause zurück und umsorgte wieder die Familie.

In meiner Jugend tat auch ich, was man von mir erwartete. Ich trug die üblichen weißen Blusen, sauber geputzte Oxford-Slippers, heruntergerollte Söckchen über Nylonstrümpfen, Faltenröcke, die ich sorgsam beim Hinsetzen glattstrich. Ich pflegte mein Haar allabendlich mit den berühmten hundert Bürstenstrichen, machte gehorsam meine Hausaufgaben und wäre vielleicht Footballkönigin geworden, wenn mein Freund nicht ausgerechnet an dem Tag, an dem das Team die Kandidatin nominierte, krank geworden wäre und mir dadurch die Chancen verpatzt hätte. Ich schenkte aller Welt ein strahlendes Lächeln und erlaubte mir nie, anderen offen feindselig gegenüberzutreten, denn man wußte ja nicht, aus welcher Ecke die entscheidende Sympathiekundgebung bei der Wahl der nächsten Ballkönigin kommen konnte. Ich nahm an allen Sommertanzpartys teil, doch mehr als Schmusen passierte dabei nicht. Ich war eine gute Schülerin, aber nur weil ich es verstand, gut zu schummeln. Ich war von echtem »Schulgeist« beseelt, trug ständig meine Schuluniform, und wenn ich vor einem sportlichen Wettkampf die Schultrommeln hörte, schwoll mein Herz vor Stolz. Nach der Schule verbrachte ich viel Zeit damit, in Autos mit den Jungs zu zechen und zu rauchen... ich machte die Jungs an, aber ich ging nie zu weit, denn meine Mutter hatte gesagt, ich müsse als Jungfrau in die Ehe gehen, und mein Mann würde es merken, wenn ich es nicht mehr sei. Trotzdem mußte alles heimlich geschehen, denn Mom und Dad waren in erster Linie um meinen Ruf besorgt, nicht darum, was ich wirklich tat.

Ich lachte viel, meist vor Anspannung, es war eine Art Ventil für unterdrückte Gefühle, oft an Hysterie grenzend. Lachen war für mich lebenswichtig. Aber auch das paßte den Leuten nicht. Meine Freundinnen nannten mich »silly Squirrely« (»albernes Eichhörnchen«), weil ich eigentlich über alles lachte. Sie hielten mich für oberflächlich, und meine »Sorglosigkeit« war ein häufiges Gesprächsthema. Sie sagten, ich sei »ein verrücktes Huhn«, was ich anfänglich als Kompliment nahm, bis ich begriff, daß wirklich etwas mit mir nicht stimmte. Eines Tages stand ich händchenhaltend im Schulkorridor mit Dick McNulty. Er erzählte mir einen Witz, und ich begann zu lachen. Ich konnte nicht mehr aufhören, von einem hysterischen Krampf geschüttelt, den ich nicht unterdrücken wollte. Ich brüllte vor Lachen. Ich lachte und lachte, bis der Schuldirektor kam und mich nach Hause schickte. Dad und Mom wollten lediglich wissen, warum ich in der Schule Händchen gehalten hatte. Es interessierte sie nicht, warum ich so krampfhaft lachen mußte.

Dick McNulty war der erste Junge, den ich liebte. Drei Jahre später wurde er in Korea getötet.

Ich saß in der Badewanne, bis das Wasser lauwarm geworden war. Welche Kleider sollte ich mit nach Honolulu nehmen? Ich hatte Gerry an so vielen Orten der Welt getroffen ... im Schnee und in den Tropen. Ich würde mich jederzeit und überall, was er auch vorschlug, mit ihm treffen ... aber, mein Gott, diese heimlichen Reisen nach London! Sie waren für mich ein Greuel geworden.

Manchmal war es schwierig, eine Wohnung für eine Woche zu finden. Und doppelt schwierig war es, sich die Presse vom Hals zu halten. Aber am schwierigsten war der emotionelle Konflikt, wenn wir uns in seinem heimatlichen Territorium trafen.

Einmal fand ich eine Wohnung nur zwei oder drei U-Bahnstationen und einen zehnminütigen Fußweg von seinem Büro entfernt.

Ein zehntägiger Aufenthalt begann. Er besuchte mich mit der U-Bahn, und ich wartete in der dunklen Wohnung auf seine Besuche. Warum waren alle Wohnungen dunkel?

Ich stand am Fenster und sah, wie er gemächlich die Straße entlang schlenderte. Hin und wieder wurde er von Leuten, die ihm Glück wünschten, angehalten. Sie mußten sich eigentlich fragen, was er in diesem Stadtteil verloren hatte.

Er kam herein. Ich umarmte ihn.

»Am Anfang meiner Ehe habe ich in diesem Viertel gewohnt«, sagte er, nachdem er mich losgelassen hatte, durch die Wohnung ging, Bücherregale und Nippesfiguren auf den Möbeln inspizierte. Er sagte nicht viel über die Bücher und die Drucke an der Wand, doch er entdeckte ein Magazin, das eben mit der Post angekommen war. *Penthouse*.

»Wie können die Leute nur einen solchen Schund abonnieren?« fragte er und führte mich ins Schlafzimmer.

»Ich weiß nicht. Pornographie ist doch nur eine Frage des Standpunkts oder der Erziehung, findest du nicht?« sagte ich. »Viele Leute halten vielleicht das, was wir miteinander tun, für Porno.«

Er sah mich eine Weile an und lächelte. Die Brille wirkte unpassend auf dem Rücken einer solch stolzen Nase.

Wir liebten uns, doch er wirkte geistesabwesend. Wir blieben eine Weile nebeneinander liegen; dann sagte er, er müsse zurück zur Arbeit. Ein Frösteln durchlief mich. Als er weg war, rief ich einen befreundeten Schriftsteller an, doch er war den ganzen Tag außer Haus und abends zum Essen eingeladen.

Am nächsten Tag war Gerry freier und zärtlicher. Er sagte, unser Zusammensein habe ihn so sehr beschäftigt, daß er die ganze Nacht nicht schlafen konnte. Aber, es sei ein köstliches Gefühl, sich auf diese Weise erschöpft zu fühlen. Er sprach von Empfindungen, die er noch nie in seinem Leben gespürt habe.

Etwa am vierten Tag kam er herein und setzte sich mit einem schüchternen Lächeln.

»Was ist los?« fragte ich.

Er holte tief Atem. »Meine Tochter holte irgendwas aus meinem Mantel im Schrank und fragte, warum meine Anzüge nach Parfum riechen. Das traf mich so unerwartet, daß ich mich idiotisch benommen habe. Ich lief zum Schrank, anstatt gelangweilt abzuwinken. Meine Frau bemerkte das natürlich, und ich spürte ihren auf mich gerichteten Blick. Ich sagte, ich rieche kein Parfum, und dann kam sie auch zum Schrank. Sie meinte, sie rieche es auch. Ich antwortete, daß ich nicht weiß, wovon sie reden und ging einfach weg. Ich habe mich falsch benommen, ebenso blöde wie in Paris.«

Er ging in die Küche, stolperte über den Abfalleimer und brühte sich Tee auf.

»Und wie ist die Geschichte ausgegangen?« fragte ich.

»Och, es ist alles in Ordnung, denke ich. Es wurde nicht mehr darüber gesprochen. Ich hasse diese Heuchelei. Ich mag keine Lügen.«

Seit diesem Tag benützte ich kein Parfum mehr, nicht einmal dann, wenn ich nicht mit ihm zusammen war. Ich fürchtete, es würde sich in meine Kleider festhängen. Aber immer wenn wir zusammen waren, ging er hinterher unter die Dusche und wusch sich die Haare. Dabei lächelte er scheu und zuckte wegen der Absurdität die Schultern.

Ich setzte eine Brille auf, ein Kopftuch, einen Hut über das Tuch und begab mich ins Englische Parlamentsgebäude, wo eine Wirtschaftsdebatte stattfand. Der Premierminister und verschiedene Oppositionsführer waren anwesend. Ich setzte mich in die letzte Reihe auf den Balkon. Es war das erste Mal, daß ich Gerry bei der Arbeit sah.

Er ging aggressiv auf und ab, als wäre er bereits Premierminister. Selbstsicher mischte er provozierende Scherze in seine Zwischenrufe, machte sich über Kollegen oder politische Gegner lustig. Wenn ein anderer Abgeordneter sprach, hielt er es nicht auf seinem Platz aus, und wenn er schon mal saß, schlug er die Beine übereinander und wippte aufreizend mit den Füßen. Seine blauen Socken waren ihm bis zum Knöchel heruntergerutscht. Ungeduldig sprang er hoch, verlangte energisch das Wort, durchmaß das Parlament, als gehöre es ihm. Breitbeinig stellte er sich in Positur, vergrub die Hände in den Hosentaschen, ließ seine Blicke schweifen, als seien ihm die Besucher auf der Galerie wichtiger als das, was irgendein Abgeordneter zu sagen hatte. Und als er schließlich selbst das Rednerpult betrat, nannte er einen Kollegen von der Opposition einen Waschlappen und Heuchler, der unfähig sei, unpopuläre Standpunkte zu vertreten, ob es sich nun um Gewerkschaften, Kernkraftenergie oder Steuerreform handle. Zur Bekräftigung seiner Argumente nahm er ständig die Brille ab und setzte sie wieder auf. Er sprach frei, ohne Notizen. Doch unter dem Podium verschlangen sich seine Füße ineinander wie die Füße eines Schuljungen. Ich fragte mich, ob er seiner Partei je zum Sieg verhelfen konnte. Er war streitlustig, aber brillant. Wenn die Wähler je seine Füße zu Gesicht bekamen, die unruhig hin und her schurrten, oder die er übereinander stellte, dann wußten sie auch, warum er den Inhalt seines Aktenkoffers mit dem Ellbogen zu Boden fegte, als er sich schließlich wieder setzte.

Am Abend kam er in die Wohnung und fragte mich nach meiner Meinung. Ich hatte nicht erwartet, daß er mich mit Brille, Hut und Kopftuch erkennt.

»Du weißt, daß ich dort war?«

»Natürlich. Wie könnte ich dich übersehen?«

Ich wurde etwas unsicher. Vielleicht hatte er nur eine Vorstellung für mich gegeben? Möglicherweise benahm er sich sonst nicht so.

»Also, wie fandest du mich?«

»Hast du mir was vorgespielt oder bist du immer so?«

Er war überrascht. »Wie meinst du das?«

»Na ja, außer der Jacques-Tati-Nummer hast du dich aufgeführt, als seist *du* Premierminister, als gehöre dir das ganze Haus.«

Er lachte, stellte die Kaffeetasse ab und beugte sich vor. »Ja?« sagte er mit einem interessierten Funkeln in den Augen.

»Und außerdem warst du ziemlich gemein zu deinen Kollegen... sie Waschlappen und so was zu nennen. Ist das hier in England so üblich?«

Er strich sich das Haar aus der Stirn.

»Na ja, es ist ein Spiel, verstehst du? Es ist zum Teil nur Spaß. Offen gestanden ist das die Hälfte der Politik für mich. Es gefällt mir, wenn sie sich wegen ihrer Unfähigkeit winden. Das ist Teil des Spiels. Warum wäre ich sonst dabei?«

Etwas wie Zweifel flog über sein Gesicht.

»Hättest du dich so benommen«, fragte ich, »wenn die Fernsehkameras auf dich gerichtet gewesen wären?«

Er wurde ein wenig blaß, ging aber sofort auf den Punkt ein, der ihn interessierte.

»Warum? Findest du mich zu intensiv fürs Fernsehen? Soll ich deshalb etwas zurückhaltender sein?«

Ich konnte nicht glauben, daß er über technische Dinge diskutieren wollte. Ich wollte doch wissen, *warum* er sich so benahm.

»Warum greifst du Leute an, die du verändern willst?«

»Weil ich ihre Verlogenheit hasse. Ich hasse es, wie sie sich rausreden, keine Standpunkte beziehen. Und weil sie Lügner sind. Außerdem vertrete ich die Arbeiterklasse, die nie die Möglichkeit hat, ihre Standpunkte in scharfer Form klarzumachen. Diese Art gefällt ihnen.«

Ich hörte aufmerksam zu und versuchte zu verstehen. Vielleicht war er nicht wirklich daran interessiert, die Meinung der Parlamentarier zu verändern. Ich fragte, ob er so heftig sei, um seinen Wählern aus der Arbeiterschaft eine Identifikationsmöglichkeit zu bieten, oder ob dies seine eigene Meinung sei.

»Beides«, sagte er. »Das eine ist die Folge des anderen.«

Ich hatte den Eindruck, er mache sich selbst etwas vor. Er hatte wieder dieses schüchterne Lächeln aufgesetzt.

»Vielleicht reagierst du so scharf auf die Unzulänglichkeiten anderer Leute, weil du selbst unzulänglich bist«, sagte ich.

»Was heißt das? Ich bin in meiner politischen Haltung stets konsequent und sage die Wahrheit, auch wenn sie mir schadet.«

Ich dachte einen Moment lang nach. »Ich weiß, daß du politisch gradlinig bist. Aber du hast deine Kollegen persönlich angegriffen und ich bin mir nicht so sicher, ob du selbst so reinen Herzens bist, wie es den Anschein hat.«

Er stand auf, ging im Zimmer auf und ab, fuhr sich mit den Händen durchs Haar. »Meinst du«, sagte er, »ich werfe anderen Heuchelei vor, *weil* ich den gleichen Zug an mir erkenne?«

»Na ja, das tun wir doch alle, findest du nicht? Wir werfen doch anderen gern Fehler vor, die wir selbst machen.«

»Also, was habe ich mir zuschulden kommen lassen?«

»Mich vielleicht.«

»Nun, das stimmt. Aber was hat das mit Politik zu tun?«

»Was ist mit deinen Anrufen bei mir?«

Er unterbrach seine Wanderung. »Was soll damit sein?«

»Du rufst mich doch von deinem Büro an?«

»Ja, natürlich.«

»Wer bezahlt die Telefonrechnungen?«

»Es ist ein Regierungstelefon.«

»Und wer bezahlt die Regierung?«

Er starrte mich an.

»Du telefonierst etwa siebenmal in der Woche auf Kosten der Steuerzahler nach Amerika. Da muß schon eine hübsche Summe zusammengekommen sein.«

»Was soll das alles?«

»Ich versuche, die Wahrheit zu sehen. Heute hast du einen Mann einen Waschlappen genannt, ohne an die Konsequenzen zu denken. Stell dir vor, dieser Mann prüft deine Telefonliste nach und entdeckt, daß deine Anrufe nach Reno und Las Vegas mir galten?« Gerrys Gesicht erstarrte.

Er schaute nervös auf seine Uhr. »O Gott«, sagte er. »Ich muß zur Sitzung. Ich ruf' dich später an.«

Er ging zur Tür, zog den Trenchcoat an und ging wie üblich ohne Abschied. Seine Brille war auf dem Tisch liegengeblieben.

Ich trank den Rest Kaffee. Selbsterkenntnis war nicht Gerrys starke Seite. Und Diplomatie nicht meine.

An diesem Abend ging ich mit Freunden aus und kam erst gegen fünf Uhr morgens nach Hause.

Gerry rief früh an. »Ich dachte, du bist in London, um mich zu sehen«, sagte er.

Ich war verblüfft. »Ja, das stimmt.«

»Wo warst du gestern abend?«

»Ich bin ausgegangen.«

»Und was war so interessant, daß du die ganze Nacht wegbleiben mußtest? Kannst du mit deiner Zeit nichts Besseres anfangen?«

»Was meinst du damit?«

»Wo warst du?« fragte er.

»Mit Freunden beim Dinner im ›White Elephant‹. Anschließend gingen wir tanzen zu ›Annabelle‹.«

»Und mit wem hast du getanzt?«

»Gerry. Moment mal, was ist eigentlich los?«

»Nichts«, sagte er. »Ich komme später vorbei.«

»Ich kann's kaum erwarten.« Ich hoffte, mein sarkastischer Unterton war ihm nicht entgangen.

Als er ankam, umarmte ich ihn nicht. Er zog seinen Mantel aus, ging ins Schlafzimmer, legte sich aufs Bett und starrte an die Decke. Ich machte ihm einen Whisky mit Soda und setzte mich neben ihn.

»Ich bin kein Betrüger, mußt du wissen.«

»Nein, das weiß ich.«

»Aber ich benehme mich wie einer. *Ich betrüge.*«

»Was ist nun schon wieder los?«

Er seufzte. »Ich weiß nicht. Aber es macht mich fertig.«

»Dann sprich mit deiner Frau.«

»Das kann ich nicht.«

»Sag ihr nichts von mir. Laß mich aus dem Spiel. Sprich mit ihr darüber, was zwischen euch nicht in Ordnung ist.«

Er starrte mir ins Gesicht. »Zwischen uns ist alles in Ordnung.«

»Alles in Ordnung? Wie kannst du das sagen?«

»Weil es stimmt. Wir haben keine stürmische, leidenschaftliche Liebe, aber wir sind zufrieden.«

Ich fragte mich, was seine Frau antworten würde, wenn ihr jemand dieselbe Frage stellte.

»Beklagt sie sich nie, daß sie sich einsam fühlt?«

»Früher schon. Ich bin viel unterwegs. Aber sie hat sich daran gewöhnt.«

»Bist du sicher, daß sie sich daran gewöhnt hat?«

»Ich weiß nicht«, antwortete er.

»Bist du *sicher*, daß sie nicht einsam ist?«

»Sie spricht nie darüber.«

Er nippte schweigend an seinem Whisky.

»Okay«, sagte ich, »wir wissen, daß du einsam bist, stimmt's?«

»Ja.« Er schob den Arm unter seinen Kopf: »Aber ich hatte mich daran gewöhnt.«

»Was meinst du mit *hatte*?«

»Wie ich es sage. Ich *hatte* mich daran gewöhnt, bis du kamst. Jetzt bin ich nicht mehr so einsam.«

»Und warum hilfst du ihr nicht, weniger einsam zu sein... weniger unglücklich?«

»Dann müßte ich sie belügen.«

»Aber du belügst sie doch jetzt auch, weil die Wahrheit zu sagen schlimmer wäre.«

»Ja.«

»Also sind wir wieder bei der Heuchelei. Manchmal ist sie unumgänglich. Vielleicht ist sie der Preis, den wir bezahlen müssen.«

Er sah mich seltsam an. Dann beschäftigte er sich mit den Eiswürfeln in seinem Drink.

»Beantwortest du mir eine Frage? Ganz ehrlich?« fuhr ich fort.

»Ja.«

»Hast du das Gefühl, allein zu leben? Ich meine tief in deinem Innersten, da wo du wirklich lebst, lebst du da allein?«

Die Frage schien neu für ihn; als habe er nie zuvor darüber nachgedacht.

»Ja«, sagte er. »Das stimmt.«

»Dann muß sie ebenfalls das Gefühl haben.«

Er drehte sich auf die Seite.

»Vielleicht braucht sie auch eine Beziehung, wie du eine gebraucht hast.«

Er starrte aus dem Fenster. »Nein«, sagte er, »sie ist glücklich damit, die Kinder zu erziehen. Sie weiß, was meine Arbeit erfordert.« Er legte den Arm über sein Gesicht.

Ich kroch zu ihm unter die Decke.

»Ich klinge wohl wie eines deiner männlichen Chauvinistenschweine, oder?«

Ich sagte nichts. »... und außerdem, wenn ich es ihr sage, würde sie mir nicht glauben.«

»Ach, Gerry«, murmelte ich, und bald schliefen wir nebeneinander ein.

Etwas später wachte er auf: »Ich bin mir im klaren darüber, was du für mich bist.«

»Und was ist das?« fragte ich.

Gerry schwieg.

»Gerry?«

»Ja?«

»Nun komm schon. Laß mich nicht so hängen. Was meinst du damit, du bist dir im klaren darüber, was ich für dich bin? Sag es mir, ich möchte es wissen.«

Er räusperte sich: »Also, ich habe einem meiner Wahlhelfer erzählt, daß wir uns treffen. Ich sagte ihm, du bist in der Stadt und bat ihn, meine Rede zu übernehmen, damit ich heute abend bei dir sein kann.«

»Oh? Und was hat er gesagt?«

»Na ja, er fragte, ob es noch etwas gäbe, was er wissen sollte, und ich antwortete ihm, sie ist in der Stadt, und ich will sie sehen, das ist alles.«

Ich setzte mich auf. »Ich verstehe«, sagte ich. »Und das ist es, was du mit ›im klaren über mich sein‹ bezeichnest?«

»Jetzt muß ich aber weg«, antwortete er. »Die Rede wird jetzt zu Ende sein, und ich muß Fragen beantworten.«

Das bekannte Frösteln durchlief mich.

Er ging unter die Dusche, wusch sich die Haare und zog sich an.

»Heute abend hättest du nicht duschen müssen. Heute abend nicht.«

»Nein«, sagte er und stellte sein Glas ins Spülbecken in der Küche. »Das hätte ich nicht.«

Er zog den Mantel an und ging. Um seinetwillen war ich froh, daß er die richtige Tür erwischte.

Am nächsten Tag flog ich zurück nach Kalifornien.

3. Kapitel

> »Was nach dem Tod geschieht, ist so unaussprechlich herrlich, daß unsere Phantasie und Empfindungen nicht ausreichen, um auch nur eine ungefähre Vorstellung zu beschreiben... Die Aufhebung unserer zeitgebundenen Form in der Ewigkeit erleidet keinen Bedeutungsverlust.«
>
> Carl G. Jung
> *»Briefe, 1. Band«*

Ich stieg aus der Badewanne, trocknete mich ab und schlüpfte in eine fuchsienrote Hose und einen orangefarbenen Pullover und ging nach unten.

Meine Küche ist modern, perfekt ausgestattet und gehört nicht wirklich mir. Marie, als Französin eine exquisite Köchin, beherrscht ihr Reich mit besitzergreifender Autorität und läßt es nicht einmal zu, daß ich mir ein Glas Wasser hole. Sie ist dünn und zerbrechlich mit so schmalen Fesseln wie anderer Leute Handgelenke. Die Arthritis hat ihre Finger verkrümmt, und wenn sie das Essen serviert, zittern ihre Arme und Hände. Die Schuhe schneidet sie an den Zehen aus, weil ihre Füße durch Verwundungen während des Zweiten Weltkriegs deformiert sind. Zwei Schnellfeuergewehre für das Freie Frankreich gegen die Nazis. Ihre Schwester Louise, die seit zwanzig Jahren in Amerika lebt und nicht ein Wort Englisch spricht, ist Maries Schatten, ihre Befehlsempfängerin, die ständig der guten alten Zeit nachtrauert.

Eines Nachts, vor etwa sechs Jahren, gegen drei Uhr morgens, hatte Marie aufgeregt an meine Schlafzimmertür geklopft und gerufen, mit ihrem Mann sei etwas nicht in Ordnung. Ich ging nach unten in ihr Zimmer. Er lag auf dem Bett, seine Gesichtsfarbe wie Haferschleim, mit geschlossenen Augen, sein Körper zuckte, und er rang nach Luft. Ich wußte nicht, was ich tun sollte, stand starr vor Entsetzen und hatte Angst, ihn anzufassen. Ich hob seinen Kopf und machte Mund-zu-Mund-Beatmung. Er gab ein grauenhaftes Geräusch von sich, ein tiefes, grollendes Rasseln. Es klang wie von einem Tier und erschreckte mich zutiefst. Ich wußte ebensowenig wie Marie, daß es das Rasseln des Todes war. Sie stammelte immer wieder vor sich hin, es sei nur ein Anfall. Ich schüttelte John, fürchtete, das Rasseln würde lauter werden. Dann hörte es plötzlich auf. Er starb in meinen Armen.

Zum ersten Mal in meinem Leben sah ich einen toten Menschen. Ich wußte nicht genau, wann er gestorben war. Vielleicht in dem Augenblick, als ich darüber nachdachte, ob es so etwas wie eine Seele gibt. Es schien so unbegreiflich, daß das, was ich in meinen Armen hielt, alles war, was von einem Menschen übrigbleibt. Lebte etwas, das John gehörte – seine »Seele« – weiter? War das Sterben schmerzhaft? Wenn die Seele den Körper überlebte, wohin ging sie? Und warum?

Ich konnte weder den Rest der Nacht noch die folgenden drei Nächte schlafen, obwohl die Dreharbeiten zu *Sweet Charity* sehr anstrengend waren. Es schien, als habe ich die wirkliche metaphysische Bedeutung des Todes ertastet. Ich sage metaphysisch, weil ich es nicht sehen, berühren, hören, riechen oder schmecken konnte. Ich wußte nur, daß John, so wie ich ihn kannte, gegangen war. War er gegangen? Ich hatte ihn gern gehabt, aber außer dem anfänglichen Schock empfand ich keinen großen Schmerz, keine verzweifelte Lücke. Ich war nicht bereit zu akzeptieren, daß sein Tod einfach das Ende seines Lebens bedeutete. Ich wußte, irgendwie war da noch mehr, und ich wußte, ich würde nie aufhören können, an ihn zu denken. Jedesmal, wenn ich die Küche betrat, dachte ich an ihn, und jetzt war es nicht anders.

Marie, Louise und ich unterhielten uns eine Weile in einem englisch-französischen Kauderwelsch. Ich sagte Marie, daß ich über ein langes Wochenende verreise, und sie servierte mir das Essen vor dem Fernseher im Wohnzimmer. Ich sah mir die Nachrichten an, anschließend ging ich in einem merkwürdigen Erschöpfungszustand nach oben und legte mich aufs Bett. Ich war deprimiert und wußte nicht, warum.

Was für eine Welt; wir schienen schlafzuwandeln wie grausam lächelnde Fremde – die aufeinanderprallten, doch nie echten Kontakt zum Wahren bekamen... die aneinander vorbeiredeten...

mit Angst vor den eigenen Worten, ebenso sehr wie vor denen, die wir zu hören bekamen. Im totalen Kommunikationsmangel hungerten wir nach Vertrauen, suchten verzweifelt nach festem Halt und Rettungsbooten, nach Berührung und Freundlichkeit. Wir konzentrierten uns so sehr auf die große Verzweiflung in disziplinierter Geduld, um das Boot der anderen nicht ins Schwanken zu bringen – geschweige denn das eigene. Immer in der Hoffnung, die Dinge würden besser, immer nachdenkend, was zu tun sei – immer weiter, bis unsere Sinnlosigkeit zur Gewohnheit wurde, als sei es sicherer geworden nicht zu wissen, welche Bedeutung unser Leben wirklich habe.

Ich versuchte, mich schläfrig zu fühlen. Das Glas in meiner Hand war feucht beschlagen. Kleine Dinge. Ich mußte mich auf die Freuden kleiner Dinge konzentrieren, auf das sanfte Grün der Palmen vor meinem Fenster, die zerplatzten schwarzen Oliven auf dem Zementboden der Einfahrt. Den Olivenbaum hatte ich selbst gepflanzt, weil ich wissen wollte, ob ich es wirklich fertigbrachte, daß etwas wuchs... warmes Wasser und Seifenblasen, mein Jogging am nächsten Morgen, wonach ich mich den ganzen Tag gut fühlen würde – kleine Dinge, die, aneinandergereiht, ausmachten, daß ich mich besser fühlte.

Ich erinnerte mich, wie ich an Clifford Odet's Bett gesessen hatte, bevor er starb. Ich liebte und bewunderte seine Theaterstücke sehr. Er konnte so lebensnah über menschliche Hoffnung und den Triumph über das Unglück schreiben... besonders über Menschen mit kleinen, unbemerkten Leben. Der Krebs hatte seinen Kopf in einen kleinen, hageren Vogelschädel verwandelt, seine dichte Haarmähne war ihm ausgefallen; sein Leib war aufgequollen und aus der Nase hingen ihm Versorgungsschläuche. Er schlürfte Milch aus einem Plastikbehälter und bat mich, die Fenster zu öffnen, damit die warme Luft über dem eisgekühlten Behälter in Wölkchen sichtbar wurde.

»Ich möchte leben«, sagte er, »damit ich für viele Menschen schreiben kann, welches Glück in Dingen liegt, die nicht größer als ein Fliegenauge sind.«

Gegen zwei Uhr wurde ich schläfrig. In London war es zehn Uhr morgens.

Bilder aus meinem Leben zogen an mir vorbei ... die Sahara, die ich einmal durchqueren wollte, nur um zu wissen, ob ich es schaffte ... das Lokal in Leningrad, in dem ich mit einem russischen Bauern tanzte, während die Stammgäste Beifall klatschten ... eine Massai-Mutter in Afrika, die während der Geburt ihres Kindes an Syphilis starb ... eine Vogelschar, die in Formation flog und wie ein einziger riesiger Vogel wirkte an einem Drehort in Mexiko, und ich mich fragte, welche Kraft sie zusammenhielt ... endlose Weiten im Innern Chinas, wo ich die erste amerikanische Frauendelegation begleitete, alle in chinesischer Einheits-Uniform ... Gerrys Gesicht, als ich ihm sagte, wie gern ich alleine reise ... ein großer, kompakter Koffer mit Schubladen und Fächern, den ich mir als mobile Wohnung wünschte, um keinen festen Wohnsitz haben zu müssen ... Tänzer, Choreographen, Schweiß, blecherne Klaviere, Scheinwerferlicht, klatschendes Publikum, unauffällige Filmdekorationen, Pressekonferenzen, schwierige Fragen, politische Kampagnen, großsprecherische, aber wohlmeinende Kandidaten ... George McGoverns zerknittertes Gesicht in der Nacht, als Richard Nixon mit überwältigender Mehrheit siegte ... Filmpreise ... meine Angst, einen Oscar für *Irma la Douce* zu bekommen, da ich der Meinung war, meine Darstellung habe die Auszeichnung nicht verdient ... meine Enttäuschung, ihn nicht für *The Apartment* bekommen zu haben, weil in dem Jahr Elizabeth Taylor beinahe an einem Luftröhrenschnitt gestorben wäre ... die vier weiteren Male, als ich nominiert wurde und es mir eigentlich egal war ... lange Proben, Fachgespräche, schmerzende Muskeln und Lampenfieber, dämliche Aufnahmeleiter, disziplinierte Stunden des Schreibens, die sich um meine persönliche und allgegenwärtige Suche drehten, wer ich wirklich bin.

Was war es, das da fehlte? War ich, wie so viele andere Frauen, ständig auf der Suche nach meiner Identität in der Beziehung mit einem Mann? Glaubte ich, eine Hälfte meines Selbst in der Liebe zu einem Mann zu finden, trotz der damit verbundenen Frustration und Sinnlosigkeit?

Hongkong und Gerry bestimmten meine Gedanken. Ich hatte

mich mit ihm anläßlich eines seiner Kongresse getroffen. Wieder eine Hoffnung, daß es diesmal anders, erfüllter sein würde.

»Ich finde es wundervoll, daß du dich so schnell entschließen kannst«, sagte er. »Wie schaffst du das? Wie kannst du so flexibel sein? Und du siehst so viel. Ich habe nie Zeit.«

Er bemerkte nie, wenn ich nicht antwortete..., daß ich mir nicht sicher war, ob ich auf etwas *zulaufe* oder vor mir selbst *weglaufe*. Ich fragte mich, ob Gerry sich wirklich Zeit nehmen würde, wenn er sie hätte. Ich glaubte nicht, daß er sah, was er anschaute... nicht wirklich. Als junger Mann war er durch Afrika gereist. Aber als er davon erzählte, fiel mir auf, daß er nie erwähnte, was er gegessen hatte, was er berührte, was er sah, was er roch, wie er sich fühlte. Afrika ist für ihn eine soziologische, keine menschliche Reise gewesen. Er sprach davon, wie ausgebeutet die »Massen«, wie arm und abhängig sie waren, aber nie davon, wie sie wirklich lebten oder fühlten.

Er war nie zuvor in Hongkong gewesen, und in seinem Hotelzimmer sitzend mußte ich ihm die Umgebung beschreiben. Er schien keine Vorstellung von dem paradiesischen Chaos Hongkong zu haben – die Rikscha-Kulis inmitten all der Taxis; das Gewimmel von Millionen Menschen, das immer noch anschwoll, die Stadt, die sich in die Bucht ergoß; das Einkaufsparadies für chinesische Seiden, japanische Brokate, indische Baumwolle und Schweizer Spitzen, Uhren, Delikatessen, Juwelen, Rauschgift, Parfum und Jade und Elfenbein aus der ganzen Welt. Alles wurde in diesen Freihafen gebracht, um es mit Gewinn zu verkaufen – es machte auf Gerry keinen sonderlichen Eindruck. Er hatte nicht einmal Chinesisch gegessen, seit er angekommen war.

Es interessierte ihn lediglich, ob uns die Wachen, die den Hotelflur auf und ab patroullierten, erkennen und schlecht von ihm denken könnten. Ich versuchte, ihn zu beruhigen, denn in Asien weiß ohnehin jeder, was wir Fremden tun, und es ist ihnen egal. Die Wachen taten nur ihre Pflicht.

Er hörte mir wie einer Märchentante zu, als ich ihm erzählte, wie ich bis ans Ende von Kaulun spaziert war; vorbei an den Seidengeschäften, den Jadefabriken, den Uhren aus der Schweiz, vorbei an der Wohngegend seiner Landsleute, der Engländer. Ich erzählte ihm von der Star Ferry und der Bucht, in die chinesische

Dschunken mit ihren roten Segeln vom Festland herüber schipperten; von Cat's Street, wo die Verkaufsbuden überquollen mit allen erdenklichen Waren. Ich war auf den Victoria Peak gestiegen, um die Boote unten im Hafen zu beobachten. Er hörte meiner Beschreibung zu – von Diamanten, Perlen, Antiquitäten, Delikatessen, handgewebten Stoffen und kompliziertem Kunsthandwerk, oft von Kindern gefertigt, die bereits mit zwölf die Arbeit von Erwachsenen leisten. Ich beschrieb ihm die Touristenmassen ... Europäer, Afrikaner, Japaner, Malaien, Inder, Amerikaner ... alle auf der Suche nach günstigen Einkaufsquellen.

Ich beschrieb Gerry, wie die Gewürzbündel an der frischen Luft hingen, wie Rock 'n' Roll sich mit Chinesischer Oper mischte, wie Hausierer, die mit Plastikketten handelten, sich Reis aus feinen Porzellanschalen mit handgeschnitzten Elfenbeinstäbchen in den Mund schoben. Touristen hetzten, Händler hetzten, Kinder hetzten, die Busse und die Kulis hetzten ... ein einziges Hetzen, um in kürzester Zeit soviel wie möglich zu kaufen und zu verkaufen.

Und irgendwie klappte alles. Jeder war damit beschäftigt, Geld zu machen, ohne Illusionen. Es war wie in Las Vegas. Redlichkeit war hier fehl am Platz. War man mitten drin, war man Teil des Spiels. Hongkong war eine Stadt, in der man vor lauter Sparen pleite gehen konnte.

Gerrys Augen funkelten, wenn ich ihm abends berichtete, was ich tagsüber unternommen hatte, während er an seinen Konferenzen teilnahm.

An unserem letzten Tag mietete ich ein kleines Boot, das uns zu den New Territories bringen sollte, wo ich einen hübschen Platz für ein Picknick wußte. Ich packte Zitronenlimonade, Sandwiches und Kuchen ein.

Doch auf dem Boot sprach er wieder von den unwürdigen, dreckigen Bedingungen, unter denen die Chinesen lebten, von der Ungleichheit zwischen Arm und Reich; daß die Reichen lernen mußten, ihre Gewinne mit den Unterprivilegierten zu teilen. Es kam ihm nie in den Sinn, daß die Armen einen geistigen Reichtum besitzen könnten, um den sie mancher Reiche beneiden würde. Es kam ihm nie in den Sinn, daß ein reicher Mensch auf eine isolierte, entfremdete Art unglücklich sein konnte. Er dachte auch nicht »ein reicher Mensch«. Es waren »die Reichen und die Armen«, ein gestaltloses Ganzes.

»Gerry?« unterbrach ich ihn. »Schau mal die Berge da drüben, die wie Jade aussehen. Daran erfreuen sich auch die Armen.«

Er sah hinüber.

»Und schau dir die Sampans an, die mit ihren roten Segeln dahingleiten. Siehst du, wie die Leute zu uns herüberwinken?«

Er stand auf. »Ich klinge wohl wie der *Sunday Observer*, stimmt's?« Er lächelte scheu. »Tut mir leid«, sagte er. »Manchmal bin ich ziemlich langweilig.«

In einer Bucht der New Territories gingen wir vor Anker. Die Crew blieb an Bord. Gerry trug den Picknick-Koffer und ich die Thermosflasche und die Decke.

Die tiefhängenden Zweige der Bäume am Strand rauschten in der Seebrise. Wir wanderten in die grüne Berglandschaft, atmeten tief die würzige Luft ein. Gerry zog die Schuhe aus, blieb bei jedem Baum, bei jeder Blume stehen und steckte sich ein Gänseblümchen hinters Ohr.

Wir kamen an einen Bach, der in der Sonne glitzerte. Vögel hüpften durch die blühenden Büsche am Ufer. Wir waren ganz allein. Er zog Hemd und Hose aus, warf sich ins aufspritzende Wasser und streckte die Arme nach mir aus. Ich zog mein Sommerkleid aus und ließ mich neben ihn ins Wasser plumpsen. Der Bach trug uns langsam abwärts. Über unseren Köpfen zwitscherten die Vögel. Wir faßten einander an den Händen und standen auf. Das Wasser perlte aus unseren Haaren. Gerry legte seinen Arm um meinen Kopf und zog mich an seine Brust. Schweigend wateten wir über die glitschigen Steine zu unseren Kleidern zurück.

»Verdammt noch mal«, sagte er, seine Arme auf meine Schultern gelegt, er sah mir in die Augen. »Wie schaffe ich es nur, dich mit dem Rest meines Lebens in Einklang zu bringen?«

»Ich weiß es nicht«, sagte ich. »Ich weiß es nicht.«

Er breitete die Decke aus, wir legten uns auf den Rücken und schauten durch die grünen Blätter hinauf in den weiten Himmel.

Etwa eine Stunde später spazierten wir zurück zum Boot. Und ich fragte mich, wie er sich selbst mit dem Rest seines Lebens in Einklang bringen würde.

Am nächsten Morgen servierte Marie mir das Frühstück im Innenhof. Ich war unruhig, meine Gedanken schwirrten durcheinander. Sicher, ich hatte Probleme mit Gerry, aber es war viel mehr als das. Ich hatte gerade Drehpause, meine Arbeit verlief im allgemeinen zufriedenstellend. Ich hatte Verträge mit Las Vegas und Tahoe in der Tasche, die Show stand bereits. Ich kann also nur sagen, ich war ein ziemlich glücklicher Mensch, trotzdem fühlte ich mich nicht besonders ausgeglichen.

David rief an. Er war gerade in der Stadt und fragte, ob ich mit ihm zum Yoga-Unterricht ginge. Ich verabredete mich mit ihm.

Ich liebte Hatha Yoga, weil es ein körperliches, kein meditatives Training ist, das trotzdem Konzentration und die Fähigkeit der Entspannung erfordert. Der Raum war sonnendurchflutet, die Stimme des Yogalehrers angenehm. Ich hatte Spaß daran, jeden Muskel, jede Sehne meines Körpers anzustrengen und zu aktivieren. Durch die körperliche Anstrengung bekam ich einen klaren Kopf.

»Haben Sie Achtung vor Ihrem Körper«, sagte der Lehrer (er war Hindu), »und gehen Sie langsam vor. Yoga erfordert Vernunft. Überraschen Sie Ihren Körper nicht. Sie müssen sich aufwärmen, bevor Sie sich strecken. Überfallen Sie Ihre Muskulatur nicht. Muskeln sind wie Menschen; sie brauchen Vorbereitung, sonst werden sie ängstlich und verspannen sich. Stellen Sie sich auf das Zeitmaß Ihrer Muskeln ein. Denken Sie wie ein Forscher, der Neuland entdeckt. Ein erfahrener Forscher geht behutsam vor, denn er weiß ja nicht, was ihn an der nächsten Ecke erwartet. Nur wenn Sie langsam vorgehen, können Sie etwas ertasten, bevor Sie es erreichen. Yoga gibt Ihnen Selbstachtung, weil Sie dadurch Fühlung mit sich selbst bekommen. In Ihrem Innern ist großer Friede. Lernen Sie, dort zu leben. Sie werden Gefallen daran finden.«

Ich hörte auf seine Worte zwischen den einzelnen Positionen.

»Vollendetes Yoga erfordert vier Tugenden der Geisteshaltung«, sagte er, »Glaube, Willenskraft, Geduld und Liebe. Das ist wie im Leben auch. Und wenn Sie gläubig und gut im Kampf in diesem Leben sind, dann wird das nächste einfacher werden.«

Mein Trikot war schweißnaß. »Kämpfe in diesem Leben, dann wird das nächste einfacher?« Vermutlich glaubte er wirklich daran, er war ja schließlich Hindu. Ich zog meinen Rock und das T-Shirt an, und David und ich gingen.

Draußen in der heißen kalifornischen Sonne sagte David: »Ich will noch in die Bodhi-Tree-Buchhandlung. Kommst du mit?«

»Bodhi Tree?« fragte ich. »War das nicht der Baum, unter dem Buddha vierzig Tage lang oder so meditiert hat?«

»Richtig«, sagte er.

»Ist das eine indische Buchhandlung?«

»Unter anderem«, sagte er. »Es gibt alle möglichen okkulten und metaphysischen Schriften da. Hast du noch nie davon gehört?«

Ich schüttelte den Kopf.

»Ich schätze, es würde dir gefallen«, sagte er sanft. »Du sprichst doch so gut auf Yoga an, dann werden dich auch einige der Schriften alter Mystiker interessieren. Eigentlich erstaunlich, daß du so lange in Indien warst, ohne die Vergeistigung in diesem Land zu erkennen. Die Buchhandlung ist an der Melrose gleich bei La Cienega. Wir treffen uns dort.«

»Warum eigentlich nicht?« antwortete ich. Rückblickend kann ich sagen, der zögernde Entschluß an einem heißen Nachmittag, eine ungewöhnliche Buchhandlung aufzusuchen, war eine der wichtigsten Entscheidungen meines Lebens. Wieder fällt mir auf, daß wir unmerkliche kleine Schritte tun, wenn die Zeit dafür gekommen ist. Zu einem früheren Zeitpunkt meines Lebens hätte dieser Vorschlag einen vergeudeten Nachmittag bedeutet, zu einer Zeit, als ich viele Drehbücher zu lesen und Anrufe zu erledigen hatte. Ich war zu beschäftigt mit meinem Erfolg, um zu begreifen, daß es noch andere Dimensionen im Leben gibt.

David war bereits am Bodhi Tree und wartete vor der Buchhandlung an einen Baum gelehnt. Er lächelte, als ich meinen riesigen Lincoln in eine Parklücke zwängte, in die eigentlich nur ein VW Käfer paßte.

»Es ist ein Leihwagen«, sagte ich. »Ich habe keinen eigenen. Autos gehen mir auf die Nerven, und ich verstehe nichts davon. Solange er vier Räder hat und Benzin, bin ich zufrieden. Verstehst du, was ich meine?«

»Ja«, antwortete er. »Vielleicht besser, als du denkst.« Er nahm mich am Arm und führte mich in den Laden. Der Duft von

Sandelholzräucherstäbchen zog sich durch die Räume der Buchhandlung. Poster von Buddha und Yogi-Weisen lächelten von den Wänden. Kunden mit Büchern in der Hand standen herum, tranken Kräutertee und unterhielten sich mit gedämpfter Stimme. Ich studierte die Regale, die Buchtitel handelten vom Leben nach dem Tod bis zu Ernährungsmethoden während des irdischen Lebens. Ich lächelte David schwach an. Ich kam mir deplaciert und ein wenig albern vor.

»Das ist ja faszinierend«, sagte ich – wünschend, ich hätte es nicht für nötig befunden, irgendeine Bemerkung zu machen.

Ein junges Mädchen in Sandalen und einem Nesselrock brachte uns Tee.

»Kann ich Ihnen helfen?« fragte sie mit leiser, sanfter Stimme. Sie paßte zur Atmosphäre des Ladens. Als ich mich nach ihr umwandte, erkannte sie mich und schlug vor, mich dem Besitzer vorzustellen, der in seinem Büro Tee trank. David lächelte, und wir folgten ihr.

Das Büro barst vor Büchern. Der Besitzer war jung, Mitte Dreißig, Bartträger. Er freute sich, mich zu sehen und sagte, es sei ihm eine Ehre; er habe meine Bücher gelesen, die Schilderung meines Himalaja-Aufenthalts habe ihn besonders interessiert.

»Wie tief sind Sie in Meditationstechniken eingedrungen?« fragte er. »Wenden Sie Kampalbhati-Atmung an? Sie ist schwierig, aber sehr sinnvoll, finden Sie nicht auch?«

Ich wußte nicht, wovon er sprach. In diesem Moment stürzte ein junger Mann mit Bürstenhaarschnitt und einem T-Shirt herein. Er sah mich an, dann David und den Besitzer (er hieß John), ein einfältiges Lächeln im Gesicht.

»Hören Sie mal, Mann«, sagte er. »Was soll der ganze Scheiß hier? Von wegen, wenn du richtig denkst, dann wirst du glücklich! Wie kann ein Mensch in dieser Welt glücklich werden, und wieso kommt ihr Typen dazu, den Leuten weiszumachen, daß so was möglich ist?«

David nahm mich am Arm, er spürte meine Verblüffung. John fragte den Jungen, ob er etwas für ihn tun könne, aber der ließ sich nicht unterbrechen. »Ich meine, was soll das Ganze?« sagte er. »Mit den Räucherstäbchen, dem Kräutertee und den idiotischen Postern – Ihr Typen seid doch voller Scheiße.«

John führte David und mich sanft aus dem Büro.

»Tut mir leid«, sagte er.

»Kein Problem«, sagte David. »Er muß selbst seinen Weg finden.« Ich sagte, es mache mir nichts aus, und David, wir würden uns selbst aussuchen, was wir wollten, wir brauchten keine Hilfe.

»Mein Gott«, sagte ich. »Wieso findet der Junge das hier so bedrohlich?«

»Ich weiß nicht«, sagte David. »Wahrscheinlich hat er eine starke emotionale Blockade der Feindseligkeit. Es ist schwer zu glauben, daß Friede möglich ist.«

Er führte mich zu einem langen Bücherregal mit der Bezeichnung »Reinkarnation und Unsterblichkeit«. Dort standen Bücher vom Bhagawadgita, (»Der Gesang des Erhabenen«) und ägyptische Totenbücher bis zu Auslegungen der Heiligen Schrift und der Kabbala. Ich wußte nicht, was ich da vor mir hatte.

Ich sah David ernst an. »Glaubst du das alles?« fragte ich.

»Was alles?«

»Ich weiß nicht«, sagte ich. »Glaubst du wirklich an Wiedergeburt?«

»Wenn du dich so lange mit Okkultismus beschäftigt hättest wie ich, würdest du begreifen, daß es keine Frage des Glaubens oder der Wahrheit ist, sondern eine Frage, wie es vor sich geht.«

»Du hältst das also für eine erwiesene Tatsache?«

Er zuckte die Achseln und sagte: »Ja, das tue ich. Das ist doch das einzige, was wirklich Sinn macht. Wenn nicht jeder von uns eine Seele hat – warum sind wir am Leben? Wer weiß, ob es wahr ist? Es ist wahr, weil wir es glauben. Das gilt doch für alles, stimmt's? Außerdem muß etwas an der Tatsache sein, daß der Glaube an die Seele das einzige ist, das *alle* Religionen gemeinsam haben.«

»Ja«, sagte ich. »Aber vielleicht haben alle Religionen unrecht?«

Er betrachtete weiterhin die Bücher, als suche er nach einem bestimmten.

Ich hatte nicht viel über Religion nachgedacht, seit ich mit zwölf die Sonntagsschule besucht hatte.

David griff nach einem Buch. »Du solltest nicht nur einige dieser Bücher lesen, sondern auch Pythagoras, Plato, Ralph Waldo Emerson, Walt Whitman, Goethe und Voltaire.«

»Haben diese Männer alle an Wiedergeburt geglaubt?«

»Logisch. Und sie haben ausführlich darüber geschrieben. Aber all das endet in den Bücherregalen für Okkultismus, als sei es Schwarze Magie oder so was.«

»Voltaire hat an Reinkarnation geglaubt?«

»Sicher«, sagte David. »Er sagte, es sei für ihn auch nicht erstaunlicher, viele Male geboren zu werden als ein einziges Mal. Mir geht es ebenso.«

Ich sah ihn an. Seine blauen Augen waren klar und ernst.

»Kennst du die Definition von Okkult?« fragte er.

»Nein.«

»Es bedeutet ›verborgen‹. Nur weil etwas verborgen ist, bedeutet es nicht, daß es nicht existiert.«

Ich sah mir Davids hager wirkendes, trauriges Gesicht genauer an. Er sprach ruhig, ohne zu zögern, und ich versuchte zu verstehen, was er sagte.

»Soll ich dir eine Bücherliste zusammenstellen?« fragte er.

Ich zauderte ein wenig, dachte an die fünf Drehbücher, die ich lesen mußte und auch daran, was Gerry denken würde, wenn er sah, daß ich solche Bücher las.

»Ja, warum nicht?« sagte ich. »Die Menschen glaubten auch eine ganze Weile, die Erde sei flach, bis einer kam und das Gegenteil bewies. ›Verborgene‹ Möglichkeiten haben mich schon immer interessiert. Wer dachte schon daran, daß auf unserer Haut alle möglichen Bazillen herumkriechen, bis einer mit dem Mikroskop daherkam.«

»Großartig«, meinte David. »Für mich ist echte Intelligenz Aufgeschlossenheit. Wenn du das Gefühl hast, etwas zu suchen, warum solltest du es dann nicht tun?«

»Okay.« Ich lächelte.

»Mach's dir bequem und lies etwas, ich suche dir ein paar Bücher heraus.« Er wischte sich die Mundwinkel und machte sich daran, die Regale zu durchstöbern. Ich blätterte in Büchern über makrobiotische Ernährung, Yoga-Übungen, Meditation und Gesundheitsfragen –, Themen, von denen ich etwas verstand.

Nach etwa einer halben Stunde kam David mit einem Armvoll Bücher an. Ich bedankte mich, und als wir in die Sonne hinaustraten, fragte ich mich, ob ich je eines davon lesen würde.

Am Tag darauf wollte ich nach Honolulu fahren, also verabschiedete ich mich von David, um nachzudenken, mich auszuruhen, einzupacken und, wenn mir noch Zeit blieb, etwas zu lesen.

An diesem Abend schaute ich den Begriff Reinkarnation im Konversationslexikon nach.

Ich will mal sagen, ich bin nicht religiös erzogen worden. Meine Eltern schickten mich in die Sonntagsschule zum Katechismusunterricht, weil ein Kind am Sonntag dorthin gehörte. Ich trug gestärkte Rüschen-Petticoats und versuchte, nicht zu oft nach den Worten des Kirchenliedes zu spicken, das ich hätte auswendig lernen sollen. Und ich fragte mich, was mit der Kirchenkollekte geschah, als der Teller herumgereicht wurde, doch ich stellte mir nie die Frage, ob es einen Gott gab oder nicht.

Jesus Christus war für mich ein kluger, weiser und gewiß guter Mensch, doch das, was ich über ihn aus der Bibel erfuhr, sah ich als philosophisch und mythologisch an, und es interessierte mich nicht sonderlich. Seine Predigten und Taten berührten *mich* nicht, also war ich weder gläubig noch ungläubig. Er hatte einmal gelebt... wie wir alle... und vor langer Zeit gute Taten vollbracht. Seinen Anspruch, der Sohn Gottes zu sein, nahm ich mit Vorbehalt hin. Als Teenager war ich überzeugt, Gott und Religion seien auf jeden Fall Mythologie, und wenn Menschen einen Glauben brauchten, so hatte ich nichts dagegen, aber ich konnte nicht glauben.

Ich konnte an nichts glauben, was nicht beweisbar war. Ich verschwendete keinen Gedanken an die Suche nach dem Sinn des Lebens oder nach etwas, woran ich glauben konnte, außer an mich selbst. Kurz gesagt, ich machte mir keine Gedanken über Religion, den Glauben an Gott oder an die Unsterblichkeit der Seele. Ich fand das Thema langweilig, nicht halb so aufregend wie die Realität der Menschen. Hin und wieder, als ich dann älter wurde, ließ ich mich auf vernebelte, diffuse Diskussionen über die Unzulänglichkeiten mythologischer Glaubenslehren ein, die nur von den wirklichen Notlagen der menschlichen Rasse ablenkten. Ich hielt nicht viel vom autoritären System der Kirchen – aller Kirchen –, betrachtete sie als gefährlich, denn sie jagten der Menschheit die Angst ein, in der Hölle zu schmoren, wenn sie nicht an den Himmel glaubten.

Aber so wenig ich an Gott und Religion und dem Jenseits interessiert war, so sehr interessierte mich eine andere Sache: die »Persönlichkeit«. Meine eigene Persönlichkeit und die aller Menschen, denen ich begegnete. Persönlichkeit und Identität waren etwas Wirkliches für mich. Wer war ich? Wer waren die anderen? Warum tat ich die Dinge, die ich tat? Warum die anderen? Warum mochte ich manche Menschen und andere nicht? Beziehungen zu analysieren wurde mein Lieblingsthema – die Beziehung, die ich zu mir selbst hatte, ebenso wie die zu anderen.

Weil ich am Ursprung meiner eigenen Persönlichkeit interessiert war, fragte ich mich, ob in mir mehr sein könnte, als mir bewußt war. Vielleicht lagen in meinem Unterbewußtsein andere Identitäten verborgen, nach denen ich nur suchen mußte, um sie zu erkennen. Wenn es bei meiner Arbeit um den Ausdruck der eigenen Persönlichkeit ging, ob beim Tanzen, Schreiben oder beim Theaterspielen, staunte ich oft über mich selbst, woher eine Empfindung, eine Erinnerung, eine Inspiration kam. Ich gab mich mit dem vernebelten Begriff des schöpferischen Prozesses zufrieden, wie die meisten meiner Künstlerkollegen, aber ich muß gestehen, tief in mir spürte ich ein Feuer, das ich nicht erklären, nicht erfassen konnte. Was war der Ursprung dieses Feuers? Woher kam es? Und was lag davor?

Ich wollte immer schon wissen, was *vorher* gewesen sein mochte, mehr als das, was hinterher kommen würde. Ich war weniger daran interessiert, was mit mir nach meinem Tod geschehen würde, als daran, was mich zu dem machte, was ich bin. Als ich auf den Begriff des *Lebens vor der Geburt* stieß, war meine Neugier geweckt.

Im Lexikon stand, die Lehre der Reinkarnation gehe bis zu den Anfängen der Menschheitsgeschichte zurück. Sie ist der Glaube, des Zusammenhangs aller Lebewesen und die allmähliche Reinigung von Seele oder Geist des Menschen, bis sie zum Ursprung allen Lebens zurückkehrt, der Gott bedeutet. Sie ist der Glaube an die Unsterblichkeit der Seele, die sich immer wieder in neue Daseinsformen begibt, bis sie die vollkommene Reinheit erlangt. Die beiden zusammengehörigen Begriffe Karma – das bedeutet, seine inneren Lasten zu verarbeiten – und Reinkarnation – die physische Gelegenheit, sein Karma wieder zu durchleben – sind zwei der ältesten Glaubenssätze der Menschheit und weiter verbreitet als beinahe jede andere Religion. Das war mir neu – ich hatte Reinkarnation immer vage mit körperlosen Geistern, also Gespenstern, in Zusammenhang gesehen, und Okkultismus war für mich etwas, das mit Poltergeistern in der Nacht zu tun hat. Eine bedeutende Religion hatte ich damit nicht in Verbindung gebracht.

Dann sah ich den Begriff Religion nach. Es gab keine eindeutige Definition, doch verschiedene Charakteristiken trafen auf die meisten Religionen zu. Einmal der Glaube an die Existenz der Seele; eine zweite, die Anerkennung übernatürlicher Offenbarungen, und schließlich die immerwährende Suche nach der Erlösung der Seele. Von Ägyptern, Griechen, Buddhisten und Hindus wurde die Seele als ein präexistentes Wesen betrachtet, das sich in einer Folge von Daseinsformen wieder auf der Erde einfand, sich während einer gewissen Zeitspanne verkörperlichte, dann in astraler Form als körperloses Wesen existierte, doch immer wieder neue Daseinsformen wählte. Jede Religion hatte ihre eigenen Vorstellungen vom Ursprung der Seele, doch keine Religion war ohne den Glauben, daß die Seele als Teil des Menschen existiert und unsterblich ist. Und irgendwo zwischen jüdischem Glauben und Christentum hatte die westliche Welt den uralten Begriff der Reinkarnation vergessen.

Ich klappte das Lexikon zu und dachte nach.

Hunderte von Millionen Menschen glaubten an die Theorie der Wiedergeburt (oder wie immer man das Phänomen bezeichnen wollte), aber ich, mit einem christlichen Hintergrund, hatte nicht einmal gewußt, was der Begriff eigentlich bedeutet.

Während der Vorbereitungen für mein Wochenende mit Gerry überlegte ich, was sonst in dieser Welt noch vor sich gehen mochte, wovon ich noch nie etwas gehört hatte.

4. *Kapitel*

»Es ist das Geheimnis der Welt, daß alle Dinge weiter bestehen und nicht vergehen, sich nur ein wenig aus der Sicht zurückziehen, um später wiederzukehren ... Jesus ist nicht tot: er lebt sehr wohl; ebenso wie Johannes und Paulus und Mohammed und Aristoteles; zuweilen glauben wir, sie alle getroffen zu haben, und können die Namen nennen, unter denen sie leben.«

Ralph Waldo Emerson
»Nominalist and Realist«

Der Flug von L. A. nach Hawaii war recht angenehm. Ich dachte an Gerry, schlief viel und dachte auch ein wenig an meine Freundschaft mit David. Im »Kahala Hilton« stieg ich unter einem anderen Namen ab. Niemand erkannte mich.

Da war ich also ... wieder einmal stand ich auf einem Balkon irgendeines Hotelzimmers, blickte auf die sanft plätschernden Wellen des Pazifik, in denen sich die rote Sonne spiegelte. Ich wartete. Wartete auf einen Mann, den ich liebte oder glaubte zu lieben, was immer das bedeutet. Ich wußte, daß mein Gefühl für ihn stark war, und ich wußte, ich würde überall hingehen, um mit ihm zusammenzusein. Wir hatten kreative Berufe, die unser Leben ausfüllten. Aber ich brauchte mehr. Solange ich denken konnte, brauchte ich das Gefühl, verliebt zu sein. Ein Mann war das naheliegendste Objekt für dieses Gefühl. Aber vielleicht mußte ich nur *Liebe spüren*, und ein größeres Ziel kannte ich nicht. Ich weiß es nicht.

Honolulu liebe ich sehr, besonders bei Sonnenuntergang. Auch wenn es jetzt überfüllt war mit schreienden, buntgekleideten, kameraklickenden Touristen. Das »Kahala Hilton« ist eines der schönsten Hotels der Welt mit seiner offenen Architektur, die die Landschaft mit einbezieht, der Unterwasser-Bar und den Delphinen, die spielerisch im Salzwasserpool herumplanschen. Ich horchte auf das Plätschern der Wellen, die an den Strand schlugen.

Die Kokospalmen rauschten im Abendwind. Dann hörte ich einen Plumps. Eine reife Kokosnuß war heruntergefallen. Ich blickte auf meine Uhr. Gerry sollte schon vor einer Stunde gelandet sein. Die Flugsicherung hatte mir gesagt, es gäbe keine wetterbedingten Verzögerungen aus London. Er mußte also pünktlich gestartet sein. Die Verspätung ärgerte mich, denn wir hatten nur sechsunddreißig Stunden für uns.

Ich sog die weiche Abendluft ein, ging zurück ins Zimmer und drehte den Fernseher an.

Carter ärgerte sich über Begin. Teddy Kennedy ärgerte sich über Carter. Der Dollar fiel immer noch. Pierre Trudeau hatte ein Mitglied des kanadischen Parlaments übel beschimpft. Die Welt war komisch oder fiel auseinander, das hing vom Standpunkt des Betrachters ab.

Ich sah mich im Zimmer um. Ich hatte, um keine Aufmerksamkeit zu erregen, ein Zimmer gebucht und keine Suite. Aber für die Zeit, die Gerry und ich hier verbringen würden, reichte es. Ich wußte, er würde Honolulu lieben. Er war noch nie hier gewesen. Als erstes würde er auf den Balkon treten und die Umgebung betrachten. Er würde auf den Diamond Head sehen und über die Palmen reden. Natur hatte eine beruhigende Wirkung auf ihn. Sinnend konnte er einen regennassen Baum betrachten und einen kleinen Vogel, der sich die Regentropfen aus dem Gefieder schüttelte. Da hörte er auf, über die Zustände in der Welt zu lamentieren und vergaß die Chancen für seine Wiederwahl, wenn die Sonne flamingorosa aufging. Ich freute mich, daß wir uns in Honolulu trafen. Er würde den Frieden genießen. Nun dachte ich wieder an Gerry, als sei er ich.

Wieder war eine Viertelstunde vergangen, fünfzehn Minuten, die ich nie wiederbekommen würde. Der Teppich im Zimmer war dunkelbraun. Die Bettdecke olivgrün mit braunem Blumenmuster. Warum mußten die Vorhänge eines Hotelzimmers immer aus dem gleichen Material wie die Bettdecke sein? Ob Hilton auch in China ein Hotel in den Berg hacken würde? Wie lächerlich die Chinesen wirkten, wenn sie »Staying Alive« aus *Saturday Night Fever* tanzten. Und warum nahmen so viele Millionen Chinesen den langen Kampf auf sich, um Modernisierung zu erreichen? War sie das wirklich wert?

Ich zündete mir noch eine Zigarette an.

Der Mond stand nun über dem Strand von Waikiki. Diamond Head lag wie ein schwarzer Koloß in der spiegelnden See. Vielleicht hatte er die Maschine verpaßt. Der Kongreß über Nord-Süd-Probleme konnte ohne ihn auskommen. Aber ich nicht.

Das Telefon neben dem Bett schrillte. Es war beinahe acht Uhr.

»Hallo«, sagte Gerry, als wären wir nicht wochenlang getrennt gewesen.

Beim Klang seiner sanften Stimme, die ganz anders war, wenn er nicht aus dem Büro anrief, schmolz ich dahin.

»Seit einer Stunde hält man uns in der Empfangshalle des Flughafens fest«, sagte er. »Jemand sollte sich um unser Gepäck kümmern. Ich hab' es mir schließlich selbst geholt. Wann bist du angekommen?«

»Vor ein paar Stunden«, antwortete ich, verschwieg ihm aber, wie sehr ich jede vergeudete Minute gezählt hatte.

»Ich muß noch ein paar achtbare Damen abwimmeln, die mit unserer Delegation etwas trinken wollen.«

»Achtbare Damen?«

»Ja, achtbare Damen. Sie sind lächerlich, aber sie meinen es gut. Ich bin, so schnell ich kann, da. Ich sehne mich nach dir.«

Ich legte auf, sah in den Spiegel, schluckte seine chauvinistische Bemerkung über achtbare Damen und wollte meinen grünen Pullover anziehen, den ich sehr gern mochte.

Ich ließ die Tür offen, damit Gerry nicht warten mußte, bis ich öffnete. Auf dem Flur war ein ständiges Kommen und Gehen von Geheimpolizei und Politikern aus der ganzen Welt. Wie er unerkannt hereinkommen wollte, war mir ohnehin ein Rätsel.

Ich hatte den Pullover über dem Kopf, als ich hörte, wie er das Zimmer betrat. Er war da, aber ich konnte ihn nicht sehen, weil eine Masche in meinem Ohrring festhing. Ich spürte seine Arme um meine Taille und sah nur grüne Wolle. Er küßte mich auf den Hals, ich rang nach Luft, wegen der Wärme seiner Lippen und weil der Wollfaden an meinem Ohrläppchen ziepte. Ich konnte mich nicht bewegen. Er steckte seine Hand unter den Pullover, und durch die Wolle fand er mein Gesicht. »Bleib immer so stehen«, sagte er, »so gefällst du mir am besten.« Trotzdem befreite er mich und küßte mein Ohr. Dann trat er einen Schritt zurück und sah mich an. »Hübsche Farbe, gefällt mir.« Und wie ich vermutet hatte, trat er auf den Balkon und schaute zum Diamond Head hinüber.

»Sieh dir diese Palmen an«, sagte er. »Sie wirken ganz unecht, wie an den Himmel gemalt. Ist das Diamond Head?«

»Ja«, sagte ich. »Sieht auch aus wie eine Theaterkulisse.«

»Das ist das Paradies, nicht wahr?« Er legte meinen Arm um seine Hüfte. »Hast du Hunger?« fragte er. »Sicher. Du hast immer Hunger.«

»Ja.«

»Ich auch. Laß uns was essen.«

Ich ging ans Telefon und bestellte zwei Mai-Tais und ein Abendessen. Gerry kannte keine Mai-Tais, er hörte amüsiert zu, wie ich extra viel Ananas bestellte.

Als der Etagenkellner kam, saß Gerry in der Badewanne. Ich deckte das Abendessen zu und ging mit den Mai-Tais ins Badezimmer und setzte mich zu Gerry. Er schlürfte seinen Drink und fächelte sich warmes Seifenwasser um die Beine. Sie waren zu lang für die Wanne.

»Also«, sagte ich. »Wie geht's? Wie ist es dir ergangen?«

»Gut.«

»Das sagst du immer.«

»Tja, wir haben unsere Probleme in London. Aber darüber hast du sicher gelesen. Wie ist denn dein Leben?«

Ich erzählte ihm von der Choreographie für meine neue Show, über den Sport, den ich trieb, um fit zu bleiben, über die verschiedenen Diäten, mit denen ich herumexperimentierte, und wie schwer es sei, gute Drehbücher für Frauenrollen zu finden. Er fragte, warum, und ich sagte, es habe wohl etwas mit einer Retourkutsche auf den militanten Feminismus zu tun. Keiner schien mehr gute Frauenrollen schreiben zu können, weil sie nicht wußten, was die Frauen wirklich wollen, zumindest die männlichen Autoren nicht. Und weibliche Autoren schrieben über unglückliche und unerfüllte Frauen. Wen interessierte das? Film ist schließlich Unterhaltung. Wer sollte für solche Themen Geld ausgeben?

»Ich weiß nicht«, meinte Gerry. »Ich habe schon genug Probleme damit, herauszufinden, was die *Menschen* überhaupt wollen ... geschweige denn die Frauen. Ich will nicht arrogant sein, aber unser Wirtschaftssystem versagt, und ich weiß nicht, wie wir uns über Wasser halten.«

Wir sprachen über Carter, die Inflation, den Dollar, ja sogar über Idi Amin, über Sonnenenergie –, und während wir sprachen, war es so, als ob unsere Seelen sich zum Liebesakt vereinigten. Jedes Wort erzeugte kleine Funken und Explosionen in unseren Köpfen. Es war unwichtig, ob sich unser Gespräch um neue Steuervorschläge, die Preistreiberei der OPEC-Länder oder Frauenrollen im Film drehte. Eine sinnliche Dynamik, die schwer erklärbar ist, uns beiden aber vertraut war, trieb uns an. Hätte ich noch über die Ölfelder im Iran und die Notwendigkeit gesprochen, daß die Arbeiter sich gewerkschaftlich organisieren, so würde Gerrys Blick mich dahinschmelzen lassen. Er hörte mir zu, und ich spürte, wie in seinem Innern langsam ein Vulkan ausbrach und sich durch seine Augen entlud. Ich berührte ihn nicht, küßte ihn nicht und setzte mich nicht zu ihm in die Wanne. Ich genoß das Gefühl der Entfernung, mich zurückzuhalten, auf dieser sinnlichen Ebene zu kommunizieren.

Ich betrachtete seinen Körper im warmen Wasser, den Seifenschaum auf seiner Haut. Gerry schloß die Augen.

Nach einer Weile sagte ich: »Gerry?«

Er öffnete die Augen. »Was?«

»Glaubst du an Reinkarnation?«

»Reinkarnation?« Er war völlig verdutzt. »Du lieber Himmel, warum fragst du? Natürlich nicht.«

»Warum sagst du ›natürlich nicht‹?«

»Hm. Weil es eine Phantasie ist«, lachte er. »Leute, die mit ihrem Leben nichts anfangen können, haben das Bedürfnis, sich an solche Phantastereien zu klammern.«

»Kann sein.« Es kränkte mich, daß er das Thema so gedankenlos abtat. »Du magst recht haben, aber viele Millionen Menschen glauben daran. Vielleicht haben die gar nicht so unrecht.«

»Denen bleibt doch nichts anderes übrig«, sagte er. »Die armen Hunde haben doch sonst nichts im Leben. Das soll kein Vorwurf sein, aber wenn sie etwas mehr an die Gegenwart glaubten, wäre mein Beruf zum Beispiel etwas leichter.«

»Was willst du damit sagen?«

»Sie tun so, als könnten sie ihr Leben nicht verbessern. Sie leben, als würde es das nächste Mal besser werden, und nehmen dieses Leben nicht so furchtbar wichtig. Nein Shirl«, fuhr er mit Bestimmtheit fort, »ich möchte *jetzt* etwas gegen die Hoffnungslosigkeit der Menschen tun. Dies ist das einzige Leben, das wir haben, davon bin ich überzeugt. Glaubst du denn an diesen Quatsch?«

Seine Herabsetzung verletzte mich. Ich wünschte, er wäre tolerant genug, um wenigstens darüber zu diskutieren.

»Ich weiß nicht«, sagte ich, »nicht wirklich.«

Er schnipste ärgerlich mit der Hand übers Wasser und schloß wieder die Augen. Warum machen die metaphysischen Dinge die Menschen so wütend? Ich fühlte mich davon nicht bedroht, es schien mir eine neue Dimension, über die es sich lohnte, nachzudenken. Was war denn falsch daran? Ich akzeptierte seine Meinung über Menschen, die keine Verantwortung für ihr eigenes Schicksal in diesem Leben übernehmen wollen. Aber wie wurde man denn mit der Ungerechtigkeit des Schicksals fertig, in Armut und Elend hineingeboren zu werden und andere in Luxus und Reichtum? Mußte das Leben so grausam sein? War das Leben wirklich nur ein Zufall? Das zu akzeptieren schien plötzlich zu einfach, zu bequem.

»Ein wunderbares Gefühl«, sagte Gerry in seinem Schaumbad. »Auch wenn die Wanne zu kurz ist. Das ganze Hotel ist wunderbar, aber besonders das Bad. Es ist ein ganz normales Badezimmer, aber es ist schön, weil du hier sitzt.«

»Ja«, antwortete ich und verdrängte meine Gedanken. »Ein Badezimmer ist eine ziemlich intime Sache, findest du nicht auch? Wenn zwei Menschen sich zusammen im Bad wohl fühlen, dann ist etwas wirklich Wichtiges zwischen den beiden.«

Gerry lächelte und nickte.

Vor Jahren hatte einer meiner Liebhaber das Badezimmer in einem Hotel in Washington zertrümmert. Mit den Armen fegte er wütend die Zahnputzgläser ins Waschbecken, warf meinen Haartrockner in den Spiegel, die Glasscherben splitterten in die Badewanne. Im Schlafzimmer hatten wir wegen seiner Eifersucht gestritten, doch im Badezimmer war er gewalttätig geworden.

Ich erinnerte mich an eine Begebenheit meiner Kindheit. Ich hatte die Hauptrolle in einem Schulballett nicht bekommen, von der ich fünf Jahre lang geträumt hatte. Ich stand vor dem Spiegel, und bevor ich wußte, was geschah, erbrach ich mich ins Waschbekken.

Ich mußte an meine erste Dinnerparty denken, die ich in Hollywood gab. Ich war zu nervös und unfähig, die Gastgeberin zu spielen, setzte mich ins Badezimmer und wartete ab, bis alles vorbei war.

Ich dachte an einen bitterkalten Wintertag in Virginia, als Warren und ich in eisigen Lehmpfützen gespielt hatten. Ich war sechs und er drei. Mutter war wütend und setzte Warren in die Badewanne, um ihn abzuschrubben. Und ich hörte sein jämmerliches Geschrei aus dem Bad.

Und ein wenig später war Warren in eine zerbrochene Milchflasche gefallen. Dad schleifte ihn ins Badezimmer und hielt seinen blutüberströmten Arm über die Badewanne. Warren sah mit flehendem Gesicht zu Dad hoch und sagte: »Daddy, mach, daß es nicht weh tut.«

Und ich erinnerte mich an eine Haushälterin, die sich jeden Abend um sechs ins Badezimmer zurückzog, eine brennende Kerze in die Badewanne stellte und betete.

Gerry trank seinen Mai-Tai aus und gab mir das Glas. Er seifte sich ein und bat mich, ihm den Rücken zu waschen.

»Weißt du«, meinte er, als er sich abtrocknete, »ich bin froh, daß es die Einrichtung des Telefons gibt, Steuerzahler hin oder her. Aber im übrigen hattest du ganz recht. Ich bezahle meine Telefonrechnungen selbst. Es wäre mir schwergefallen, wochenlang nicht mit dir zu sprechen.«

»Ja, ich weiß«, sagte ich. »Mir auch.«

»Aber ich bin süchtig nach deiner Stimme, und ich hab' es nicht gern, süchtig zu sein.«

»Was meinst du damit?« fragte ich ein wenig zitternd.

»Na ja, mein ganzer Tag dreht sich darum, ob ich ein wenig private Zeit finde, um mit dir zu sprechen. Es frißt meine Energie auf. Und das Gefühl paßt mir nicht.«

Ich starrte ihn an. Was sagte er da? Ich war ganz hellhörig.

»Ißt du deine Kirsche?« Ins Badetuch gewickelt, schaute er begehrlich auf mein leeres Glas.

»Nein, zu süß für mich.«

»Kann ich sie haben?«

Ich gab ihm die Kirsche, nahm ihn bei der Hand und führte ihn ins Schlafzimmer. Wir machten uns über den mittlerweile kalten Hummer Newburg her. Der Kellner hatte nur eine Gabel gebracht, ich gab sie Gerry. Es fiel ihm nicht auf, daß ich mit dem Messer aß. Ich legte meinen Trenchcoat über ihn, er sah aus wie eine saubere, übergroße, rosige Putte.

»Erinnerst du dich an meine alten Schuhe, die du so liebtest, daß ich sie immer tragen mußte?« fragte er. Ich nickte. »Meine Tochter hat sie einfach in den Abfalleimer geworfen. Sie meinte, ich brauche neue, und warf sie einfach weg.«

»Deine Tochter hat meine Lieblingsschuhe weggeworfen?«

»Ja.« Er beugte sich mit einem verlorenen Lächeln vor.

»Vielleicht rochen sie nach Parfum?« sagte ich.

Er sprang auf, hob mich hoch über seine Schultern, drückte mich lachend an sich und warf mich aufs Bett. Seine warmen Hände waren überall zur gleichen Zeit, sein Haar kitzelte mein Gesicht, seine Nase zerquetschte meine, seine Haut war weich und warm, nach Schaumbad duftend. Er zitterte und preßte mich eng an sich. Ich sah ihm ins Gesicht, das erstaunt, ekstatisch und voller Hingabe war. Ich setzte mich auf und streichelte sein Haar.

»Wie machst du es, daß deine Nägel so lang sind?« fragte er.

»Findest du sie zu lang?«

»Nein. Ich finde sie schön.«

Er hielt seine linke Hand in die Luft und wackelte mit dem kleinen Finger, von dem das letzte Glied fehlte. Ein Unfall, als er ein kleiner Junge war. Man bemerkte den kurzen Finger kaum, nur wenn er selbst die Aufmerksamkeit darauf lenkte.

»In diesem Finger habe ich Arthritis, und das tut weh. Ich habe das erst seit kurzem. Möchte nur wissen, warum.«

»Vielleicht zu wenig Vitamin C und keine Bewegung.«

Wir lagen nebeneinander, und ich sah ihm zu, wie er die Finger massierte.

»Weißt du, vermutlich habe ich Arthritis, weil meine Energie aufgefressen ist. Ich bin zu süchtig nach dir. Ach ja, das Leben steckt voll kleiner blitzartiger Erkenntnisse.«

»Ich verstehe«, sagte ich.

»Ich denke, ich muß meine Gefühle abkühlen lassen. Ich muß mein Gleichgewicht wiederfinden.«

»Gut, mach's dir nur möglichst einfach.« Ich spürte, wie sich mein Herz zusammenzog.

»Weißt du«, sagte er. »Ich hab' so etwas noch nie erlebt. Nichts, was dem auch nur nahekäme. Ich weiß nicht, was ich davon halten soll. Und ich weiß nicht, warum ich mich so sehr zu dir hingezogen fühle. Obwohl ich es nicht will, kann ich nichts dagegen tun.«

Ich sah auf meine langen Fingernägel. »Vielleicht haben wir schon einmal zusammengelebt.« Schnell schaute ich ihm ins Gesicht, um seine Reaktion zu sehen. »Vielleicht gibt es ungelöste Probleme zwischen uns, die wir in diesem Leben aufarbeiten müssen.«

Eine Sekunde errötete er verwirrt. Einen kurzen Augenblick machte er sich nicht über meine Gedanken lustig. Dann hellte sich sein Gesicht auf, und er grinste mich an.

»Sicher«, meinte er. »Aber im Ernst. Ich weiß nicht, was ich mit uns anfangen soll. Ich möchte, daß du das weißt.«

»Warum tun wir einfach gar nichts im Augenblick und genießen das, was wir haben?«

»Ich will ehrlich mit dir sein«, sagte er. »Ich will zu allen ehrlich sein. Meine Arbeit geht immer vor. Und wenn ich meine Energie jetzt verzettle, verliere ich das, wofür ich die ganze Zeit gearbeitet habe. Ich habe in den kommenden elf Monaten so viel zu tun, ich darf mich nicht verzetteln.«

Ich sah ihn seufzend an. »Ja, Gerry. Das weiß ich alles. Hast du mit dem Gedanken gespielt, uns aufzugeben? Einfach wegzugehen?«

Er antwortete sofort und mit Bestimmtheit: »Nein.« Und mit echter Ängstlichkeit fügte er hinzu: »Du etwa?«

»Nein«, log ich. »Niemals. Und ich werde es auch nicht.«

Er holte tief Luft und sprach weiter: »Der Gedanke, dich vielleicht zu enttäuschen, macht mir große Sorgen. Das ist ein echtes Problem für mich. Ich möchte dich nicht enttäuschen.«

»So wie du deine Wähler nicht enttäuschen willst?« fragte ich.

»Ich muß dir eine Frage stellen«, sagte er. »Was willst du eigentlich von mir?«

Das traf mich überraschend. Ich dachte einen Augenblick nach und antwortete, als habe ich es die ganze Zeit gewußt: »Ich will, daß wir glücklich sind, wenn wir zusammen sind. Ich weiß auch nicht, warum wir zusammen sind. Aber ich will nicht, daß du zwischen mir und irgend einem anderen Menschen oder einer anderen Sache wählen sollst. Du kannst beides haben, oder nicht? Du hast mich doch schon. Es ist lediglich eine Dimension mehr in deinem Leben. Was ist daran falsch? Vielleicht muß das Leben alle Dimensionen aufweisen, wir haben nur nicht den Mut, sie zu entdecken, sie an uns ran zu lassen. Ich will keine Versprechungen, nicht eine einzige. Ich will nur wissen, daß du glücklich bist, wenn wir zusammen sind, und irgendwie finden wir heraus, was es auf sich hat.«

»Aber je mehr ich dich habe, desto mehr will ich von dir.«

»Dann nimm mehr von mir.«

»Das bedeutet, etwas anderes aufzugeben.«

»Warum?«

»Weil ich nicht genug Zeit für dich und mein übriges Leben habe. Ich habe immer das Gefühl, ich sollte etwas anderes tun.«

»Aber was ist mit dir selbst? Was ist denn nicht richtig daran, daß du Spaß an etwas hast? Warum denkst du, du hast es nicht verdient, es dir gutgehen zu lassen?«

»Weil ich wichtigere Dinge in meinem Leben tun muß, als es mir gutgehen zu lassen. Ich kann nicht in erster Linie an mich denken.«

»Das solltest du aber. Wenn du dir im klaren über dich bist, bist du nämlich leichter in der Lage, anderen Leuten zu helfen.«

Gerry schwieg, und bald schlief er ein, hielt mich immer noch in den Armen. Im Schlaf sah er so verletzlich aus. Warum steckte dieser starke Mann so voll innerer Unsicherheiten? Fühlte er sich irgendwie verantwortlich für die Tragödie seiner ersten, kurzen Ehe? Seine Frau war bei der Geburt ihres ersten Kindes gestorben. Gewiß, er mußte die zweite Ehe überstürzt eingehen, denn das Kind brauchte eine Mutter. Fühlte er sich schuldig, weil er seinen Selbstbetrug spürte? Ich dachte an ein Gespräch, das ich kürzlich mit meinem Vater hatte. Bei all seiner vielseitigen Begabung hatte er nie wirklich an sich selbst geglaubt. Dad war nicht nur ein hervorragender Selbstdarsteller, er spielte auch ausgezeichnet Geige, war ein guter Lehrer und ein tiefgründiger Denker.

Nun stand er am Ende seines Lebens – so dachte er zumindest. Und er hatte immer zuviel getrunken. Vor kurzem mußte sich meine Mutter einer langwierigen Hüftoperation unterziehen. Dad fand sich mit der Möglichkeit konfrontiert, allein leben zu müssen und begann stark zu trinken, fing bereits am frühen Morgen damit an. Mutter rief mich an, tiefer besorgt denn je, daß er sich diesmal zu Tode trinken würde. Dad saß neben ihr, als sie offen und ehrlich am Telefon mit mir sprach. Es machte den beiden nichts aus. Seit Jahren fragten wir uns alle voller Angst, wohin seine Trinkerei führen würde, und die Angst kulminierte in diesem Telefongespräch.

»Ich mache mir große Sorgen um ihn, Shirl«, sagte sie. »Und ich kann ihm nicht helfen. Er ist ein talentierter Mann, aber er glaubt einfach nicht an sich.«

Ich bat, selbst mit ihm sprechen zu dürfen.

»Hallo, Äffchen«, begrüßte er mich mit meinem Spitznamen. Ich sah ihn vor mir in seinem Lieblingsstuhl, den Hörer an die Schulter geklemmt, neben ihm der Pfeifenständer. Ich spürte, wie er nach seiner Pfeife griff, sie mit dem alten Feuerzeug, das ich ihm aus England mitgebracht hatte, anzündete.

»Daddy, kann ich gleich zur Sache kommen?«

»Ja.«

»Warum trinkst du jetzt so viel?«

Diese Frage habe ich ihm nie zuvor gestellt. Ich brachte es nie übers Herz, sie zu stellen, vielleicht weil ich fürchtete, er würde mir den Grund sagen.

Er fing an zu weinen. Davor hatte ich Angst gehabt. Ich hatte mich davor gescheut, Dads Zusammenbruch zu erleben. Dann sagte er: »Weil ich mein Leben vergeudet habe. Ich habe den starken Mann gespielt, aber nur, weil ich ein Versager bin. Meine Mutter hat mir nur zu gut beigebracht, Angst zu haben, und immer wenn mir bewußt wird, wie groß meine Angst ist, halte ich es nicht mehr aus. Dann muß ich trinken.« Ich wußte, seine Hände zitterten, wie sie immer zitterten, wenn er seine Gefühlsregungen zu unterdrücken versuchte.

»Ich liebe dich, Daddy«, sagte ich und fing auch an zu weinen. Irgendwie hatte ich ihm das nie zuvor wirklich gesagt. »Sieh mal, du hast Warren und mich großgezogen. Bedeutet das denn gar nichts?«

»Nein. Aber ich weiß, daß ihr beide nicht so sein wolltet wie ich. Deshalb seid ihr so geworden. Ihr wolltet keine Niemande sein wie ich.« Wir weinten beide und versuchten, unter Tränen zu sprechen. Ich fragte mich, ob schon ein Häufchen Asche aus der Pfeife auf den Boden gefallen war.

»Das stimmt nicht ganz«, sagte ich. »Wir haben es nur mit deiner Hilfe geschafft. Du hattest keine Hilfe.«

»Aber ich fühle mich so wertlos, wenn ich sehe, daß ich nichts aus mir gemacht habe.«

»Okay, du hast immer noch Zeit.«

»Wie? Was meinst du damit?« Er versuchte deutlicher zu sprechen. Ob Mutter wohl noch bei ihm war?

»Warum nimmst du nicht, wenn du dir wertlos vorkommst, Bleistift und Papier zur Hand und schreibst deine Gefühle auf? Ich wette, du formulierst gute Gedanken über das Gefühl, sich wertlos vorzukommen.«

Er schluchzte jetzt haltlos. »Manchmal glaube ich, es nicht mehr auszuhalten, und wenn ich genug getrunken habe, brauche ich mir keine Gedanken darüber zu machen, wie es ist, am nächsten Tag aufzuwachen.«

Ich schluckte. »Daddy, ich habe dich nie in meinem Leben um ein Versprechen gebeten, stimmt's?«

»Ja, Äffchen, das stimmt.«

»Wirst du mir jetzt etwas versprechen?«

»Ja, alles. Was?«

»Versprichst du mir, statt zu trinken, jeden Tag mindestens eine Seite zu schreiben über das, was du empfindest?«

»Ich schreiben? Gott, ich würde mich schämen, wenn es irgendwer zu lesen bekäme.«

»Du mußt es ja niemanden lesen lassen. Tu es einfach für dich selbst.«

»Aber ich habe doch nichts zu sagen.«

»Wie willst du das wissen, bevor du es versucht hast?« Ich konnte direkt sehen, wie er das Stäubchen von seiner linken Schulter pustete. Ich hörte ihn hüsteln.

»Ich kann nicht über mich selbst schreiben. Ich kann ja nicht einmal über mich nachdenken.«

»Dann schreib über mich oder Mutter oder Warren.«

»Dich und Warren?«

»Sicher.«

»Das muß ja wahnsinnig viele Menschen interessieren«, sagte er bitter. Ich wußte, er lächelte.

»Das ist nur dein Standpunkt.«

»Glaubst du denn wirklich?«

»Ja, das tue ich.« Ich sah ihn vor mir, wie er im Schaukelstuhl wippte.

»Die alte Mrs. Hannah, meine Collegelehrerin, hat immer gesagt, ich sollte schreiben. Sie sagte, ich solle weniger reden und mehr schreiben.«

»Wirklich?« Er hatte oft von Mrs. Hannah gesprochen, als ich noch klein war. Sie besaß ein altes Auto, das er gern reparierte.

»Die alte Mrs. Hannah hatte die gräßlichste Klapperkiste, die man sich vorstellen kann. Mit Pferd und Kutsche wäre sie besser dran gewesen. Aber dieses verdammte Auto war für sie wie ein anderer Mensch. Weißt du, daß ich einmal mitten auf einer Wiese...«

»He, Daddy, warum fängst du nicht an, über Mrs. Hannahs altes Auto auf der Wiese zu schreiben? Vergeude deine Zeit nicht damit, darüber zu sprechen.«

»Macht man es so?« fragte er, räusperte sich und klang heiter und gleichzeitig mißtrauisch. »Willst du damit sagen, daß jedes Mal, wenn ich hof gehalten habe, ein Buch daraus hätte werden können?«

»Sicher. Hat denn nicht Mrs. Hannah schon gesagt, daß du zu lang und zu viel redest und hinterher nichts vorzeigen kannst?«

»Ja«, sagte er, »das hat sie. Außerdem war sie eine Betrügerin. Sie hat ihre Scheune selbst angezündet, um die Versicherungssumme zu kassieren. Und dann ist sie mit dem Versicherungsagenten, der ihr die Police verkauft hat, durchgebrannt.«

»Sie scheint eine wunderbare Figur zu sein, über die es sich zu schreiben lohnt.«

Würdest du etwas lesen, was ich geschrieben habe?«

»Sicher. Ich kann es kaum erwarten. Schick es mir nach New York. Von dort wird es mir überall nachgesandt.«

»Meinst du, ich habe wirklich etwas zu sagen?«

»Na ja, ich habe dir seit über vierzig Jahren zugehört und ich finde, du bist komisch und manchmal rührend. Warum schreibst du nicht über deine Pfeife?«

Wir hatten beide aufgehört zu weinen.

»Wirst du es tun? Wirst du es versuchen?«

»Na ja, Äffchen, ich denke, ich muß wohl, oder?«

»Ja.«

»Ich verspreche es also. Ich verspreche es.«

»Ich liebe dich, Daddy.«

»Ich liebe dich auch, Äffchen.«

Wir legten auf. Ich ging durchs Haus und weinte noch eine Stunde lang. Dann ging ich ans Telefon, rief den Blumenladen an und ließ ihm täglich einen Monat lang eine Rose schicken, zusammen mit einem Briefchen. »Eine Rose für deine Seite. Ich liebe dich.«

Seitdem schreibt Dad gelegentlich. Ich bin nicht sicher, ob er das Trinken ganz gelassen hat. Aber kein Schreiber, den ich kenne, ist völlig trocken. Doch ich wünschte, die alte Mrs. Hannah hätte sein Talent und ihren Glauben daran öfter erwähnt.

Die Notizen, die er mir schickt, sind kurz, und jede erzählt mir eine Geschichte, eine Geschichte aus dem Leben eines Mannes, der mich tief beeinflußte, weil er mir unabsichtlich beibrachte, intelligente und komplizierte Männer zu lieben, die einen Menschen brauchen, der ihr Innerstes aufschließt.

5. Kapitel

»Ich bezweifle sehr stark, ob irgend jemand von uns die leiseste Ahnung davon hat, was mit der Realität der Existenz irgendeiner Sache gemeint ist, außer unser eigenes Ego.«

A. Edington

The Nature of the Physical World (Das Wesen der physischen Welt)

Gerry und ich schliefen. Wenn wir uns bewegten, taten wir es gleichzeitig, rückten aneinander, so daß kein Platz zwischen uns blieb. Irgendwann murmelte er, daß er geweckt werden müßte, damit seine Delegation sich am Morgen nicht wundere, wo er bliebe. Ich sagte der Telefonistin Bescheid und wartete auf das Morgengrauen. Ich kam mir verlassen vor und beobachtete ihn im Schlaf. Ich sah ihm so lange zu, bis auch ich einschlief. Im Traum purzelten Bilder meines Vaters und Gerrys kunterbunt durcheinander.

Als der Weckruf kam, saß Gerry senkrecht im Bett, als würde ihn ein Appell zur Pflicht rufen. Schnell küßte er mich, zog sich an und sagte, er sei bald zurück, wenn er seinen Pressereferenten und die Journalisten abgewimmelt habe.

»Ich werde vermutlich mit ihnen frühstücken«, sagte er. »Und meiner Delegation lüge ich vor, der Zeitunterschied mache mir zu schaffen; dann verbringen wir den Tag zusammen.«

Er war weg, bevor ich bemerkte, daß er eine Socke vergessen hatte. Ich bestellte mir Papaya und Toast und frühstückte auf dem Balkon. Ein Wärter fütterte die Delphine. Sachi war als Kind immer auf den Delphinen geritten, wenn ich mich mit Steve in Hawaii auf halbem Weg nach Japan traf. Sie sagte immer, sie verstehe die Sprache der Delphine, und sie seien ihre Spielgefährten.

Irgendwo unter meinem Balkon unterhielten sich Journalisten darüber, was wohl eine gute Story über Hawaii sei. Zwischen ihren Berufswitzeleien stellten sie Vermutungen an über Dr. Lillys Experimente mit den Delphinen. Waren Delphine so intelligent, wie die Wissenschaftler behaupteten? Hatten sie wirklich eine eigene, entwickelte Sprache? Jemand sagte einmal, in dem großen Gehirn der Delphine befinden sich alle Geheimnisse einer immensen vergangenen Zivilisation, Lemuria genannt. Ich hatte von Atlantis gehört, doch Lemuria war mir unbekannt.

Ich beobachtete die Secret-Service-Leute und Journalisten, die den Delphinen zuschauten, und fragte mich, wie Gerry und ich unerkannt an ihnen vorbei kämen.

Etwa eine Stunde später rief er an. »Hör mal«, sagte er, »wir treffen uns am Strand links vom Hotel. In einer Viertelstunde bin ich da.«

Ich zog Jeans und ein Hemd an, darunter den Badeanzug, band ein Kopftuch um und setzte meine dunkle Sonnenbrille auf.

Auf meinem Weg durch die Halle und zur Hintertür hinaus bemerkte mich niemand. Rasch ging ich am Pool vorbei, hinunter in den warmen Sand, wo die Touristen lagen und Rock'n'Roll-Musik aus den Transistorradios plärrte. Der Geruch nach Sonnenöl hing in der Luft.

Ich ging am Wasser entlang, die klaren, blauen Wellen schwappten an den Strand. Niemand badete im Meer. Die Palmen wiegten sich in der sanften Brise. Ich machte statt Morgengymnastik ein paar Kniebeugen im seichten Wasser. Meine Show schien Welten entfernt.

Nachdem ich einige hundert Meter den einsamen Strand entlang gegangen war, setzte ich mich in den Sand, hielt mein Gesicht in die Sonne und wartete auf Gerry. Es war beinahe normal, beinahe menschlich. Mehr als alles in der Welt haßte ich diese Versteckspiele, Heimlichkeiten, Unehrlichkeiten; das tat mir weh.

Er trug Khakihosen und ein weites, weißes Hemd, als er durch die seichten Wellen auf mich zuschlenderte. In der Hand trug er ein paar Sandalen. Er winkte nicht, als er mich sah. Ich ging ihm entgegen.

»Du besitzt ja ein zweites Paar Schuhe«, sagte ich.

»Ja, meine Ferienschuhe«, lachte er und berührte mein Gesicht.

»Hat dir die Delegation die Geschichte mit der Zeitverschiebung abgenommen?«

»Ja. Sie wollen sich alle ein wenig ausruhen. Eine Konferenz in Honolulu ist wirklich eine zu große Versuchung.«

Er schnallte seine Sandalen aneinander, hängte sie über die Schulter und nahm meine Hand, als wir außer Sichtweite des Hotels waren. Ich lehnte meinen Kopf an ihn, und wir gingen den Strand entlang.

Wir überquerten ein Korallenriff, das weit in den Ozean hinausragte, es war, als schwebe man auf dem Wasser. Gerry meinte lachend, jeder glaube ohnehin, er könne auf dem Wasser gehen. Die Korallen waren sehr scharf. Wir blieben stehen und betrachteten die meterhohen Brandungswellen, die sich weiter draußen brachen.

»Kannst du Wellenreiten?« fragte er.

»Mit zwanzig hab' ich das gern getan«, sagte ich, »bevor ich alt genug wurde, um davor Angst zu haben.«

Ich war immer sehr sorglos mit meinem Körper umgegangen. Es kam mir nie in den Sinn, daß ich mir etwas brechen oder mich verletzen könnte. Nun paßte ich sogar auf, wenn ich aus einem Taxi stieg. Ein verstauchter Knöchel oder eine Knieverletzung würde meinem Tanzen schlecht bekommen. In meiner Jugend hatte ich völlig unbekümmert getanzt, hatte überhaupt alles ohne vieles Nachdenken getan. Und das war wunderbar. Mit dem Erwachsenwerden wuchs auch mein Bewußtsein für die Konsequenzen meines Tuns, ob es nun darum ging, mich in die Brandungswellen oder in eine Liebesaffäre zu stürzen.

Doch dieses Bewußtsein trübte weder den Spaß noch das Wunder. Im Gegenteil, ich wollte lernen, völlig im *Jetzt* zu leben – mit beharrlicher Gewißheit, daß die Gegenwart das einzige ist, was zählt. Sollte ich wirklich früher einmal gelebt haben und ein zukünftiges Leben vor mir liegen, würde der Glaube daran nur meine Hingabe von Herz und Seele an die Gegenwart verstärken. Reinkarnation war für mich ein neuer Begriff; über die damit verbundenen Möglichkeiten nachzudenken faszinierte mich. Waren Zeit und Raum so unglaublich ewig, daß man dadurch erst begriff, wie kostbar jeder einzelne Augenblick auf Erden ist? Mußte mein Geist Phantasiesprünge in andere mögliche Realitäten unternehmen, um die Freude an der Gegenwart zu begreifen? Oder bedeuteten echte Freude und Glück die *Zugehörigkeit* zu all den anderen Realitäten, die tatsächlich Bewußtsein und Verständnis der momentanen Realität erweiterten?

Bewußtseinserweiterung. Das war der Begriff, dessen sich so viele Menschen heutzutage bedienen. Man mußte nicht ein altes Bewußtsein für ein neues eintauschen. Man konnte einfach das Bewußtsein, das man bereits besaß, erweitern und erhöhen – ein erweitertes Bewußtsein erkannte die Existenz ehemals unerkannter Dimensionen an ... Dimensionen von Raum, Zeit, Farbe, Tönen, Geschmack, Freude, und so weiter. Lag der Konflikt zwischen Gerry und mir lediglich im Unterschied, in welcher Geschwindigkeit wir uns auf ein erweitertes Bewußtsein hin bewegten? Vielleicht versuchte ich ihm ein Tempo aufzudrängen, das mein eigenes Tempo war, nicht seins. Ich wollte kein Werturteil über Gerrys Tempo abgeben. Es war nur einfach anders. Ich wußte, wie hartnäckig ich auf Dingen bestehen konnte, teilweise wegen meiner großen Neugier, teilweise wegen meiner Ungeduld. Ich war ungeduldig mit Menschen, die sich nicht auf die gleiche Suche begaben. Mein Leben schien sich einer Reihe von Fragen zu widmen, Gerrys Leben den Antworten.

Wir ließen Diamond Head, Waikiki und Kahala hinter uns. Vor uns lag die satte Tropenvegetation des unbekannten Teils der Insel. Je weiter wir uns von den Menschen entfernten, desto zärtlicher wurde Gerry, und bald spazierten wir eng umschlungen.

Es war einfach zu schön, um zu sprechen. Die Sonne versteckte sich hinter Wolken, und die Kokospalmen wiegten sich im Wind. Es begann zu regnen. Wir liefen in einen Palmenhain, wo reife Kokosnüsse im Sand lagen, stellten uns dort unter und beobachteten den Regen, der in die fuchsienroten Azaleenblüten tropfte. Ein Vogel flog auf und verschwand im dichten Grün. Gerry legte seine Arme um mich und schaute aufs Meer hinaus.

»Mein Gott, ist das schön«, sagte er.

Er zog mich näher an sich.

Der Regen fiel nun stärker, einer der heftigen Tropenschauer, die aussehen wie ein glitzernder Perlenvorhang.

»Wollen wir im Regen schwimmen?« fragte ich.

Ohne zu antworten, entledigte Gerry sich seines Hemdes und seiner Hose. Er hatte eine Badehose darunter an. Auch ich zog mich aus und rannte hinter Gerry ins Wasser.

Die Wellen waren nun höher und hatten weiße Gischtkronen. Wir tauchten in sie ein und fühlten, wie das Salzwasser sich mit dem Regen vermischte. Wir lachten und spritzten uns an. Ich rieb mir das Salz aus den Augen, froh, mir nicht die Wimpern getuscht zu haben. Gerry schwamm weiter hinaus, winkte, ich solle ihm folgen, aber ich war etwas ängstlich, ließ mich lieber auf den Regenwellen treiben und sah ihm zu. Dort wo die Brandungswogen sich brachen, wartete er auf die richtige Welle. Sie kam, er stürzte sich hinein und wurde mit ihr getragen, bis sie nahe bei mir verebbte. Er schwamm zu mir, zog mich in die Arme, ich küßte sein salziges Gesicht. Wir schwammen an Land, legten uns in die seichten, schaukelnden Wellen, sahen hinauf in den Regen, das Wasser lief uns über die Gesichter.

»Das... das war das Schönste, was ich je erlebt habe«, rief er, um die Brandung zu übertönen. »Weißt du, daß das meine erste Welle ist, auf der ich geritten bin? Ich habe viel verpaßt, stimmt's?«

Ich sagte nichts. Auch für mich waren es die glücklichsten Momente seit langem –, ich wünschte nur, den Mut zu haben, mich mit ihm von den Brechern tragen zu lassen.

Wir blieben so liegen, bis die Sonne wieder herauskam. Dann krochen wir auf allen Vieren aus dem Wasser, legten uns in den nassen Sand und ließen uns von der Sonne trocknen.

»Gerry?« fragte ich, »wenn du über dein Leben nachdenkst, wann warst du am glücklichsten?«

Er dachte eine Weile nach und sagte mit einem verblüfften Ausdruck: »Jetzt, da du mich fragst, merke ich, daß meine glücklichsten Momente immer mit Natur verbunden sind – manchmal mit Menschen, aber nie mit meiner Arbeit. Das erstaunt mich. *Meine glücklichsten Momente haben nie etwas mit meiner Arbeit zu tun gehabt.* Mein Gott, wie ist das nur möglich?«

»Ich weiß nicht. Vielleicht weil du Arbeit als Pflichterfüllung betrachtest.«

»Aber auch wenn ich gewinne, fühle ich mich bedrückt. Bei meinem letzten Wahlsieg zum Beispiel verfiel ich tagelang in Depressionen.« Er blickte in den Himmel. »Darüber muß ich mal nachdenken, findest du nicht?«

Ich stand auf. »Wie furchtbar, deprimiert zu sein, wenn man gewinnt. Was fühlst du denn, wenn du verlierst?«

Auch er stand auf, wir gingen zu dem Baum, wo wir unsere Kleider gelassen hatten. »Wenn ich verliere, fühle ich mich herausgefordert. Dann entwickle ich Kampfgeist, dann lohnt sich wieder alles. Ich glaube, ich muß immer gegen den Wind spucken.«

Wir wanderten weiter um die Insel und kamen bald zu einem kleinen Obststand am Wasser, an dem es Ananas und Papayas gab. Wir träufelten Zitronensaft auf unsere Papayas und setzten uns in den Sand. Der Hawaiianer, dem der Obststand gehörte, las eine Geschichte von Raymond Chandler und sah zwischendurch aufs Meer hinaus. Gerry und ich sprachen über Asien, den Mittleren Osten und die Zeit, die ich in Japan verbracht hatte. Er stellte mir keine persönlichen Fragen, und ich behelligte ihn nicht mit unnötigen Auskünften.

Dann spazierten wir weiter und stießen auf Schilder ›zum Meerwasseraquarium‹. Wir schauten uns die Delphine und Mörderwale an. Es war gerade Fütterung. Einer der Delphine bekam mehr als die anderen. Gerry fand das ungerecht. Er meinte, das Überleben des Stärkeren sei grausam, und die Menschen müßten einen Weg finden, um dieses alte Naturgesetz zu durchbrechen. Dafür sei die Zivilisation schließlich da ... um aus der Welt einen angenehmeren Platz zu machen. Diejenigen, die nicht für sich selbst kämpfen konnten, taten ihm leid.

In einem großen Becken wurde ein Mörderwal gefüttert. Seemöwen kreisten um seinen Kopf und warteten darauf, daß der Wal einen der Fische, die der Wärter ihm in den riesigen Schlund warf, verpaßte. Und er verpaßte einen. Eine Möwe stürzte sich herab, schnappte die Beute und floh auf die andere Seite des Beckens. Der Wal war mit einem riesigen Satz hinter ihr her. Sie setzte sich an den Beckenrand, wo er sie nicht fassen konnte. Die Möwe blickte ihn an, und der Wal unterbrach seine Fütterung und starrte die Möwe ganze drei Minuten lang an. Gerry lachte laut, und der Wal begab sich wieder zu seinem Futterplatz.

Wir verließen das Aquarium und gingen auf die Hügel über dem Meer zu. Vögel jeder Farbe flatterten und schwirrten durch die üppige Tropenvegetation. Wir versuchten, eine Kokosnuß zu öffnen, aber dazu hätten wir ein Buschmesser gebraucht. Ich erzählte Gerry, daß ich früher einmal hierher gekommen war, weil ich allein sein wollte. Ich hatte ein kleines Haus an der Kona Coast gemietet und saß tagelang auf den Vulkanfelsen und dachte unter anderem über Konkurrenzkampf nach.

Ich war damals seit fünf Jahren in Hollywood, und die Art, wie gute Freunde sich um gute Rollen stritten, ging mir auf die Nerven. Ich war wieder einmal für den Oscar nominiert worden, und der damit verbundene falsche Druck gefiel mir nicht; die Nominierung erschien mir eine Belastung. Ich mochte das Gefühl nicht, daß es ein gerechterer Lohn sei, die kleine Messingstatue zu gewinnen als einfach gute Arbeit zu leisten. Jeder hielt sie für den Inbegriff von Hollywood. Aber mir wollte es nicht in den Kopf, warum es Sieger und Verlierer geben mußte. Es mißfiel mir, zu sehen, wie niedergeschlagen die Menschen waren, wenn sie verloren. Ich haßte es, wieviel Geld ausgegeben wurde, um das Wahlgremium zu beeinflussen. Parties wurden gefeiert und riesige Anzeigen in Filmfachzeitschriften veröffentlicht. Gerry hörte interessiert zu, verstand nicht, daß es mir unwichtig war, ob ich gewann oder nicht.

»Wieso macht dir das nichts aus?« fragte er.

»Ich weiß nicht«, sagte ich. »Es ist mir irgendwie egal. Ich glaube, ich mag die Peinlichkeit nicht, bei etwas zu gewinnen, was eigentlich nichts mit Wettkampf zu tun hat. Ich hätte zwar keine Depressionen wie du, wenn ich gewinne – aber es wäre mir peinlich. Du *mußt* gewinnen, das gehört zur Demokratie, und so funktionieren eben Mehrheitsregeln. Es gibt keine andere Möglichkeit, ein erfolgreicher Politiker zu sein. Aber ein Künstler sollte nichts mit dieser Art von Konkurrenzdenken zu tun haben. Ich finde, wir sollten nur in Konkurrenz stehen zu dem, was in uns ist.«

Er fragte, ob ich wirklich allein hier gewesen bin. Ich bejahte. Ich mußte oft allein sein, brauchte Zeit, um zu reflektieren. Er sagte, das habe er in meinem ersten Buch *Don't Fall Off The Mountain* gespürt. Es sei eines der Lieblingsbücher seiner Tochter. Er fragte mich, ob ich je einsam sei. Ich erklärte, Alleinsein sei etwas anderes, als sich einsam zu fühlen. Aber ich glaubte, im Grunde sei ich ein einsamer Mensch. Er fragte nie nach meiner Scheidung oder meinen Beziehungen zu anderen Männern. Ich vermutete, er war noch nicht bereit dafür.

Wir setzten uns wieder, sahen den Sandkrabben zu, die in der späten Nachmittagssonne ihre Löcher buddelten. Eine fiel auf den Rücken. Gerry drehte sie mit einem Zweig um und lächelte still. Ich erzählte ihm, wie ich Ameisen vor meinem kleinen Haus in Kona beobachtet hatte. Sie waren tagelang eifrig damit beschäftigt, ein altes Brötchen Krümel für Krümel von einem Felsen zu einem Versteck unter einem anderen Felsen zu transportieren. Sie waren bestens organisiert und wild entschlossen. Sie waren keine Individualisten, nicht eine einzige. Sie schienen völlig selbstlos. Ich wußte nicht, ob es gut sei, die eigenen Interessen völlig dem Gemeinwohl zu opfern. War es das, was Gerry als seine Aufgabe betrachtete? Gerry fragte mich viel über China. Obwohl er nie dort gewesen war, wußte er sehr viel über dieses Land. Wir sprachen über die Kulturrevolution, und er sagte, er wollte, wir hätten in Hongkong Zeit gehabt, über die Grenze nach Rotchina zu fahren, wenn auch nur für ein paar Tage.

Wir schliefen in der Nachmittagssonne ein und wachten von einer kühlen Brise auf. Wir rannten in die Brandung, lachten und machten Ringkämpfe. Gerry schleuderte flache Steine ins Wasser. Dann gingen wir Hand in Hand zurück bis in Sichtweite des Hotels. Dort trennten wir uns, Gerry ging voraus und verschwand in der Menge um den Pool. Ich sah mir noch eine Weile den Sonnenuntergang an. Wie frei war Gerry den ganzen Tag über gewesen, und wie gehemmt konnte er oft sein in geschlossenen Räumen. Er war ein völlig anderer Mensch, wenn er ungezwungen war und nicht unter einem Druck stand. Ich war überzeugt, daß er besser in seiner Arbeit wäre, wenn er sich mehr gehenließe, auch besser in seiner Ehe und besser mit mir.

Als ich die Hotelhalle betrat, war Gerry von seiner Delegation umringt: »Wo warst du?« »Geht's Ihnen besser?« hörte ich als Gesprächsfetzen im Vorbeigehen. Ich kam mir so unbemerkt vor wie Hintergrundmusik. Der Lift war, bis auf den Liftboy, leer.

Ich nahm eine heiße Dusche, wusch das Salz aus meinem Haar, als das Telefon klingelte. Gerry sagte: »Warum warst du so lange von mir weg?«

Fünf Minuten später saß er auf dem Fußboden in meinem Zimmer. Es gab eine Fernsehübertragung aus Las Vegas mit Frank Sinatra, Sammy Davis jr., Paul Anka und Ann-Margret. Er saß mit übereinander geschlagenen Beinen da und stellte Fragen über Musik-Shows. Ob die Sänger wirklich sangen oder nur Lippenbewegungen zum Playback machten, ob sie alle Texte auswendig lernten oder Texthilfen hatten. Wie lange eine Show geprobt wurde.

Wir beschlossen, in ein mir bekanntes japanisches Lokal auf der anderen Seite von Waikiki zum Essen zu gehen. Wenn es uns gelang, ein Taxi zu ergattern, gab es kein Problem.

Ich verließ das Hotel zuerst. In der Halle wimmelte es von Journalisten und Secret-Service-Leuten. Ich versteckte mein Gesicht hinter einer Zeitschrift, bis ich draußen war, und ging auf ein Taxi zu. Fotografen stürzten sich mit Blitzlichtgewitter auf berühmte Kongreßteilnehmer, die das Hotel betraten oder verließen. Ich stieg ins Taxi und bat den Fahrer, einen Augenblick zu warten. Er meinte, lange könne er nicht warten. Nervös blickte ich in die Halle. Gerry wurde von ankommenden Politikern begrüßt. Ich zählte die Sekunden. »Mein Begleiter kommt gleich«, sagte ich. »Bitte warten Sie noch einen Moment.« Der Fahrer tat mir den Gefallen.

Ein paar Minuten später löste sich Gerry von der Gruppe, lächelte in eine Kamera und sah, wie ich ihm zuwinkte. Lässig schlenderte er auf das Taxi zu und stieg ein. Niemand hatte etwas bemerkt.

Ich kannte die Besitzerin des Japan-Restaurants, die kein Interesse an meinem Begleiter zeigte. Ich bat sie in Japanisch, uns in ein privates Tatami-Zimmer zu führen. Dort reichte sie uns heißen Saki und zog sich zurück, um Sushi für uns zuzubereiten. Gerry war nicht begeistert von dem rohen Fisch, aß ihn aber.

Die Kerze auf dem Tisch flackerte unter seinem Gesicht.

»War das ein schöner Tag«, sagte er.

Ich lächelte.

»Und ich liebe es, mit dir zu reden.«

Ich lächelte wieder.

»Und ich liebe es, mit dir zusammenzusein.«

Ich lächelte und rollte die Augen in gespieltem Ekel. Er wußte, wie ich es meinte.

»Und ich liebe dich sehr.«

Ich fing an zu weinen.

Er nahm meine Hand. Ich konnte nicht sprechen.
»Ich will dir nicht weh tun«, sagte er.
Ich putzte mir die Nase.
»Ach, Gerry«, brachte ich schließlich hervor. »Warum fällt es dir so schwer, das auszusprechen?«
Sein Gesicht wurde ernst. »Weil ich es dir auf andere Weise sage – mit meinen Händen, mit meinem Körper.«
»Warum?«
»Ich weiß nicht. Ich gehe tagtäglich mit so vielen Worten um in meiner Arbeit. Mit dir möchte ich keine Worte brauchen.«
»Findest du das fair mir gegenüber?«
»Ja.«
»Also ich brauche Worte, um meine Gefühle auszudrücken. Ist das unfair?«
»Ich weiß nicht, wie es für dich ist.«
»Ich bin nicht sicher, ob Liebe überhaupt fair ist.«
»Ich glaube nicht, daß ich über die Liebe Bescheid weiß. Es ist alles so neu für mich. Ich weiß nur, daß es mir guttut, mich körperlich auszudrücken, weil ich es bisher nur in Worten getan habe.«
Ich versuchte zu verstehen, was er meinte. Wollte er damit sagen, ich solle mich nicht zu sehr auf ihn verlassen? Oder wollte er sich nicht mit Worten festlegen, um später keine Verantwortung dafür tragen zu müssen?
»Und wie drückst du dich aus, wenn wir getrennt sind?«
Er zuckte die Schultern. »Das ist ein Widerspruch, nicht wahr? Ich muß darüber nachdenken.«
Wir aßen, sprachen über Japan, das seine Kultur für industriellen Fortschritt aufs Spiel setzte. Nach dem Essen gingen wir noch ein wenig spazieren, bevor wir in getrennten Taxis zum Hotel zurückfuhren.

Im Speisesaal fand ein Kongreß-Bankett statt. Ich wartete im Zimmer auf ihn. Die Delphine sprangen in eleganten Schwüngen im Pool, und die Palmen raschelten trocken im Passatwind.

Eine halbe Stunde später lagen wir zusammen im Bett. Gerry sagte, seine Arbeit habe sich für die nächsten zwei Tage angehäuft, und er müsse sehr früh aufstehen. Mein Flug war für den späten Vormittag gebucht.

Wir löschten das Licht und versuchten zu schlafen.

Plötzlich stand er auf, und mit festen Schritten krachte er gegen einen Stuhl. Ich lachte. Er ging ins Bad, kam wieder, ging am Fußende des Bettes auf und ab.

»Was ist los?« fragte ich.

»Ich weiß nicht, was ich denke«, sagte er. »Ich weiß nicht, was ich tun soll. Ich will nicht einmal darüber nachdenken, was ich denke.«

Ich beobachtete ihn still. Er nahm einen Apfel aus dem Obstkorb und ging damit auf und ab. Dann legte er sich ins Bett und aß den Apfel. Entschlossen, mit großer Konzentration kaute er jeden Bissen, ohne ein Wort zu sagen. Als wäre ich gar nicht da. Er aß den Apfel nicht wie andere Leute. Er aß von oben nach unten und schließlich verschlang er Kernhaus, Kerne und den Stiel. Ich kicherte. Er sah mich erstaunt an.

»Ich esse nicht besonders viel«, sagte er. »Aber wenn ich esse, verschlinge ich alles.« Er beugte sich über seinen Ellbogen zu mir herüber. »Denk daran.«

Ich versuchte zu schlafen. Ich wußte nicht, wann ich ihn wiedersehen würde. Ich dachte an den Morgen, wenn er gehen und die Tür hinter sich zumachen würde. Unruhig drehte ich mich von einer Seite auf die andere. Jedesmal, wenn ich mich bewegte, berührte er mich zärtlich. Immer wieder während der Nacht wachte ich auf, drehte mich um, schlief wieder ein, wachte auf, drehte mich um, und jedesmal spürte ich seine zärtliche Berührung. Bald schien die Morgensonne durch die Vorhänge. Er setzte sich auf, zog die Decke eng um mich und hob mein Gesicht hoch.

»Wir hatten sechsunddreißig außergewöhnlich schöne Stunden, die kaum zu beschreiben sind. Die meisten Menschen erleben so etwas nie. Nimm es von der positiven Seite. Ich gehe immer davon aus, bei Null anzufangen ... also ist alles darüber im Plus.«

Ich schluckte schwer. »Ich aber nicht. Ich gehe davon aus, da anzufangen, wo ich will, und so weit zu gehen, wie ich will. Ich kann alles geschehen lassen, wenn ich es nur will. Und ich bin nicht *dankbar* für unsere sechsunddreißig Stunden. Ich will mehr, ich will alles, was ich kriegen kann.«

Er lachte und warf geschlagen die Arme in die Luft, stand auf und bereitete sich für seinen Arbeitstag vor. Er hatte seine Zeit mit mir verbracht, betrachtete sich als glücklichen Mann, der sich jetzt mit seinem englischen Pflichtgefühl abzufinden hatte. Es war einfach für ihn. Er hatte eine Karriere auf Entsagungen aufgebaut.

»Moment mal, Gerry«, sagte ich »Könntest du ohne das alles leben?«

Er dachte nach, und sein Gesicht war sehr ernst. »Das Leben wäre trübe, grau und leer. Nun gib mir einen schönen, langen Kuß«, dabei nahm er mein Gesicht in seine Hände. Ich streichelte ihm übers Haar. Schnell zog er sich an, bevor ich es begriff, stand er an der Tür.

»Ich ruf' dich an, sobald ich in London bin.«

Er sagte nicht Auf Wiedersehen, drehte sich nicht um, er ging einfach zur Tür hinaus, und weg war er.

Das Zimmer veränderte sich. Das war der Augenblick, vor dem ich Angst gehabt hatte. Die Stille dröhnte in meinen Ohren. Mir war schlecht. Ich setzte mich auf und ließ die Beine aus dem Bett baumeln. Ich sah mich nach etwas um, was er vergessen haben könnte. Nein, dachte ich, wie lächerlich. Ich werde nicht in meinem Unglück schwelgen. Ich stand auf, nahm eine kalte Dusche, bestellte Frühstück und packte. Dann schrieb ich ihm einen Brief, wie recht er habe, ein halbes Glas Wasser sei halb voll und nicht halb leer.

Während des Flugs über den Pazifik schlief ich unruhig.

»Was willst du von *mir*?« hörte ich ihn wieder fragen. Er hatte recht. Wollte ich sein Privatleben zerstören, seine politische Karriere aufs Spiel setzen und alles, wofür er sein Leben lang gekämpft hatte? Jetzt war ich es, die nicht darüber nachdenken wollte.

»Ich habe eine Aufgabe zu erfüllen, eine Arbeit, die ich vor langer Zeit begonnen habe«, hatte er geantwortet. Wollte ich ihm das verderben? War es wirklich Liebe? War Liebe etwas, wofür die Menschen alles aufgaben? Würde er das tun? Oder ich? Könnte ich in London leben? Was würden seine englischen Wähler sagen? Würde unsere Liebe ihn tatsächlich ruinieren?

Und er hatte gesagt: »Ich muß zur Ruhe kommen. Ich muß die Sache kühler sehen. Ich bin zu süchtig nach dir. Ich muß objektiv werden. Ich will nicht darüber nachdenken, was ich denke.« All diese Dinge hatte er geäußert, und als ich versuchte, kühler zu sein, um ihm zu helfen, hatte er mir erwidert: »So leicht wirst du mich nicht los.« Auch ich war konfus... trübe, leer und grau, hatte er gesagt. Würde das Leben auch für mich trübe, leer und grau sein? Konnte ich ohne ihn sein? War ich denn wirklich *mit* ihm? Was machte ich eigentlich mit mir selbst?

6. *Kapitel*

> »Die kosmische Religiosität läßt sich demjenigen, der nichts davon besitzt, nur schwer deutlich machen, zumal ihr kein menschenartiger Gottesbegriff entspricht. Das Individuum fühlt die Nichtigkeit menschlicher Wünsche und Ziele und die Erhabenheit und wunderbare Ordnung, welche sich in der Natur sowie in der Welt des Gedankens offenbart. Er empfindet das individuelle Dasein als eine Art Gefängnis und will die Gesamtheit des Seienden als ein Einheitliches und Sinnvolles erleben.«
>
> Albert Einstein
> *Die Welt, wie ich sie sehe*

Zuhause angekommen, war ich irritiert, frustriert und wütend über mich selbst, beunruhigt über etwas, das ich nicht verstand. Ja, die vordergründigen Probleme mit Gerry belasteten mich. Aber es war mehr als das.

Ich rief David an. Er war noch in Kalifornien. Er spürte sofort, etwas war nicht in Ordnung, fragte, wie mein Wochenende war. Auch wenn er wußte, daß ich nicht viel sagen würde; er wollte mich nur wissen lassen, daß ich in ihm einen Freund habe, der mir hilft, wenn ich ihn brauche. Ich bat ihn, nach Malibu zu kommen. Er brachte eine Tüte Pfirsiche mit, die wir mit zum Strand hinunternahmen. Sie waren saftig, klebrig und süß.

»Was ist los?« fragte David. Ich biß in einen saftigen Pfirsich, wußte nicht, wo ich beginnen sollte. »Ich weiß nicht«, sagte ich. »Irgendwie hänge ich in der Luft... na ja, nicht direkt. Aber ich spüre, es gibt etwas, weshalb ich lebe, das ich nicht begreife. Ich bin glücklich, habe ein erfülltes Leben – es hat auch nichts mit Midlife-Krisis zu tun. Ich kann es nicht erklären. Nein, mit dem Alter hat es nichts zu tun, außer daß man ab einem gewissen Alter anfängt, die richtigen Fragen zu stellen.« Ich zögerte, hoffte, David sage etwas, was mir auf die Sprünge helfen würde. Er schwieg, wartete, bis ich weitersprach. Also fuhr ich fort: »Vielleicht spreche ich gar nicht von mir. Na ja... vielleicht ist es die Welt. Was klappt denn mit der Welt nicht? Und warum mache ich mir Sorgen darüber? Wie kommt es, daß *du* nie ratlos zu sein scheinst? Weißt du mehr als ich?«

»Meinst du, warum wir am Leben sind und zu welchem Zweck?«

»Ja«, sagte ich. »Vermutlich. Ich meine, wenn man so viel hat und so viel gelebt hat wie ich, fragt man sich schließlich allen Ernstes ›Was soll das Ganze?‹ Und ich stelle die Frage nicht, weil ich unglücklich bin. Ich habe Erfolg, privat und beruflich, und bin zufrieden damit. Ich trinke nicht, nehme keine Drogen. Ich liebe meine Arbeit, ich liebe meine Freunde. Ich habe ein erfülltes Privatleben, auch wenn es ein paar komplizierte Punkte gibt. Nein – das ist es nicht. Ich denke, es muß mehr geben über unseren wirklichen Sinn im Leben, als ich fähig bin zu begreifen.«

David wischte sich Pfirsichsaft vom Kinn. Es war erstaunlich, wie leicht es mir fiel, ihm solche Fragen zu stellen, als würde er eine Antwort darauf wissen. Diese Fragen hätte ich nicht einmal Einstein gestellt, wenn ich ihn so gut gekannt hätte, um mit ihm am Strand zu sitzen und Pfirsiche zu schlürfen.

David putzte sich die klebrigen Finger im Sand ab. »Ich glaube, das Glück liegt in deinem eigenen Garten, um Al Jolson zu zitieren.«

»Du bist mir eine große Hilfe«, lachte ich. »Sieh dir meinen Garten an – es ist der Pazifische Ozean.«

»Ich will damit sagen, Glück und Sinn und Bedeutung bist *du*.«

»Hör mal«, sagte ich, »du bist wirklich ein netter, höflicher Mensch, aber könntest du etwas weniger nett und höflich sein und dafür etwas verständlicher?«

»Na gut«, fuhr er unbeirrt fort. »*Du* bist alles. Alles, was du wissen willst, ist in dir. Du bist das Universum.«

Gott, dachte ich, dieser Hippie-Jargon. Er spricht in Begriffen, die einfach nicht in meinen realitätsbezogenen Wortschatz gehören. Aber dann sagte ich mir, meine Worte, Begriffe, Ideen sind durch mein eigenes Denkraster begrenzt. Laß dich nicht durch Worte beirren, öffne deinen Verstand.

»David, bitte drücke dich deutlich aus. Was du sagst, klingt so großartig und pompös wie Hokuspokus. Ich habe genug Probleme damit, das zu verstehen, was ich jeden Tag tue. Und nun kommst du mir damit, ich soll das Universum sein.«

»Okay«, sagte er und gluckste, amüsiert über meine frustrierte Direktheit, in sich hinein. »Ich will es anders ausdrücken. Als du in Indien und Bhutan warst, hast du dort nicht über die spirituellen Aspekte deines Lebens nachgedacht? Ist dir nie der Gedanke gekommen, daß dein Verstand und dein Körper nicht die einzigen Dimensionen in deinem Leben sind?«

Ich dachte nach. Ja, selbtverständlich. Ich erinnerte mich, mit welcher Faszination ich erlebt hatte, wie ein einheimischer Lamapriester in der Lotosposition (mit übereinandergeschlagenen Beinen) einen Meter über der Erde schwebte. Oder, um es möglicherweise präziser auszudrücken, ich *glaubte*, ich hätte ihn schweben gesehen. Man erklärte mir, er sei dazu fähig, weil er seine Polaritäten umstellte (was immer das hieß) und dadurch die Erdanziehung aufhob. Für mich hatte es einen wissenschaftlich plausiblen Sinn ergeben und sprach überdies die metaphysische Seite in meiner Natur an. Dabei beließ ich es. Irgendwie hatte ich keinen Zweifel daran, daß es wirklich geschehen war, obgleich ich nicht genau verstanden hatte, warum es geschehen war. Später sagte mir ein anderer Lamapriester: »Sie hätten die Levitation nicht gesehen, wenn Sie nicht bereit gewesen wären, sie zu sehen.« Da fing ich an zu denken, ich habe mir vielleicht nur *eingebildet*, sie zu sehen. Ich erinnerte mich an eine andere Begebenheit. In Afrika hatte ich mit den Massai in Kenia gelebt und war dann nach Tansania gereist. Dort empfingen mich andere Massai, die meinen Namen kannten und wußten, daß ich eine Massai Blutsschwester geworden war, Tatsachen, die sie von niemandem erfahren haben konnten. Ich akzeptierte die Erklärungen der weißen Safarijäger, die sagten, die Massai hätten Gedankenübertragung zur Perfektion entwickelt, da sie keine andere Möglichkeit der Kommunikation durch das große Land Afrika hatten. Aus Notwendigkeit, und weil die Massai einen sehr stark ausgeprägten Gemeinschaftssinn hätten, brachten sie etwas zuwege, wozu die weiße, zivilisierte Welt nicht imstande war –, sich durch rein geistige Telepathie und Gedankenübertragung zu verständigen.

Auch in diesem Fall hatte ich die Erklärung der weißen Jäger hingenommen. Erstens hatten sie die Sitten und Verhaltensweisen der Massai jahrelang beobachtet, und zweitens schien mir plausibel, daß die Kraft menschlicher Gedanken außerhalb des Gehirns weiterleben und sich bewegen konnte. Es schien mir keineswegs absurd, ebensowenig wie den weißen Jägern, deren Urteil über die primitiven Stämme zweifellos praktisch und bodenständig war.

In meinem Leben gab es oft Augenblicke, in denen ich *wußte*, es würde etwas geschehen, was dann auch eintraf. Ich *wußte*, jemand war in Schwierigkeiten, und das stimmte. Ich *wußte*, jemand versuchte, mich zu erreichen, und es geschah. Solche blitzartigen Gedanken hatte ich oft über Menschen, die ich gut kannte. Ich *wußte* beispielsweise, ein guter Freund war gerade im ›International Hotel‹ in Seoul in Korea angekommen. Aus Jux rief ich dort an und wunderte mich selbst, als mir bestätigt wurde, er sei gerade angekommen. Diese Geistesblitze ereigneten sich oft, sie widerfuhren einer Menge Menschen, und jeder hatte schon davon gehört.

Ich stellte diese Dinge nicht in Frage. Sie *geschahen* einfach. Aber spirituell habe ich sie nie gesehen. Sicher, ich war an der Macht des Geistes über die Materie interessiert, an metaphysischen Phänomenen, an Meditationsversenkung und ganz sicher an Bewußtseinserweiterung. Aber wie konnte ich dies für mich finden? Oder war es mir bereits bewußt, ohne es zu erkennen?

Im Himalaja traf ich zum Beispiel einen Lama, der seit zwanzig Jahren in beinahe völliger Isolation meditierte. Ich stieg hinauf zu seiner Mönchszelle in viertausend Metern, und er empfing mich mit Tee und einem mit Safran gefärbten Tuch. Er hatte es gesegnet, damit es mich beschütze, denn bald würde ich in große Gefahr kommen, sagte er. Beim Abstieg ins Tal begegneten mein Sherpa und ich einem menschenfressenden Leoparden. Einen Tag später wurde ich in einen grotesken bhutanesischen Staatsstreich verwikkelt; zwei Tage wurde ich festgehalten, von Wärtern mit aufgepflanzten Bajonetten bewacht. Meinen Begleiter wollten sie in einen Dzong werfen (ein Verlies, aus dem man kaum lebend entkommt). Es war ein Zwischenfall wie in einem schlechten Film – unglaublich für jeden, der es nicht erlebt hat. Ich aber hatte es erlebt – und der meditierende Lama hatte recht. Was die Gefahr betraf – auf alle Fälle. Auch wenn das Tuch mir nur moralische Hilfe leistete.

Aber war dieses Vorherwissen, diese Vorahnung etwas Spirituelles? Ich hatte nie in solchen Begriffen gedacht. Ich war Pragmatikerin, respektierte Dinge, die ich nicht verstand, doch lieber war mir, sie intellektuellen, wissenschaftlichen Bereichen zuordnen zu können, die mir *real* erschienen.

»Ja«, sagte ich zu David. »Ich denke immer öfter nach über geistige Aspekte meiner selbst oder der Welt, oder wie immer man es bezeichnen will.«

David veränderte seine Sitzposition, die Pfirsichkerne zwischen uns häuften sich.

»Willst du sagen, der geistig-spirituelle Aspekt deines Lebens erscheint dir realistisch?«

»Ja«, antwortete ich, »so kann man es ausdrücken. Aber er scheint kein *realer* Teil des realistischen Lebens zu sein, das wir führen. Vielleicht, weil ich ihn nicht sehen kann. Ich schätze, ich glaube das, was beweisbar ist.«

»Richtig«, sagte er. »So denken die meisten westlich orientierten Menschen. Das mag der grundsätzliche Unterschied sein zwischen Ost und West –, und die meisten werden nie zusammenfinden.«

»Und was ist mit dir?« fragte ich. »Wieso hast du dieses geistig-spirituelle Verständnis in dieser pragmatischen Welt? Du bist doch auch westlich orientiert. Wie bist du zu deinem Glauben gekommen?«

Er räusperte sich, als wolle er einer Antwort ausweichen, die unvermeidbar war. »Ich bin viel in der Welt herumgereist«, sagte er. »Ich war nicht immer so, wie ich jetzt bin. Aber einmal hatte ich ein Erlebnis. Irgendwann erzähle ich dir davon. Aber glaube mir, ich war mal ein regelrechter Playboy mit schnellen Autos und schnellen Mädchen. Das brachte mich zwar nicht weiter, aber zugegeben, das Leben im Jet-set machte Spaß, so lange es dauerte.« Davids Augen verschleierten sich in der Erinnerung. Ich hätte gern gewußt, was da geschehen sein mochte, wollte ihn aber nicht drängen.

»Du bist also viel herumgekommen?«

»Ja.«

»Ich auch. Und ich liebe es, unbekannte Länder und fremde Menschen kennenzulernen. Ich glaube, ich könnte nicht ständig an einem einzigen Ort leben.«

David warf mir einen Seitenblick zu.

»Ich bin viel getrampt«, erzählte er. »Habe auf Schiffen für die Überfahrt gejobt. Es ist nicht wichtig, *wie* wir diese Dinge tun, es zählt nur, *warum* wir sie tun. Vermutlich haben wir beide das gleiche gesucht.«

»Ja«, antwortete ich. »Aber ich hatte immer das Gefühl bei meinen Reisen, mich zu suchen. Meine Reisen durch die Welt waren in Wirklichkeit Reisen in mein Inneres.«

»Sicher«, sagte er. »Mir ging es ebenso. Und das meinte ich damit, als ich vorhin sagte, die Antworten liegen in *dir. Du* bist das Universum.«

»Mein Gott«, rief ich aus, »wir hätten uns beide eine Menge Geld für Flugtickets sparen können, hätten wir das vorher gewußt. Wir hätten uns einfach in den Garten setzen können, um zu meditieren.«

»Du machst Witze, aber ich denke, das stimmt. Deshalb sind alle Menschen im Grunde genommen gleich. *Jeder* Mensch hat sich *selbst*, ungeachtet des Ausgangspunktes seines Lebens, in das er geboren wird. Tatsächlich kann ein Mensch, den man für dumm hält, spiritueller sein als einer, der in weltlichen Begriffen als Genie bezeichnet wird. Der Dorfidiot kann Gott näher sein als Einstein, obwohl auch Einstein glaubte, es sei eine höhere Macht am Werk, die er nicht beweisen könne.«

»Aber ein Genie zu sein und spirituell – was immer das bedeutet – schließen einander nicht aus?«

»Nein.«

Mir fiel eine Geschichte ein, die mir jemand in Princeton erzählte. Einstein versuchte, den Beweis zu erbringen, warum die kleinen mechanischen Vögel, die man an den Rand eines Wasserglases setzt, sich mit Wasser füllen und bevor sie die Balance verlieren, das Wasser wieder ausspucken und von neuem beginnen. Er konnte die mathematische Formel nicht finden. Eines Tages ging er frustriert in die Stadt, kaufte sich zwei Kugeln Erdbeereis in einer Waffeltüte. Einstein liebte Erdbeergeschmack. Er leckte sein Eis, dachte an den mechanischen Vogel, stolperte auf dem Gehsteig und seine Eiskugel klatschte in den Gully. Einstein war so aus der Fassung gebracht, daß er zu weinen anfing... Er war eines unserer größten Genies, und doch konnte er seine Ungeduld über etwas, das er nicht verstand, nicht besser in den Griff bekommen als jeder Durchschnittsmensch.

Einstein war ein begeisterter Bibelleser. Ich kenne seine wirkliche Meinung darüber nicht, weiß nur, daß er die Bibel respektierte. Was meinte er wohl über den Abdruck im Turiner Grabtuch, den Jesus Christus hinterlassen haben soll? Einige Wissenschaftler erklärten, dieser Abdruck sei durch hochgradige radioaktive Energie entstanden, von der die Spiritualisten behaupteten, sie sei der Ausdruck der hochstehenden geistigen Energie, die Christus in sich hatte.

»Was denkst du über Christus«, fragte ich David. »Wer, glaubst du, war er wirklich?«

David richtete sich auf, als sei ein Faden gefunden, den es lohnte weiter zu verfolgen. »Christus war der höchst fortgeschrittene Mensch, der je diesen Planeten betreten hatte. Er war eine hochentwickelte geistige Seele, deren Zweck auf Erden es war, die Lehren einer Höheren Ordnung weiterzugeben.«

»Was bedeutet ›Höhere Ordnung‹?« fragte ich.

»Eine höhere geistige Ordnung«, sagte David. »Ohne Zweifel wußte er mehr als jeder andere Mensch über Leben und Tod und Gott. Das hat seine Auferstehung bewiesen.«

»Aber woher wissen wir, daß sie tatsächlich stattgefunden hat?«

David zuckte die Achseln. »Einmal haben es eine Menge Menschen gesehen und davon berichtet, wie ergriffen und voller Angst sie waren, zweitens hat man seinen Leichnam nie gefunden, und drittens kann man eine Legende dieser Kraft nicht einfach erfinden. Übrigens, wie wollen wir *wissen*, ob irgend etwas in der Geschichte wahr ist, wir waren doch nicht selbst Zeugen. Also erfordert Bildung und historisches Wissen einen Glaubensakt, daß die Begebenheiten wahr sind; wenn wir nicht glaubten, müßten wir nichts über die Vergangenheit lernen.«

»In anderen Worten«, antwortete ich, »warum also *nicht* glauben?«

»Richtig«, sagte David. »Aber zuerst hör zu, hör genau zu, was dieser Mann gesagt hat. Alles, was Christus lehrte, hatte zu tun mit dem Wissen über Verstand, Körper und *Geist*. Das Erste Gebot, das Moses empfing, lange bevor Christus lebte, war die

Anerkennung der Göttlichen Dreieinigkeit: Verstand, Körper und Geist. Christus sagte, das Erste Gebot sei das Wichtigste und es mißzuverstehen bedeute, alle anderen Universalgesetze, die daraus folgen, ebenfalls mißzuverstehen. Und er sagte, es ganz zu begreifen heißt zu erkennen, daß Seele und Geist des Menschen ewig leben und die Seele die Aufgabe hat, immer höher zu steigen in ihrer Vollkommenheit, bis sie frei ist.«

Ich sah David an, nahm das, was er sagte, tief in mich auf. Vor ein paar Jahren noch hätte ich ihn einen Jesus-Freak genannt und in eine Diskussion gezwungen, in der ich ihm vorgehalten hätte, für Glaubenssätze einzutreten, die lediglich davon ablenken, was in der Welt wirklich von Übel ist.

»Wie paßt das allen in die Welt, in der wir leben?« fragte ich stattdessen. »Wie kann der Glaube an die Seele und das Befolgen des Ersten Gebotes das ganze Unglück, das wir in diese Welt gebracht haben, ausräumen?« Ich bezwang mich, nicht wütend zu werden, was mir ziemlich schwerfiel.

»Mir scheint«, sagte David, »alle unsere ›Ismen‹ und selbstgerechten Kriege, alle industriellen Technologien und intellektuelle Masturbation sowie engagierten Sozialprogramme haben alles nur schlimmer gemacht. Und je länger wir den spirituellen Aspekt des Lebens außer acht lassen, desto schlimmer wird es...« Er schlug die Beine übereinander und gestikulierte mit den Händen. »Christus und die Bibel und die spirituellen Lehren befassen sich nicht mit sozialen oder politischen Fragen. Spiritualität geht direkt an die *Wurzel* der Frage – das Individuum. Wenn jeder von uns sich selbst richtig verhielte, wären wir auf dem richtigen Weg, gesellschaftlich und politisch. Verstehst du, was ich meine?«

»Ja«, sagte ich. »Ich denke schon.«

»In anderen Worten, wenn wir unseren *individuellen Sinn*, unsere Bedeutung in Beziehung zu Gott oder zur Menschheit begreifen würden und Gott einen Augenblick aus dem Spiel lassen, würde dies automatisch zu sozialer Harmonie und zum Frieden führen. Es gäbe keinen Grund für Kriege, Konflikte und Armut, weil wir alle wüßten, es gäbe keinen Grund für Habgier und Konkurrenzkampf, Angst und Gewalt.«

Na ja, der Gedanke war nicht gerade neu. Die Verantwortung des Individuums war ein Grundsatz der Quäker, und – um Gott beiseite zu lassen, wie David vorgeschlagen hatte – auch eine Grundkonzeption in Kropotkins politischer Philosophie des Anarchismus.

»Warum sagst du, wir müssen unseren individuellen Sinn und Zweck in Beziehung zu Gott verstehen?« fragte ich. »Warum nicht einfach in Beziehung zu unseren Mitmenschen?«

David lächelte und nickte. »Das ist ein guter Anfang, denn sich Gedanken um die Menschheit zu machen *ist* eine Beziehung zu Gott, denn der göttliche Funke ist in uns allen.« Er schwieg einen Moment. »Aber es ist einfacher«, fuhr er fort, »wenn du erst mal lernst, wer *du* bist. Denn hier kommt die kosmische Gerechtigkeit ins Spiel. Wir können uns nicht nur auf unser Leben hier und heute beziehen, als sei es das einzige, das wir haben. All unsere früheren Leben haben uns geprägt, wir sind Produkte aller Leben, die wir bereits geführt haben.«

Ich dachte an Gerry und seine Politik. Waren ihm solche spirituellen Gedanken je in einem politischen Zusammenhang durch den Kopf gegangen? Oder irgendeinem anderen Politiker? Die Wähler würden jeden politischen Führer für verrückt erklären, wenn er solche Gedanken äußerte. Jimmy Carters Ideen kamen dem am nächsten. Und die meisten intelligenten Leute, die ich kannte, wußten nicht, was sie damit anfangen sollen, ob er das Zeug von Gott und der Wiedergeburt *wirklich* glaubte, sie lachten über seine persönlichen Marotten, wünschten jedoch, er würde die Regierungsgeschäfte besser handhaben und eine stärkere Führungspersönlichkeit sein. Sie gaben keinen Pfifferling auf sein Gerede von Gott, wenn die Wirtschaft in die Brüche ging. Und würde Gerry an Gott oder Wiedergeburt glauben, so sah ich schon die Englischen Cartoons vor mir ... Die britischen Inseln unaufhaltsam im Meer versinkend, Gott von oben herab lächelnd, mit der Bildunterschrift: »Macht euch nichts draus, Leute, nächstes Mal wird's bestimmt besser!« Auf diese Weise würde Gerry todsicher die Wahl verlieren –, selbst wenn unsere Liebesaffäre dies nicht schaffte.

Mir schwirrte der Kopf. Einerseits klang alles plausibel, von einer idealistischen Warte aus gesehen, andererseits war es ungeheuerlich und unseriös.

»Kosmische Gerechtigkeit?« fragte ich sarkastisch; Pfirsichsaft tröpfelte mir vom Kinn in die Meeresbrise. »Hat das was mit deiner Reinkarnation zu tun?«

»Sicher«, antwortete er.

»Du glaubst, die Seele nimmt so oft körperliche Daseinsform an, bis sie die Vollkommenheit erreicht hat?«

»Ja. Es ergibt doch einen Sinn, findest du nicht«, fragte er.

»Ich weiß nicht. Vielleicht.«

»Große Wahrheiten liegen im Verborgenen, aber das bedeutet nicht, daß sie nicht wahr sind.«

»Aber wenn ich wirklich glaube, alle meine Handlungen haben Konsequenzen, dann fühle ich mich doch wie gelähmt.«

»Aber das geschieht bereits«, sagte er. »Du bist dir dessen nur nicht bewußt. Das war es, was Jesus Christus versucht hat, uns zu sagen. Alles, was wir jeden Tag unseres Lebens tun oder sagen, hat Konsequenzen, und da, wo wir heute stehen, das ist das Ergebnis dessen, was wir früher getan haben. Wenn jeder das in sein Hirn kriegen würde, wäre die Welt in einem besseren Zustand. Wir werden ernten, was wir säen, das Böse *und das Gute*, das sollte uns allen bewußt sein.«

»Und du glaubst, wenn wir unser Tun in diesem kosmischen Sinn ernster nehmen würden, wären wir bessere und verantwortungsvollere Menschen?«

»Sicher. Das ist der springende Punkt. Wir sind alle Teil einer Universalwahrheit, eines Universalplans. Wie ich vorher sagte, ist es eigentlich ganz einfach. Und du solltest dir dessen bewußt werden, denn dadurch verringerst du letztlich die Schmerzen, die du dir selbst zufügst.«

»Du glaubst also wirklich, wir erschaffen unser eigenes Karma, wie die Hippies das behaupten?«

»Ja, das ist doch nicht so schwer zu verstehen. Die Inder sagen das seit Tausenden von Jahren. Sie wußten das lange vor deinen Hippies. *Wie* wir unser Leben gestalten ist wichtig. Wenn wir nach diesem Grundsatz leben, sind wir automatisch gütiger zueinander. Tun wir das nicht, trägt jeder von uns die Konsequenzen nach dem universellen Plan. Unser Leben ist kein Zufall – du weißt, dahinter steckt ein höherer Plan. Wir erfüllen einen höheren Zweck.«

»Du glaubst vielleicht daran, ich stelle nur Fragen.«

»Shirley, ich kann dir nur sagen, was ich glaube.« Er machte eine Pause. »Ursache und Wirkung...«

»Nun hör aber auf!«

»Nein, warte. Die Wissenschaft glaubt an Ursache und Wirkung. Die meisten vernünftigen Menschen glauben an Ursache und Wirkung, stimmt's? Sage zu jedem x-beliebigen Menschen ›Du erntest, was du sähst‹, und er wird dir nicht widersprechen. Aber *denk es doch einmal durch* – wenn du *nicht* in diesem Leben erntest, *wann* dann? Im Himmel? In der Hölle? Sogar die Religion glaubt an Ursache und Wirkung. Seit die Reinkarnation verbannt wurde, träumen die Menschen vom Himmel und von der Hölle, wo sich die unerfüllten Wirkungen vollziehen. Aber warum, zum Teufel, ist es leichter, an einen hypothetischen Himmel oder eine Hölle zu glauben als an die Gerechtigkeit der Wiedergeburt auf Erden? Was erscheint dir denn vernünftiger?«

»Hm«, sagte ich nachdenklich. »Vielleicht glaube ich zufällig an überhaupt nichts. Für mich ist Leben nur ein bedeutungsloser Zufall.«

»Dann ist niemand für irgend etwas verantwortlich. Und was mich angeht, bin ich dann an einem toten Punkt angelangt. Ich kann aber nicht an einem toten Punkt leben. Und du meines Erachtens auch nicht. Aber es liegt an dir. Es kommt alles zum Individuum, zur Person zurück. Shirley, *das* ist es, was Karma bedeutet. Was immer man tut, irgendwann kommt es auf die eigene Person zurück – im Guten oder Bösen –, vielleicht nicht in dieser Daseinsform, aber irgendwann in der Zukunft und keiner ist davon ausgenommen.«

Ich stand auf und streckte mich. Ich brauchte Bewegung. Vielleicht konnte ich dann klarer denken. Ich war darauf ausgerichtet, das zu glauben, was ich *sehen* und *berühren*, nicht, was ich geistig empfinden konnte. Was David sagte, ergab zwar irgendwie Sinn, zumindest was die individuelle Verantwortlichkeit anging. Aber ich brauchte immer Beweise – etwas, das ich sehen, berühren, hören konnte. Das lag sicher an der westlichen Art des Denkens. Ich war geschult, physische und psychologische Wissenschaften anzuerkennen. Aber selbst wir in der westlichen Welt lernten, etwas, das nicht in unsere Begriffswelt paßte, zu respektieren. Angenommen, die spirituelle Dimension der Menschheit *wäre* als

Tatsache anerkannt? Würde sie sozusagen als Bindeglied aller Wissenschaften von der Chemie zur Medizin, von der Mathematik zur Politik dienen? Waren nicht alle Wissenschaften Teil der Suche nach Harmonie und Verständnis der Bedeutung und des Sinnes des Lebens? Vielleicht war die Wissenschaft des Geistes diejenige, die in der Kette fehlte.

»Auch westliche Wissenschaftler sind sich darüber einig, daß die Materie nicht stirbt. Sie wechselt lediglich die Form. Das allein bedeutet physischer Tod.«

»Das verstehe ich nicht«, sagte ich. »Worin besteht der Zusammenhang?«

»Wenn wir sterben, stirbt nur unser Körper, die Seele verläßt den Körper und nimmt astrale Form an. Welche Form unsere Seelen auch eingehen, sie dauern an. Unser Körper ist lediglich eine vorübergehende Hülle für die Seele. Und deshalb ist das, was wir mit uns selbst während des Lebens getan haben, wichtig. Egal, *wer* wir sind. Wenn wir einen anderen Menschen in diesem Leben verletzen, werden wir im nächsten genauso verletzt. Oder in dem Leben danach. Und wie Pythagoras es ausdrückte, ›alles ist notwendig für die Entwicklung der Seele‹. Und er sagte auch: ›Wer *diese* Wahrheit ergründet, der stößt in das Innere des Großen Geheimnisses vor.‹«

»Pythagoras, der große Mathematiker?«

»Ja«, antwortete David.

»Willst du damit sagen, *er* glaubte an all diese Dinge?«

»Sicher, und er hat viel darüber geschrieben. Auch Plato und eine Menge anderer westlicher Philosophen.«

Er lächelte mich an, tat die sandigen Überreste unserer Pfirsiche in die Tüte, trug sie in den Müllbehälter, und wir gingen langsam den Strand entlang. Du lieber Himmel, dachte ich. Ich wünschte, ich könnte mit Gerry über diese Dinge reden. Aber in einer Liebesbeziehung arrangiert man sich, richtet sich nach dem andern... aus Angst, die blinde Illusion der Liebe aufs Spiel zu setzen. Und diese blinde Illusion ist manchmal so beherrschend, daß wir sogar unsere wirkliche Identität in den Hintergrund stellen. Strikt verbannte ich Gerry aus meinen Gedanken. Meine persönliche Suche war mir momentan wichtiger.

Angenommen, die Menschheit (und dieser Mensch David im

besonderen) *konnte* dieses Rätsel ihrer Identität lösen? – ihres Ursprungs?... ihres Endes? Würde solches Wissen zu größerer moralischer Verantwortung führen? Was, wenn ich davon überzeugt wäre, nicht nur aus Körper und Verstand zu bestehen? Daß Körper und Verstand von einer Seele bewohnt sind, und daß meine Seele vor meiner Geburt existiert hat und weiter existieren wird nach dem Tod meines Körpers? Und angenommen, das Verhalten einer Seele regle sich nach dem, was wir ererbt haben und erkläre somit unser Glück und Unglück? Würde ich in diesem Fall tiefere Verantwortung, mehr Gerechtigkeit in meine Handlungen legen? Wenn ich begriff, daß meine »Handlungen« einen Preis forderten, ob gut oder schlecht, würde ich dann verstehen, daß mein Leben einen tieferen Grund über den sichtbaren hinaus hat?

Würde ich verantwortungsvoller handeln oder gütiger sein zu mir und zu anderen in der Erkenntnis, andernfalls den Kampf in der fundamentalen Suche nach Vollkommenheit zu verlängern, die ich erreichen mußte, weil das die wirkliche Bedeutung, der eigentliche Sinn des Lebens ist? Betraf dies jeden Menschen, also einen Araberscheich, der die Ölpreise in die Höhe trieb, ebenso wie einen Juden, der in die Gaskammer gewandert war, oder einen Mafiaboß, einen PLO-Terroristen oder einfach einen Bettler in den Straßen Kalkuttas?

Meine Gedanken tanzten wirr um diese Möglichkeiten. Es war alles zu neu, zu absurd und letztlich vielleicht zu simpel.

»Würde denn der Glaube an die Reinkarnation die Moral der Menschen heben?« fragte ich. »Ich kann mir nämlich eine Menge Menschen vorstellen, die diesen Glauben manipulieren würden, um ihr eigenes Leben zu verherrlichen, Macht anzuhäufen oder ihren Lebensstil zu verbessern – was immer.«

»Sicher«, sagte David. »Das wären falsch verstandene Werte. Dieses Leben ist nicht das einzige, mit dem wir rechnen müssen. Das ist der springende Punkt.«

»Okay, nehmen wir einmal an, das alles *ist* so plausibel und einfach. Nehmen wir an, im Leben wie in der Natur geht es einfach um die Frage, das zurückzubekommen, was wir hineingetan haben, und nehmen wir an, wir schaffen uns in jedem Augenblick, jeder Sekunde all unserer Tage die Bedingungen unserer Zukunft selbst, diktieren sie durch unsere positiven und negativen Handlungen?« Ich holte tief Luft, als mir die Folgen zu dämmern begannen. »Du meine Güte, wie lange würde es denn dauern, bis man ein ›guter‹ Mensch im Sinne deiner kosmischen Gerechtigkeit ist?«

»Zeit spielt wirklich keine Rolle«, meinte sagte David ruhig. »Nicht, wenn man es in einem allumfassenden Sinn sieht, mit dem Wissen, bereits gelebt zu haben und noch viele Leben vor sich zu haben. Denk daran, alle großen Religionen sprechen von der Geduld als einer großen Gnade. Das heißt sowohl Geduld mit uns selbst, als auch mit unseren Mitmenschen.«

Nach langem Schweigen sagte David schließlich sehr ruhig: »Ich weiß, es ist schwer zu ergründen. Aber es ist auch schwer, die andere Wange hinzuhalten.«

»Wenn ich gekonnt hätte, hätte ich zum Beispiel Hitler ans Kreuz genagelt!«

David drehte sich um und schaute mir tief in die Augen. »Ja, ich verstehe.«

Dann begriff ich, was ich gesagt hatte. »Ja, zum Teufel, was hättest du denn mit Hitler getan?« Ich fühlte mich in die Enge getrieben. »Scheiße. Viele Menschen glauben, wenn die Briten nicht abgerüstet, sondern stattdessen Waffen entwickelt hätten, hätte man Hitler aufhalten können, bevor er richtig angefangen hatte. Was ist denn *falsch* daran abzurüsten? Das ist doch zum Verrücktwerden.«

»Ich weiß«, antwortete David. »Deshalb mußt du bei dir anfangen – denk mal darüber nach – hätte Hitler eine moralische Verantwortung als Mensch empfunden, hätte er das alles nicht getan, meinst du nicht? Du mußt das persönlich sehen. Ich glaube nicht an den Sinn des Tötens. Da fängt die Frage nach Gott und dem großen Plan an, weil nur Gott in diesem Zusammenhang urteilen kann. Ein Individuum kann nur sein *eigenes* Verhalten beurteilen. Folglich kann niemand einen anderen beurteilen. Außerdem weißt du ja, daß Hitler nicht das einzige Monstrum ist, das je gelebt hat. Was ist mit Idi Amin oder den Führern der Roten Khmer oder mit Stalin? Völkermord ist ein altes Problem der ganzen Menschheit. Und was ist mit den Piloten, die Hospitäler in Nordvietnam bombardierten, ohne daran zu denken, daß dort unten Menschen liegen?«

»Worauf willst du hinaus? Daß die Menschen grausam zueinander sind?«

»Richtig. Und wenn sie die Konsequenzen ihrer Handlungen für *sich selbst* begreifen könnten, würden sie zweimal darüber nachdenken.«

»Dann wäre Reinkarnation eine Form der Abschreckung?«

»Natürlich. Aber eine individuelle, eine Selbstabschreckung, wenn du so willst. Und das ist nur der negative Aspekt, denk daran. Es gibt auch positive Konsequenzen.«

»Wie kannst du sicher sein, daß es Konsequenzen gibt? Welchen Beweis hast du dafür?«

»Keinen. Welchen Beweis hast du, daß es keinen gibt?«

»Keinen.«

»Also gut. Warum gibst du dem, was ich sage, keine Chance? Du könntest es doch versuchen. Was in der Welt vor sich geht, funktioniert doch offenbar nicht besonders gut.«

»Was soll ich denn für eine Chance geben? Und wie?«

»Ich weiß nicht«, sagte er. »Denk einfach nach. Du sagst, nichts hat einen sinnvollen Zweck; und ich sage, alles hat einen sinnvollen Zweck. Du sagst, du hättest keinen Frieden, und willst wissen, warum ich ihn habe. Das ist der Grund. Ich glaube an den Begriff, den du haßt – Kosmische Gerechtigkeit. Ich glaube, alles, was wir reinstecken, Gutes oder Schlechtes, gleicht sich irgendwo, irgendwann aus. Deshalb habe ich meinen Frieden. Vielleicht hast du eine bessere Idee.«

David küßte mich auf die Wange und sagte, er rufe wieder an. Ich starrte hinaus aufs Wasser. Ich hatte Kopfschmerzen. Im großen und ganzen, dachte ich, wäre ich lieber ein Fisch.

7. Kapitel

»Ich lebte in Judäa vor achtzehnhundert Jahren, doch mir war nicht bekannt, daß es so jemanden wie Christus unter meinen Zeitgenossen gegeben hat.«

Henry David Thoreau
Briefe

Als ich am nächsten Morgen erwachte, kam mir der Gedanke, ob meine Tochter eine wiedergeborene Erwachsene sei. Wer mochte wohl im Körper eines Menschen leben, den ich als meine Tochter betrachtete? Es gab viele Augenblicke unserer Mutter-Tochter-Beziehung, in denen ich das Gefühl hatte, sie kenne mich besser als ich sie. Natürlich hat jede Mutter das Gefühl, sie lerne von ihren Kindern. Das ist das Geheimnis der Kindererziehung. Ich ließ meine Gedanken wandern im Sinne der Möglichkeit einer Reinkarnation und sah Sachi aus einer völlig neuen Perspektive. Als der Arzt sie mir ans Krankenhausbett brachte, an jenem Nachmittag im Jahre 1956, hatte sie da schon viele Male gelebt, mit anderen Müttern? War sie selbst schon einmal Mutter? War sie vielleicht sogar einmal *meine* Mutter? Lebte hinter diesem Gesicht, das erst eine Stunde alt war, eine Seele, die vielleicht schon Millionen Jahre alt war? Vergaß sie, während sie erwachsen wurde, allmählich ihre geistigen Dimensionen bei dem Versuch, sich der physischen Welt anzupassen, in der sie lebte? Nannte man *das* ›den Schleier des Vergessens‹? Geschah das mit uns allen, die wir uns in der Hülle von physischen Körpern befanden?

Als sie mit ihrem Vater nach Japan ging, hatte sie das vielleicht schon vor ihrer Geburt geplant? War der Grund für ihr Sprachentalent die Tatsache, daß sie diese Sprachen in früheren Leben schon gesprochen hatte. Vielleicht *wurde* sie zur Japanerin, wenn sie japanisch sprach, weil sie in einem früheren Leben Japanerin *gewesen war*. Und später in ihrem erwachsenen Leben, als sie von uns verlangte, ihr mehr Unabhängigkeit und Eigenidentität zu geben, antwortete sie dabei einer inneren Stimme, die ihr zuflüsterte, sie wisse bereits, wer sie sei? Vielleicht waren Eltern nur alte Freunde, keine Autoritäten, die meinten, sie wissen es besser als ihre Kinder. Vielleicht trugen ungelöste Konflikte früherer Lebenszeiten zu den häufigen Widersprüchen zwischen Eltern und Kindern bei.

Nach dem Frühstück fuhr ich in die Stadt und besuchte die Bodhi Tree Buchhandlung.

John, der Besitzer, saß in seinem Büro, trank Kräutertee und las.

»Guten Tag«, sagte er förmlich, aber freundlich. »Hatten Sie Spaß beim Lesen?«

Meine Güte, dachte ich, diese Leute, die sich mit Metaphysik beschäftigten, waren so förmlich... und von erschreckender Geduld. Ich meine, beinahe irritierend geduldig.

Ich sagte, ich habe gelesen und nachgedacht und mit David geredet und wolle ein paar Minuten mit ihm sprechen.

»Aber sicher«, sagte er, »worüber?«

»Tja... über Reinkarnation... im Zusammenhang mit unseren Kindern. Ich meine, wer sind unsere Kinder, wenn jede Seele schon so viele Leben hinter sich hat.«

Er nahm lächelnd die Brille ab.

»Nun«, begann er mit sanfter Stimme. »Aus den Lehren geht hervor, daß wir unsere Kinder ohnehin nicht als Besitztum behandeln sollten. Sie sind, wie Sie sagten, nur kleine Körper, die von Seelen bewohnt werden, die schon viel Erfahrung hinter sich haben. Die Prinzipien der Reinkarnation erklären manche verrückten Widersprüche in Eltern-Kind-Beziehungen.«

Ich dachte an eine Fernsehdokumentation über erwachsene Kinder, die ihre Eltern schlugen und mißhandelten. Machten diese Kinder das, weil *sie* in einem ihrer vergangenen Leben geschlagen worden sind? Oder weil der Vater oder die Mutter andere in einem vergangenen Leben geschlagen hatten? Wer arbeitete wessen Karma aus? Aber John fuhr fort: »Ich kann Ihnen aus eigener Erinnerung an vergangenes Leben sagen, daß ich sicher bin, mein achtjähriger Sohn war einmal mein Vater.«

Ich lachte laut auf, denn genau darüber hatte ich am Morgen in bezug auf Sachi nachgedacht. John lächelte.

»Verzeihen Sie«, sagte ich. »Haben Sie mit Ihrem Sohn schon mal darüber gesprochen?«

»Klar. Er lachte und sagte, ich solle nur aufpassen! Sehen Sie, wie Kosmische Gerechtigkeit arbeitet?«

Da wären wir also wieder, dachte ich. Wenn ich was über dieses Thema erfahren wollte, mußte ich mir den »Astral«-Jargon anhören. Na gut. Wieso sollte das Okkulte nicht ebenso eine eigene Terminologie haben wie jede andere Wissenschaft, Religion oder Philosophie.

Ich setzte mich. »Wie findet man denn heraus, wer man in einem früheren Leben war?«

»Man wendet sich an den richtigen Menschen.«

»An wen zum Beispiel?«

»Zum Beispiel an ein Medium, das sich damit beschäftigt.«

»Sie meinen Hellseher?«

»Zugegeben, es gibt eine Menge Schwindler. Aber auch sehr seriöse, wie Edgar Cayce zum Beispiel. Haben Sie schon mal von Edgar Cayce gelesen?«

»Von ihm gehört, aber noch nichts gelesen«, sagte ich; in Wahrheit hatte ich nicht einmal von ihm gehört.

»Gut, das sollten Sie als nächstes lesen.« John nahm ein Buch von Edgar Cayce vom Regal.

»Er war eigentlich ein ungebildeter Mann – das sind übrigens die meisten Medien. Cayce war ein Trancemedium. Aber sie sind alle geistig und psychisch auf die ›Akasha-Chronik‹ eingestimmt. Wissen Sie, was die Akasha-Chronik ist?«

Ich beugte mich vor: »Hören Sie«, sagte ich leise, »diese Thematik ist ziemlich neu für mich. Was für eine Chronik?« Ich hatte nicht einmal den Namen behalten können.

»Die Akasha-Chronik.«

»Ja. Was ist das?«

»Es gibt wenig Schrifttum über die Akasha-Chronik. Aber ich versuche, Ihnen den Begriff zu erklären. Man nennt sie auch ›das Universalgedächtnis der Natur‹ oder ›das Buch des Lebens‹. Akasha ist ein Wort aus dem Sanskrit und bedeutet ›fundamentale ätherische Substanz des Universums‹. Klar?«

»Ich hoffe. Was heißt ätherisch?«

»Okay. Man nimmt an, das ganze Universum besteht aus

Äthern – das heißt gasähnlichen Energien, die unterschiedliche elektromagnetische Schwingungen aufweisen. Sie wissen, alles, was wir tun, sehen, denken, sagen, alles, worauf wir reagieren – alles, was wir sind – verursacht oder sendet Energiewellen aus. Diese Energiewellen werden als ›Schwingungen‹ bezeichnet. Jedes Geräusch, jeder Gedanke, jedes Licht, jede Bewegung, alles, was wir tun, erzeugt Schwingungen in diesen elektromagnetischen Äthern. Man könnte sie mit magnetischen Platten vergleichen, die alle Schwingungen anziehen. Das heißt, *alles* besteht aus elektromagnetischen Schwingungen. Die Akasha-Chronik ist eine Art umfassende Aufzeichnung von allem, was je gedacht, gefühlt oder getan worden ist. Ein Mensch, der physisch sensibilisiert ist, kann sich in diese Schwingungen einschalten und tatsächlich die Vergangenheit im kosmischen Sinn ›sehen‹. Ein gutes Medium kann Ihnen also sagen, was in Ihren früheren Leben geschehen ist.«

»Mein Gott«, sagte ich, »glauben Sie das alles?«

»Aber sicher«, antwortete er schlicht, »und außerdem bin ich davon überzeugt, das bestätigen auch alle Schriften, daß die Fähigkeit, diese Aufzeichnungen wahrzunehmen, in uns allen ist. Es handelt sich lediglich darum, diese Fähigkeiten zu entwickeln. Das bedeutet, daß wir uns zuerst auf uns selbst sensibilisieren müssen. Wenn wir unsere geistig-seelischen Kräfte genügend entwickelten, können wir es auch. Wir müssen nur unsere ASW, unsere außersinnliche Wahrnehmung, entwickeln und schulen. Sogar die Wissenschaft erkennt das ASW mittlerweile an.«

»Heißt das, es ist nur eine Frage, unser Bewußtsein zu erweitern?« Ich war froh zu verstehen, wovon ich sprach.

»Richtig«, sagte John.

»Und wenn wir uns dieser anderen Dimension klarer bewußt werden, wissen wir mehr darüber, wer wir sind und weshalb wir leben?«

»Sehen Sie, die Sache ist nicht phantastischer als Schallwellen oder Lichtwellen, nur daß es sich hier um Gedankenwellen handelt. Die Wissenschaft weiß, daß sie existieren, denn Energie stirbt nie. Ein Mensch, der empfänglich ist für die richtigen Gedankenwellenlängen, die sich in die Akasha-Wellen einfügen, kann Dinge aus der Vergangenheit ›ablesen‹. Und wenn einem Menschen bewußt ist, welchen Schmerz er in der Vergangenheit ertragen hat oder welchen Schmerz er einem anderen Menschen zugefügt hat, so wirkt dies als erzieherischer Prozeß. Verstehen Sie, was ich meine?«

»Ja, sicher«, log ich.

»Sie haben die antiken Medien gelesen, nicht wahr?«

»Die antiken Medien?« fragte ich. »Wen zum Beispiel?«

»Nun«, sagte John, der sich mit mir ganz sicher unter seinem Niveau unterhielt, »zum Beispiel Plato, Pythagoras, Buddha, Moses.«

»Ach, waren sie auch Medien?« fragte ich so neutral wie möglich.

»Aber sicher«, sagte John. »Wie sonst hätten sie alles schreiben können, was sie geschrieben haben. Beispielsweise, wie konnte Moses über die Erschaffung der Welt schreiben, wenn er sich nicht seelisch-geistig als Medium eingeschaltet hätte? Das Gleiche gilt für Christus. Das bedeutet, diese Menschen waren hochentwikkelte geistige Menschen, die ihre Lebensaufgabe darin sahen, ihr Wissen weiterzugeben. Aus diesem Grund ist die Bibel so wertvoll. Sie ist eine Bibliothek des Wissens. Und die meisten der Schriften der Alten Weisen stimmen überein. Es ist kaum ein Widerspruch darin zu finden.«

»Haben sie alle über Reinkarnation gesprochen?«

»Nicht alle haben dieselbe Bezeichnung verwendet. Aber alle sprachen ausführlich über die Beziehung zwischen der *ewigen* Seele des Menschen und dem Göttlichen. *Alle* sprachen von den Universalgesetzen der Moral. Sie benutzten nicht immer die Worte Karma oder Reinkarnation, aber sie meinten alle dasselbe. Spreche ich zuviel?«

Ich schüttelte den Kopf und räusperte mich lächelnd.

»Und was sagen sie dazu, daß man sich *nicht* an frühere Leben erinnert?«

»Sie sprechen von einer Art ›Schleier des Vergessens‹, der im bewußten Verstand existiert, damit wir nicht ständig von dem, was mit uns früher geschehen ist, verfolgt werden. Sie alle sprechen davon, daß das *gegenwärtige* Leben das wichtigste ist, das nur hin und wieder von déjà-vu-Eindrücken durchzuckt wird. Man meint, etwas früher schon einmal erlebt zu haben oder glaubt, jemanden zu kennen, den man bewußt nie zuvor in seinem Leben getroffen hat. Sie kennen diese Empfindungen sicher.«

»Ja, ich weiß.« Ich war erleichtert zu verstehen, wovon er sprach. Ich dachte an meine Empfindungen im Himalaja – mir war, als habe ich dort allein lange Zeit gelebt. Tatsächlich kam mir alles *bekannt* vor, als ich auf dem Berggipfel an der Klause des Mönches ankam –, des Mönches, der mir das Safrantuch gab. Dieses Gefühl, alles zu kennen, war der Grund, warum ich seine Warnung ernst genommen hatte und das Tuch bis heute aufbewahre. Ich habe immer gespürt, daß es mehr bedeutete, als der Lamapriester mir sagte, ohne dieses Gefühl erklären zu können.

John bat einen seiner Mitarbeiter, uns Tee zu bringen und setzte sich neben mich auf die Bank unter das Bücherregal.

»Ich weiß, ich rede zuviel«, sagte er. »Aber wenn ich mit diesem Thema einmal anfange, kann ich nicht mehr aufhören. Es ist so wichtig... Pythagoras, Plato und viele andere Philosophen erklärten alles Unglück im Leben, Krankheit, Mißbildungen, Ungerechtigkeiten, mit der Tatsache, daß jede Daseinsform des Lebens entweder eine Belohnung oder eine Strafe der vorhergegangenen Daseinsform ist. Mit ihrem jeweiligen Fortschritt wird die Seele belohnt mit einer größeren Auswahl an Reinkarnationsmöglichkeiten, alle natürlich mit dem moralischen Ziel, das jeweilige, persönliche Karma zu erarbeiten. Eine wirklich hochentwickelte Seele zum Beispiel wird immer eine Daseinsform der Selbstaufopferung wählen, um ihr Karma zu erarbeiten. Und je weiter und höher und älter in der geistigen Erfüllung sich die Seele befindet, desto leichter kann sie sich an vergangene Lebensformen erinnern.«

»Und was ist«, fragte ich, »wenn die Seele keinen Fortschritt will? Wenn sie alles vergessen will und auf alles pfeift?«

»Auch darüber ist viel geschrieben worden. Eine Seele kann darüber entscheiden, ob sie sich entwickeln oder rückbilden will. Entschließt sie sich, ständig zurückzufallen, verliert sie irgendwann ihre Menschlichkeit und wird tiergleich, ohne die Wahl nach Vorwärtsstreben oder moralischem Sühneopfer. Dieser Zustand wird als Hölle bezeichnet. Wenn man keine geistige Entwicklung wählt, bekommt man nach einer Weile keine Chance mehr, und das ist die Hölle.«

»Das ist also damit gemeint, wer nicht an Gott glaubt, fährt zur Hölle – in eine Art Niemandsland der Nichtexistenz?«

»Richtig. Und umgekehrt – Gott bedeutet das ewige Leben oder Seele und das Erlangen moralischer Versöhnung. Versöhnung mit dem Schöpfer und der ursprünglichen Schöpfung. Wir sind beides, Schöpfer und eben auch Zerstörer. Wenn wir eins werden mit der Schöpfung, sind wir der Versöhnung am nächsten.«

»Dann hat also durch die Wiederverkörperung der Seele auch das Böse und alles Leiden eine Bedeutung.«

»Natürlich. Alles geschieht aus einem bestimmten Grund. Alles körperliche Leiden, alles Glück, alle Verzweiflung und alle Freude geschehen nach den Karmagesetzen der Gerechtigkeit. Darum hat das Leben einen Sinn.«

John machte eine Pause, hob den Arm um weiterzusprechen. Dann, vielleicht, als er den Ausdruck in meinem Gesicht sah, ließ er es und meinte: »Wir wollen Tee trinken.«

Wir gingen in sein Büro, setzten uns ans Fenster, vor dem ein schattenspendender Baum stand.

»Wieso interessieren Sie sich für diese Dinge, *nachdem* Sie in Indien waren?« fragte er.

Ich schlürfte heißen Ingwertee. »Vielleicht war ich in einem früheren Leben ein Himalaja-Mönch, der alle Geheimnisse kannte, und ich möchte wieder erlernen, was ich schon weiß.«

Er lachte.

»Glauben viele Leute, die hierher kommen, an Reinkarnation und karmische Gerechtigkeit und all das?«

»Sicher. Es gibt eine ganze Reihe von uns Spinnern hier.« Er blinzelte und stand auf. »Okay. Sie haben Ihre Bücher über Mitteilungen durch Medien. Mal sehen, was Sie in einer Woche darüber denken. Ich bin hier, wenn Sie wieder mit mir sprechen wollen.«

Wir tranken unseren Tee aus.

Ich bedankte mich bei ihm, bezahlte meine Bücher und ging hinaus in den brausenden Verkehr der Melrose Avenue. Was John glaubte, war seine Sache, aber zumindest hatte ich zugehört, und nun würde ich lesen.

Ich fuhr nach Hause nach Encino. Marie machte mir Tee und heißes französisches Brot mit Brie-Käse. Sie bewahrte den Brie nach gutem, altem französischen Brauch bei Zimmertemperatur auf, bis er über den Rand der Limoges-Porzellanplatte lief, auf der sie ihn anrichtete. Ich liebte ihren Sinn fürs Detail. Ich sollte weder Brot noch Käse essen, aber es war mir egal. Ich ging damit in mein Zimmer, setzte mich über meine neuen Bücher und begann über Edgar Cayce zu lesen.

Edgar Cayce wurde 1877 in der Nähe von Hopkinsville, Kentucky geboren. Er war ein einfacher, tief religiöser Mann (ein Christ), ziemlich ungebildet, da er die höhere Schule verlassen mußte, um Geld zu verdienen.

Er litt unter chronischem Asthma und ging zu einem angesehenen Hypnotiseur, um bei ihm Erleichterung zu suchen, nachdem keine Schulmedizin ihm helfen konnte.

Unter Hypnose geschah etwas höchst Seltsames mit Cayce. Er begann in der dritten Person zu sprechen mit einer Stimme, die keinerlei Ähnlichkeit mit seiner eigenen hatte. Er gebrauchte das Wort »wir« und beschrieb für sich selbst eine Behandlungsmethode in aller Ausführlichkeit. Nach Beendigung der Sitzung berichtete der Hypnotiseur ihm, was geschehen war und schlug vor, Cayce solle die angesprochene Therapie versuchen. Aus Verzweiflung probierte Cayce sie aus. Sein Asthma verschwand sehr bald. Doch als der Hypnotiseur eine »Stimme« beschrieb, die offenbar durch ihn gesprochen hatte, war Cayce entsetzt. Für ihn war das Blasphemie. Die Bibel hatte ihn gelehrt, daß der Mensch »kein anderes geistiges Wesen außer Gott neben sich dulden dürfe«. Und Cayce war streng bibelgläubig.

Aber Cayce war auch ein großer Menschenfreund. Da die Stimme in der Lage zu sein schien, anderen Menschen zu helfen, beschloß er, sich ihrer zu bedienen. Cayce lernte bald, sich selbst in Trance zu versetzen, um anderen zu helfen. Die Stimme (die sich selbst immer mit »wir« bezeichnete) sprach in medizinischer Terminologie und verschrieb Behandlungsmethoden, die ein fundiertes medizinisches Wissen voraussetzten, ein Gebiet, auf dem Cayce völliger Laie war. Wurden die Behandlungsmethoden genau befolgt, wirkten sie immer. Cayce fing an, den Vorgängen immer mehr Vertrauen zu schenken, ebenso wie die Menschen, die Hilfe bei ihm suchten.

Die Kunde von Cayces sonderbarer Kraft breitete sich aus, die Menschen kamen aus der ganzen Gemeinde zu ihm, und schließlich begannen die Leute aus weit entfernten Orten, Kontakt mit ihm aufzunehmen. Cayce mußte seine Patienten, die bei ihm Hilfe suchten, nicht einmal sehen. Das »wir« schien in der Lage zu sein, in die Körper der Patienten einzudringen, die Krankheit zu diagnostizieren und Behandlungsmethoden zu verschreiben, die, wenn sie genau befolgt wurden, immer zur Heilung führten.

Die *New York Times* veröffentlichte eine ausführliche Untersuchung über Cayce und unterstrich ausdrücklich, es gäbe keine Erklärungen für diese Vorgänge. Es gab keinen Beweis, daß Cayce aus seinem eigenen Unterbewußtsein sprach (er hatte, wie gesagt, keine Ahnung vom Beruf des Arztes), und inwieweit »spirituelle« Einflüsse stattfanden, darüber konnte die *Times* keinen Kommentar geben.

Cayce erlangte weltweite Berühmtheit.

Bald fing man an, Cayces »Stimme« Fragen über kosmische Begriffe zu stellen. »Was ist der Sinn des Lebens?« »Gibt es so etwas wie ein Leben nach dem Tod?« »Findet tatsächlich eine Reinkarnation der Seele statt?«

Die Stimme antwortete bejahend und begann über vergangene Leben der Menschen zu sprechen, die diese Fragen stellten. Die Stimme stellte Zusammenhänge her zwischen Begebenheiten früherer Leben mit gewissen Erkrankungen, an denen ein bestimmter Mensch jetzt litt.

Wieder war Cayce verblüfft und verwirrt. Solche kosmischen Verbindungen waren ihm nie in den Sinn gekommen. Medizinische Behandlungen hatte er akzeptiert, aber Informationen über vergangenes Leben erschienen ihm antireligiös. In der Bibel stand nichts über derartige Dinge. Eine Weile weigerte er sich, die Mitteilungen dieser Sitzungen zu akzeptieren. Sie waren ihm zu fremdartig. Doch fortgesetzte Beispiele früherer Leben veranlaßten ihn, darüber nachzudenken. Zu viele Leute kamen zu ihm mit dem Beweis, daß es eine Mrs. oder einen Mr. Sowieso gegeben hatte, die in genau denselben Umständen in der Vergangenheit gelebt hatten, wie er sie beschrieben hatte. Natürlich gab es keinen endgültigen Beweis, daß es sich dabei um ein und dieselbe Person handelte.

Die Begriffe Karma und Reinkarnation wurden in jeder Sitzung stark hervorgehoben. Zum Beispiel:

Eine achtunddreißigjährige Frau hatte darüber geklagt, sie sei nicht in der Lage, eine Ehe einzugehen, aus einem tiefsitzenden Mißtrauen Männern gegenüber. Es stellte sich heraus, daß ein Ehemann in einer früheren Inkarnation sie direkt nach der Eheschließung verlassen hatte, um an einem Kreuzzug teilzunehmen.

Ein achtzehnjähriges Mädchen hatte schreckliche Übergewichtsprobleme, die sie nicht bewältigen konnte. Abgesehen von ihrer Fettleibigkeit sah sie ausgesprochen attraktiv aus. Die Sitzungen ergaben, daß sie zwei Leben vorher ein Athlet in Rom war, der sowohl Schönheit als auch athletisches Können besaß. Er hatte sich oft über andere lustig gemacht, die stark waren, sich aber nicht gelenkig bewegen konnten.

Ein junger Mann, einundzwanzig Jahre alt, klagte, ein unglücklich Homosexueller zu sein. Es stellte sich heraus, daß er sich am Französischen Königshof großen Spaß daraus gemacht hatte, Homosexuelle zu reizen und bloßzustellen. Die Sitzungen ergaben: »Du sollst nicht verdammen. Was du an anderen verdammst, wirst du selbst erleben.«

Die Unterlagen und Aufzeichnungen, die über Cayce gesammelt wurden, gehören zu den ausführlichsten Schriften in der Geschichte der Parapsychologie. In 14000 Sitzungen, die er »readings« nannte, wurden Beispiele des Gesundheits-Karmas, psychologischen Karmas, Vergeltungs-Karmas, Familien-Karmas, geistig-abnormen Karmas, Berufskarmas ... und so weiter aufgezeigt.

Doch was bei den Sitzungen deutlicher als alles andere durchkam, war die Wichtigkeit der Geltendmachung des freien Willens. Die Stimme sagte, der Grundfehler, den der Mensch begeht, ist zu glauben, sein Leben sei vorbestimmt und er habe deshalb keine Macht, es zu verändern. Sie sagte, das Leben, das wir jetzt führen, habe eine höhere Priorität, und die volle Geltung unseres freien Willens in bezug auf das Karma zu erreichen sei unsere wichtigste Aufgabe. Es liege an uns, sich mit uns selbst geistig in Verbindung zu setzen, damit wir Einsicht in den Sinn unseres Lebens gewinnen. Für jede Handlung, jede Gleichgültigkeit, jeden Mißbrauch des Lebens werden wir irgendwann einmal zur Rechenschaft gezogen. Es liege an uns, wie diese Rechnungen aussehen mögen.

Als ich über Cayce las und über »Readings« anderer Medien und Trancemedien, faszinierte mich die Idee, daß dies alles wahr sein konnte. Woher diese Mitteilungen stammten, war weniger wichtig als der Sinn, den sie ergaben. Vielleicht *waren* es unterbewußte Mitteilungen spiritistischer Medien; vielleicht waren sie nur gute Schauspieler.

Aber auch in einem solchen Fall waren die moralischen Grundsätze ihrer Botschaften unverkennbar: Werte, nach denen es sich zu leben lohnte.

»Alle Antworten liegen in dir selbst«, besagten sie. »Du mußt nur die Augen aufmachen.«

8. Kapitel

»Wenn wir uns selbst und andere Objekte sehen könnten, wie sie wirklich sind, würden wir uns selbst in einer Welt geistiger Naturen sehen, unsere Gemeinschaft, mit welcher weder bei unserer Geburt begonnen, noch mit dem Tod des Körpers geendet wird.«

Immanuel Kant
Kritik der Reinen Vernunft

Ich las bis spät in die Nacht hinein. Am nächsten Morgen stand ich zeitig auf und wanderte in die Calabasas Mountains, um nachzudenken. Schroffe, steile Berge mit einem wunderbaren Blick über den Pazifik. Oben in den Hügeln verborgen liegt »Das Ashram«, eine Art rustikales, geistig orientiertes Gesundheitszentrum (»Kurbad« für Leute mit sehr viel Geld). Ich mochte das körperliche Training im Ashram gern und ließ mich dort oben oft fit machen für ein Fernseh-Special oder wenn ich zwei Shows pro Abend in Las Vegas oder Tahoe vor mir hatte. Ich ernährte mich mit reinem rohen Essen, unternahm lange Bergwanderungen, trieb viel Gymnastik und Sport im Freien und das, was die Schwedinnen, die es leiteten, »Prana« nannten, ging auf mich über. Es waren Anne Marie Bennstrom (die Begründerin des Ashram) und ihre Assistentin Katerina Hedwig. Sie wußten alles über Gesundheit, und ich hatte volles Vertrauen zu ihnen, weil ich mich nach ihrer Behandlung immer fantastisch wohl fühlte.

Auf meinem Weg in die Berge begegnete ich Katerina, die ich anbetete. Ich nannte sie kurz Cat. Sie führte eine Gruppe von »Insassen« einen der beschwerlichen Anstiege hinauf. Ich mußte Cat nur ansehen, um mich besser zu fühlen. Sie *war* die Freude. Springlebendig, lustig und unkompliziert intelligent. Sie und Anne Marie befanden sich in tiefer geistiger Suche und verehrten Sai Baba, einen indischen Avatar-Meister. Cat war eine stattliche Person, stark wie die Berge, die sie bestieg, gleichzeitig sanft und mit ihrer mitreißenden Persönlichkeit hatte sie mich durch ein Konditionstraining geführt, als ich zum ersten Mal nach einer politischen Kampagne für George McGovern kam und das letzte Mal, als ich aus China zurückkehrte – mit zwanzig Pfund Übergewicht. Nur mit ihrer Hilfe schaffte ich es, die Härte und Disziplin durchzuhalten. Sie wurde für mich ein Katalysator in Begebenheiten, die folgen sollten, auf Grund derer ich mein Leben vollständig verändert habe.

Schweigend stapften wir den schmalen Pfad hinauf. Bei einem steilen Anstieg hat man ohnehin genug zu tun, Luft zu holen, kann sich dabei gar nicht unterhalten. Oben auf dem Kamm rasteten wir ein wenig und blickten hinaus auf den Pazifik. Cat schien zu spüren, daß ich sprechen wollte, aber nicht wußte, wie.

»Na, du treulose Lady des Ruhms, wie geht's dir?«

Eine seltsame Form, mich anzusprechen.

»He«, sagte ich. »Meinst du etwa, ich sei treulos?«

»Ja, was den Ruhm angeht, bist du treulos. Du weißt gar nicht, ob du ihn haben willst, stimmt's?«

Cat hatte eine verdammt direkte Art, den Daumen auf eine wunde Stelle zu legen.

»Ruhm? Ich habe mir, glaube ich, nie viel aus Berühmtheit gemacht. Es ging mir mehr um die Qualität meiner Arbeit. Aber im Moment geht es mir eigentlich mehr darum, was ich eigentlich suche.«

»Du meinst, dich selbst.«

»Es geht mir um mich selbst?«

»Nein, es geht dir mehr darum, herauszufinden, wer du bist, als um deinen Ruhm. Stimmt das, Shirley?«

»Ja... ja«, antwortete ich. »Es ist ziemlich anstrengend. Denn plötzlich bin ich in einer Dimension meines Selbst, von der ich nicht wußte, daß sie überhaupt existiert.«

»Sprichst du von deiner geistig-seelischen Dimension?«

Mein Gott, es klang so banal, wenn ein anderer Mensch es in Worte faßte.

»Ja«, sagte ich. »Man könnte sagen, die geistigen Dinge haben mich neugierig gemacht. Ich weiß nicht, warum; aber je mehr ich davon höre, desto mehr möchte ich davon wissen? Ich bemerkte, daß ich diese Feststellung wie eine Frage betonte.

»O Shirley, das ist wunderbar«, sagte Cat und ihr fröhliches Lachen begleitete jedes Wort. »Es ist so befriedigend, vom Geist angezogen zu werden, findest du nicht auch?«

Ich vergrub die Hände in den Taschen meines Jogging-Anzugs. »Vom Geist angezogen?« fragte ich. »Ist es das, was ich gerade erlebe?«

»Aber klar, Shirley«, lächelte Cat. »Gott und die geistige Erkenntnis sind alles. Deshalb sind wir hier. Das ist die Erklärung des Lebens und seines Sinns. Ich lebe vollkommen dafür. Ich interessiere mich für keinen Mann mehr, und du weißt, wie lüstern ich einmal war. Vorbei. Ich fühle mein eigenes, geistiges Licht, ich bin darin verliebt, und sonst brauche ich nichts.«

Mein Gott, dachte ich, wenn ich mich in mein eigenes, geistiges Licht verlieben könnte, würde ich mir eine Menge Flugtickets und viel Kummer ersparen.

»Na ja«, sagte ich, »vielleicht sollte ich da eintauchen, aber ich weiß nicht, wie.«

»O Shirley«, fuhr Cat fort, »ich kenne ein wundervolles Medium, das du kennenlernen mußt. Anne Marie ist gerade bei ihm in Schweden. Sie hat vor, ihn in die Staaten zu bringen.«

»Moment mal, Cat«, sagte ich, ihren Enthusiasmus unterbrechend. »Ein Medium in Schweden? Was für ein Medium?«

»Eine spirituelle Wesenheit namens Ambres. Ambres spricht durch einen Mann namens Sturé Johanssen.«

»Spricht durch ihn? Redest du von Trance-Vermittlung?«

»Aber ja«, sie schien erstaunt, daß ich nicht begriff. »Ja, sicher. Sturé ist ein einfacher Tischler, der in Stockholm lebt, und eine spirituelle Wesenheit namens Ambres bedient sich seiner als Instrument, um seine Botschaften zu übermitteln. Seine Lesungen sind unglaublich schön, Shirley. Du solltest ihn hören. Er spricht natürlich nur Schwedisch, noch dazu altes Schwedisch, aber Anne Marie oder ich werden es dir übersetzen. Ambres ist ein starkes, mächtiges, gütiges Wesen, Shirley. Ach, du würdest ihn lieben.«

»Stockholm?« fragte ich, »ziemlich weiter Weg, um mit einem Geist zu sprechen.«

Cat lachte. »Irgendwann im nächsten Jahr will Anne Marie Sturé und seine Frau herbringen. Dann kannst du an einer Sitzung teilnehmen.«

»Arbeitet er so ähnlich wie Edgar Cayce?« fragte ich.

»Ja«, sagte Cat. »Auch er diente als Trance-Vermittler für eine Wesenheit aus dem Jenseits, das durch ihn sprach.«

Wir setzten unsere Wanderung fort, Cat lebhaft erregt darüber, daß ich eine Dimension des Lebens kennenlernte, die ihr längst vertraut war. Ich wollte sie prüfen.

»Cat?« fragte ich. »Glaubst du wirklich, daß es ein Jenseits gibt, aus dem körperlose, geistige Wesen zu uns sprechen und uns Lehren vermitteln können?«

Cat sah mich erstaunt an. »Ob ich das *glaube?*« fragte sie.

Ich nickte.

»Nein«, antwortete sie. Ich blieb vor Schreck wie angewurzelt stehen. »Nein, keineswegs«, sagte sie. »Ich glaube es nicht. Ich *weiß* es.«

Mir wurde klar, daß ich eben von Cat ein starkes Glaubensbekenntnis gehört hatte. Und sie sagte es mit soviel Liebe. Jede weitere mißtrauische Frage wäre eine Widerspiegelung meiner eigenen Unfähigkeit, Cats fundamentales Wertsystem zu begreifen. Damit würde ich ihren Charakter und ihre Persönlichkeit in Frage stellen. Ich mochte mich selbst als eine Art abenteuerlustige Reporterin in eigener Sache betrachten, aber ich würde mich sicher nicht über das Glaubenssystem eines anderen Menschen lustig machen oder über seine »Erkenntnis«, um eine Definition von Cat anzuwenden.

»Es würde mich interessieren, diese Wesenheit Ambres kennenzulernen.« Ich kam mir vor wie eine Hochstaplerin, als ich das Wort »Wesenheit« aus meinem Munde hörte.

»O Shirley, wenn Sturé mit seiner Frau in den Staaten ist, rufen wir dich an. Zu schade, daß du keinen Grund hast, nach Stockholm zu fliegen. Brauchst du nicht ein paar Skier oder so?«

Lachend gingen wir weiter, sprachen über richtige Ernährungsweise, über Trennkost und die neuesten Untersuchungen, welche Wirkung Milchprodukte auf den Verdauungstrakt hatten. Bald verabschiedeten wir uns, versprachen, meine neu entdeckte, geistige Forschung fortzusetzen.

Ich ging sofort nach Hause mit dem dringenden Bedürfnis, Gerry in London anzurufen. Ich mußte einfach mit ihm sprechen. Irgendwie hatte ich das Gefühl, ich mußte ihn sehen, wollte seine

Stimme hören, ihn berühren, mußte ihn spüren als Teil meiner zweiten, realen Welt.

Als ich ihn anrief, wurde mir klar, wie sehr ich darauf ausgerichtet war, meine Gefühle mit dem Mann, der mir etwas bedeutete, zu teilen. Irgendwie schienen meine eigenen Gefühle, meine eigenen Fragen, mein eigenes Suchen, meine eigenen neuen Interessen unwichtig und nur halb durchführbar, ohne *den Mann* einzubeziehen. Ich konnte mit Gerry zwar nicht darüber sprechen, was mich berührte, aber es würde mir helfen, über meine Wahrnehmungen nachzudenken, wenn ich mit ihm zusammen war. Es fiel mir schwer zuzugeben, daß ich meine eigene Identität in Beziehung zum Mann bestätigen mußte, aber so war es.

Ich erreichte ihn in seinem Büro in London.

»Hallo«, sagte er keineswegs überrascht, von mir so kurz nach unserem Wochenende in Honolulu zu hören.

»Gerry«, fing ich an, spürte, daß er in Eile war. »Ich weiß, du hast viel zu tun, aber ich möchte nach London kommen, um dich zu sehen. Ich habe ein paar Wochen frei, die würde ich gern mit dir verbringen.« Ich hörte sein Zögern. »Ja«, sagte er schließlich, »aber ich fahre nach Stockholm.«

»Nach Schweden?« fragte ich idiotischerweise, so verblüfft war ich. Eben hatte ich mit Cat über Stockholm gesprochen.

Wenn ich heute darüber nachdenke, würde ich sagen, es war der Beginn einer Reihe von Begebenheiten, die, jetzt im Rückblick, nach einem sinnvollen Plan verlaufen sind. Natürlich kann man von allen Dingen im Leben behaupten, sie seien lediglich Zufälle. Aber wenn die Zufälle sich häufen, ist eine Neudefinition von »Zufall« notwendig. Unterdessen sprach Gerry weiter über seine Reise nach Stockholm.

»Ja, ich habe dort eine Konferenz über sozialistische Wirtschaftsfragen und bleibe eine Woche oder länger dort.«

»Aha«, sagte ich. »Und warum komme ich nicht einfach nach Stockholm? Ich liebe den Schnee.«

Er schwieg. Ich hörte, wie er jemanden verabschiedete, hörte das Rascheln von Papier.

»Gerry?«

»Ja, ja«, sagte er, »hallo.«

»Gerry, ich muß mit dir sprechen. Ich muß bei dir sein. Ich

sehne mich nach dir. Wirklich. Und vermutlich muß ich wissen, was du wirklich fühlst.«

Ich kam mir vor wie ein Schulmädchen, das seinen Helden anhimmelt. Ich wartete darauf, daß er etwas sagte. Jede Sekunde war voller schrecklicher, angstvoller Bedeutung. Schließlich meinte er: »Ja, ja, ich sehne mich auch nach dir.«

Es war ihm spürbar unangenehm, aber ich ließ nicht locker.

»Bist du also einverstanden? Paßt es dir, wenn ich nach Stockholm komme? Ich nehme ein anderes Hotel.«

»Was meinst du damit, du willst wissen, was ich wirklich fühle?«

Er klang erschrocken.

»Was ist los, Gerry?«

»Ich bin verwirrt.«

»Ich weiß. Warum? Verwirrt weshalb?«

»Verwirrt vor Freude.«

»Welche Freude? Was meinst du?«

»Ich bin verwirrt vor Freude zu wissen, was ich dir bedeute.«

»Warum? Warum verwirrt dich das?«

»Weil ich nicht verstehe, warum ich dir so wichtig bin. Dadurch fühle ich mich unterlegen.«

Ich wußte nicht, was ich sagen sollte. Ich wußte nicht einmal, was er wirklich sagte.

»Willst du mich sehen, Gerry?«

»Ich sehne mich danach, aber ich habe Angst, dich zu enttäuschen. Ich hasse das Gefühl, daß ich dich enttäuschen werde.«

»Nun«, sagte ich, »vielleicht ist es erst mal wichtig, dich selbst nicht zu enttäuschen. Können wir sprechen?«

»Komm in zwei Tagen nach Stockholm«, sagte er. »Ich wohne im Grand. Nimm dir ein Zimmer in einem anderen Hotel.« Er zögerte noch ein paar Sekunden, dann flüsterte er »Auf Wiederseh'n« und legte auf.

Ich saß da und dachte nach, wie es sei, sich einem anderen Menschen gegenüber unterlegen zu fühlen. Dieses Gefühl kannte ich nicht. Ich hatte mich von anderen *abhängig* gefühlt, besonders, was das »Mann«-Syndrom betraf, aber *Unterlegenheit* fühlte ich nur mir selbst gegenüber. Und das konnte ebenso schlimm sein. Die Ziele, die ich mir selbst steckte, waren manchmal unmöglich zu erreichen, und ich stellte hohe Ansprüche an mich. Vielleicht hatte Dad recht. Vielleicht wollte ich mich selbst nicht enttäuschen, wollte nicht so sein wie er.

Gerry war nicht der einzige Mann, der darüber klagte, sich mir unterlegen zu fühlen. Ein paar tiefe Beziehungen waren schließlich daran gescheitert, weil die Männer einfach Angst hatten, sie könnten meine Erwartungen, die ich an sie stellte, nicht erfüllen. Ich fragte mich, wo die Verantwortung dafür lag. Lag es an mir, weil ich so viel verlangte, oder lag es an der geringen Selbstachtung, die die Männer von sich hatten.

Mit dieser Frage hatte ich mich an einige befreundete Psychologen gewandt, und sie sagten alle, hinter jeder Frau, zu der sich ein Mann hingezogen fühle, verfolge ihn das Bild seiner eigenen Mutter. Und die Mutter war die Figur, die sie nicht erreichen konnten. Wenige Männer sahen ihre Frauen objektiv, vielmehr durch die Maske ihrer Mutter, die sie verfolgte. Da ich dabei war, mich in Schweden mit Gerry zu treffen, fiel mir ein gut recherchierter Bericht ein, den ich über das schwedische Problem der Selbstmörder gelesen hatte. Die hohe Selbstmordrate in diesem Land lag weder am Sozialismus noch am Wetter oder an sonstigen Mythen, die in Cocktailrunden diskutiert wurden. Man hat herausgefunden, daß die schwedische Selbstmordrate auf die hohen Ansprüche schwedischer Mütter an ihre Kinder zurückzuführen ist, die fürchteten, diesen Ansprüchen nicht gerecht zu werden. Und aus tiefer Depression und dem Gefühl der Unterlegenheit flüchteten sie sich in den Selbstmord.

Möglicherweise litten alle Männer unter einem zwar weniger intensiven, aber trotzdem irritierenden Gefühl der Doppelsymbolik, was die Frauen betraf.

Im Zeitalter der Frauenbefreiung, in dem die Frauen sich über das Gefühl beklagten, abhängig zu sein, einen Mann haben zu müssen, litten die Männer möglicherweise unter diesen Kindheitszwängen, die einen grundlegenden Mangel an Selbstvertrauen aufzeigten, der ebenso verheerend für sie war. In beiden Fällen lag das Problem in der *eigenen* Identität. Gerry sagte, er könne nicht verstehen, *warum* er wichtig für mich sei. Als sei er mit seiner Intelligenz, seinen Talenten und seinen Erfolgen meine Zuwendung nicht wert. Er war bekanntermaßen ein sehr erfolgreicher Mann. Also mußte sein Gefühl der Unterlegenheit tief aus seinem

Innern kommen. Und dadurch, daß ich ihn wissen ließ, daß er in sehr persönlicher Weise wichtig für mich war, brachte ich seine eigene persönliche Unsicherheit an die Oberfläche.

So wichtig die Frauenbefreiung war, die Befreiung der Männer war ebenso wichtig. Würden nämlich die Männer freier darüber denken, wer sie wirklich sind, hätten sie es nicht nötig, ihre Frauen zu unterdrücken. Da ich persönlich nicht zu unterdrücken war, wären sie in meinem Fall vielleicht gezwungen, den wahren Stellenwert von Gleichberechtigung zu untersuchen. Und wenn Abwehrhaltung gegen wahre Gleichberechtigung in einer Beziehung bestand, dann war sie unweigerlich zum Scheitern verurteilt. Wie *konnte* ein Mann sich gleichwertig fühlen, wenn er glaubte, er sei es nicht wert, geliebt zu werden?

Ich wußte nichts über Gerrys Mutter. Das war auch im Grunde unwichtig. Die wichtige Frage war, was er jetzt über sich selbst dachte. Das schien *die* wichtige Frage zu sein.

Ich begann von einer neuen Perspektive zu begreifen, daß *Selbst*-Erkenntnis die schmerzlichste, aber wichtigste Suche von allen war. Keiner von uns fühlte sich als Ganzes und in der Eigenliebe stark genug, um zu verstehen, daß unsere Selbstfindung die Antwort für erfülltes Glück ist. Das war vielleicht das Problem – in menschlichen und kosmischen Begriffen –, was Moses, Christus, Buddha und Pythagoras, Plato und all die religiösen und philosophischen Weisen durch die Jahrhunderte uns zu sagen versuchten ... Erkenne dich selbst, und diese Wahrheit wird dich befreien.

Angenommen, einer der Wege des Verständnisses, wer jeder von uns wirklich ist, liege im Wissen, wer wir in früheren Lebenszeiten gewesen sind. Es gab viele Beispiele, in denen die Psychiatrie einfach nicht tief genug vordringen konnte, um an die Wurzel einer Persönlichkeitsstörung zu gelangen. Vielleicht könnte das Wissen über vergangenes Leben diese Aufgabe lösen. Wenn Mütter und Väter und Kindheitserlebnisse unseres gegenwärtigen Lebens uns prägten und formten, wie wir der Realität des Lebens heute begegnen, warum sollten Erfahrungen, die weiter zurückliegen, uns nicht in gleicher Weise geprägt haben?

Ich hatte mit Paddy Chayevsky kurz vor seinem Tod über seinen Roman *Altered States* gesprochen. Er hatte ausführliche, wissenschaftliche Recherchen für sein Buch durchgeführt und sagte, jedes menschliche Wesen trage in sich, eingeschlossen in seinem Zellulargedächtnis, dem sogenannten »Erbgedächtnis«, die gesamte Erfahrung der Menschheit vom Beginn der Schöpfung an. Auf dieser Schiene bewegten sich meine Gedanken. Was war der Unterschied zwischen einer Erbgedächtnisspeicherung vom Anbeginn der Zeit und der Speicherung vergangener Lebenserfahrungen? Die eine Gedächtnisform war mindestens so rätselhaft wie die andere. Ich überlegte, ob ich Gerry möglicherweise in einem früheren Leben gekannt hatte und, wenn ja, welches Karma uns auferlegt war, daß wir solch ein Hindernisrennen in unserer gegenwärtigen Beziehung durchmachen mußten. Und ich überlegte auch, ob wir es jetzt richtig machten.

Ich rief Cat an und teilte ihr mit, daß ich nach Stockholm fliege. Sie war nicht erstaunt darüber, gab mir die Adresse und die Telefonnummer des Trancemediums, und ich sagte, ich würde hingehen.

9. *Kapitel*

> »Es bedarf oftmals eines ganzen Lebens, um die Tugenden zu erwerben, die den Irrtümern entgegengesetzt sind, in denen der Mensch zuvor gelebt hat ... Die erworbenen guten Eigenschaften und die, die sich langsam in uns entwickeln, sind die unsichtbaren Bande, die jede unserer Seinsformen aneinander knüpfen und deren einzig die Seele sich erinnert, denn die Materie besitzt keinerlei Gedächtnis für irgendeines der geistigen Dinge.«
>
> Honoré de Balzac
> *Seraphita*

Stockholm, das ich von einigen Tourneen kannte, war eine faszinierende Stadt für mich. Sie lag jetzt unter einer dichten Schneedecke, sah aus wie eine Postkarte aus einem nordischen Märchen.

Ein Freund holte mich vom Flughafen ab.

Es war sieben Uhr abends. Unablässig fiel der Schnee vom Himmel wie ein endloser Schleier. Es wurde sehr früh dunkel in den berüchtigten schwedischen Wintern. Damals, in den späten fünfziger Jahren, war Schweden für uns, die wir wenig von dem Land wußten, ein kleines Wunder, das den Sozialismus freiwillig *gewählt* hatte.

Mein Freund führte mich zum Dinner, und nach ein paar Austern und Heringen ging ich ins Hotel, in dem er mir eine Suite mit Blick auf den Hafen bestellt hatte. Der Salon hatte ein Erkerfenster und das Schlafzimmer ein Doppelbett. Es gefiel mir. Müde sank ich ins Bett, und etwa vier Stunden später wachte ich auf und mußte mich übergeben, das tat ich den Rest der Nacht: ... eine der Austern.

Am nächsten Morgen wurde es gegen neun Uhr hell. Der Himmel blieb den ganzen Tag bewölkt. Die Eisdecke des Hafenbeckens wurde stündlich von einem Schlepper aufgebrochen, der unablässig seine Runden drehte. Und reihenweise kippten die Lastwagen Schneemassen von den Straßen ins Hafenbecken. Die

Touristendampfer lagen im Eis festgefroren und warteten auf den Frühling.

Nach dem Frühstück machte ich einen kurzen Spaziergang, wollte aber zurück sein, wenn Gerry sich meldete. Die Straßen waren spiegelglatt; die Schweden waren daran gewöhnt, aber ich fürchtete jede Sekunde hinzufallen.

Als ich ins Hotel kam, suchte mich die Hotelmanagerin auf und fragte nach meinen besonderen Wünschen. Ich bat sie um einen Haartrockner und eine zusätzliche Bettdecke.

Es gab einen Privateingang, den man benutzen konnte, ohne gesehen zu werden. Sie versprach, den Telefonistinnen Anweisung zu geben, meinen Aufenthalt nicht an die Presse weiterzugeben.

Den Rest des Tages verbrachte ich im Zimmer. Gegen sechs Uhr rief Gerry an.

»Tag.«

»Tag.«

»Wie geht's?«

»Gut.«

»Wann bist du angekommen?«

»Gestern abend.«

»Gestern abend? Ich dachte du kommst heute gegen fünf.«

»Nein. Ich sagte dir, ich komme am Sechzehnten.«

»So. Kann ich vorbeikommen?«

»Klar. Hast du schon gegessen?«

»Nein. Ich esse unterwegs schnell was.«

»Komm doch gleich. Ich bestell' dir was aufs Zimmer.«

»Gut, bis gleich.«

Seine Stimme klang beherrscht, als würde er sich zurückhalten. Nach einer halben Stunde war er da.

Er hatte große Pelzhandschuhe an, von der Art, wie seine Frau sie vermutlich nicht gern an ihm sah. Er wirkte blaß und abgearbeitet.

Ich ging ihm entgegen, doch er trat zum Fenster und sah hinaus, orientierte sich, wo sein Hotel lag. Er trug den Trenchcoat ohne Pelzfutter, einen Tweedanzug, den ich im Herbst an ihm gesehen hatte und Lederschuhe mit einer dicken Gummisohle.

»Siehst du die Lichterkette, die aussieht wie ein Penis? Genau dahinter ist mein Hotel.«

Eine Lichterkette sah für ihn aus wie ein Penis? Interessant ...

Ich stand neben ihm am Fenster. Er drehte sich um und streichelte eine meiner Brüste.

Ich bat ihn, sich zu setzen. Ich hatte zwei große Clubsandwiches bestellt, die sich als grüner Salat und Tomatensalat auf Toast entpuppten. Er setzte sich aufs Sofa und schnitt in eines der Sandwiches. Er redete von bevorstehenden Budgetkürzungen, von den Problemen, daß die Steuer ausgerechnet im Wahljahr erhöht werden müsse und von einem amerikanischen Journalisten, mit dem er den ganzen Tag verbracht hatte. Er fragte nach meinen Proben; ich sagte ihm, sie fingen bald an. Während ich sprach, saugten sich seine Augen an mir fest. Mein Haar, meine Gesten, mein Körper ... Aber er berührte mich nicht. Und ich fühlte mich zu verschüchtert, ihn zu berühren. Wir redeten weiter ... über die Vietnamflüchtlinge, die sich vielleicht in Frankreich am wohlsten fühlten, wenn sie überhaupt in Europa bleiben wollten. Wir sprachen über Sihanouk und die Vereinten Nationen und darüber, daß die englische Linke durch die vietnamesische Invasion in Kambodscha gespalten war. Wir vermieden es, über uns zu sprechen, mußten beide unser Gleichgewicht erst wiederfinden. Er legte sich aufs Sofa, ich spürte, wie erschöpft er war. Ich setzte mich neben ihn und strich ihm übers Haar. Er ließ es geschehen. Sein Kopf lag auf der Lehne des Sofas, die Arme hatte er im Schoß verschränkt. Er machte keine Anstalten, mich zu umarmen. Ich küßte ihn sanft auf die Lippen. Sie waren noch ein wenig kalt von draußen. Er drehte den Kopf weg, fing wieder an zu essen. Ich wartete, bis er damit fertig war. Dann lehnte er sich zurück und seufzte.

»Ich würde dich gern massieren«, sagte ich. »Du brauchst nichts zu tun, nur still dazuliegen. Einverstanden?«

Sofort stand er auf und ging ins Schlafzimmer, drehte sich um, wartete darauf, daß ich ihm Jackett, Hemd und Krawatte auszog. Die Krawatte ging nicht auf. Er lachte. »Ich dachte, ich muß nichts tun.«

Er lockerte sie selbst, ließ wieder die Arme hängen. Ich machte keine Anstalten, ihm die Hose auszuziehen, schob ihn sanft aufs Bett und drehte ihn auf den Bauch. Dann ölte ich mir die Hände ein und fing an, seinen Rücken zu massieren. Er stöhnte vor

Vergnügen. Ich zog Hose und Pullover aus, damit ich rittlings auf ihm sitzen konnte, um die Massagetechnik, die ich in Japan gelernt hatte, mit größerer Kraft anzuwenden. Meine Fingernägel waren ein Problem. Also massierte ich mit den Handballen. Seine Schultern und Arme waren so muskulös, daß ich glaubte, nicht wirksam genug massieren zu können. Aber er stöhnte tief.

»Weißt du, daß das die erste Massage in meinem Leben ist?« Es klang beinahe unglaublich. Aber Gerry wußte so wenig über Selbstvergnügen. Seine Haut war kalt. Meine Hände mußten sehr warm für ihn sein. Ich massierte seinen Nacken, bis er richtig entspannte. Ich ölte mir die Hände noch einmal ein und massierte seinen Rücken bis zu den Hüften. Er fing an, sich unter mir zu bewegen, ich gab ihm einen scherzhaften Klaps und knetete weiter. Dann griff er mit dem Arm nach hinten und legte ihn um mich. Ich wußte, er war zu müde. Aber er hörte nicht auf. Er legte auch den anderen Arm um mich. Die ganze Szene war unwirklich. Niemand hinderte uns daran, uns zu lieben. Aber irgendwie wollte er, es solle nicht geschehen.

Ich versuchte, mich aus seiner Umarmung zu winden, massierte weiter. Er zog mich an sich, bis ich auf ihn fiel, ich presste meine Schenkel an ihn. Er drehte sich um.

Bevor ich wußte, was geschah, liebten wir uns. Seine Arme drückten mich so fest, daß ich kaum atmen konnte. Er drückte mich noch fester. Und immer wieder flüsterte ich, daß ich ihn liebe. Seine einzige Antwort war aufzuatmen, als wäre er endlich zu Hause angekommen.

Hinterher lag er still. Keiner von uns sprach. Er lag reglos, als wolle er sich nie mehr bewegen. Plötzlich bekam ich Angst. Ich bewegte mich unter ihm.

»Gerry«, sagte ich.

»Ja?«

»Ich habe Angst. Ich muß reden«, stammelte ich und legte mich neben ihn.

Eine Weile starrte er an die Decke, dann stützte er den Ellbogen auf und sah mir tief in die Augen.

»Ich habe viel nachgedacht«, sagte er. »Und ich werde das Problem aussprechen, aber keine Lösung, weil ich zu keiner gekommen bin.«

Ich spürte, wie mein Magen sich umdrehte.

»Ich liebe dich«, sagte er. »Ich liebe dich sehr. Aber eine Hälfte von mir sträubt sich dagegen. Deshalb halte ich mich unbewußt zurück, weil ich weiß, ich bin nicht stark genug, die Konsequenzen unserer Beziehung, weder in politischer noch in persönlicher Hinsicht zu tragen. Ich war in einer Art geistigem und physischem Niemandsland in unserer Beziehung, und mir ist klargeworden, daß ich nicht stark genug dafür bin. Mir ist auch klargeworden, daß ich fair dir gegenüber sein muß.«

Er tätschelte mein Haar und lächelte, beinahe wie ein Kind, schuldbewußt über die Wahrheit, die er mir sagen wollte.

»Bitte streichle mir nicht den Kopf und lächle mich nicht so schüchtern an«, sagte ich. »Sage mir bitte die Wahrheit.«

Sein Gesicht wurde ernst. »Wenn du nicht da bist, habe ich meine Gefühle unter Kontrolle, aber sobald ich dich sehe, liebe ich dein Gesicht, dein Haar, liebe es, dir zuzuhören, dich anzufassen. Ich liebe dich, und ich liebe es, dich zu lieben. All diese Gefühle sind wieder da, und ich werde nicht mit ihnen fertig.«

Am liebsten hätte ich geweint.

Er seufzte und holte tief Atem.

»Ich verstehe nicht, warum du mich liebst. Subjektiv schon, denke ich. Aber objektiv nicht.« Er wartete darauf, daß ich etwas sage.

»Verstehst du nicht, *warum* ich dich liebe oder *daß* ich dich liebe?«

»Beides verstehe ich nicht.«

»Laß uns unter die Decke kriechen«, sagte ich. Mehr wollte ich immer noch nicht sagen. Also redete er weiter.

»Es ist alles so verrückt im Moment. Ich möchte meiner Partei und meinem Land helfen. Politisch kann mich unsere Beziehung die Wahl kosten. Ich weiß, es ist furchtbar, das auszusprechen, aber es ist die Wahrheit. Und das kann ich meiner Partei nicht antun. Und meinen Sitz im Parlament möchte ich auch nicht verlieren. Aber unsere Liebe meiner Familie zu gestehen wäre dreimal schlimmer für mich. Meine Frau und meine Kinder waren immer die stabilisierende Kraft in meinem Leben. Ich habe mein ganzes Leben gearbeitet, meist bis zur Erschöpfung, und meine Familie hat es geduldig toleriert. Verstehst du, daß ich sie moralisch nicht verletzen darf? Meine Frau ist in ihrem Urteil anderen gegenüber unerbittlich, sie würde unsere Beziehung niemals begreifen. Sie ist sehr monopolistisch und beherrscht die Familie mit eiserner Hand.«

»Mit eiserner Hand?«

»Ja. Und ich halte das auch für gut. Daher würde sie mich sehr hart verurteilen und würde mein Bedürfnis nach dir absolut nicht verstehen.«

Ich versuchte zu begreifen, was er sagte, besonders da ich ihn nie zu etwas verpflichtet hatte.

»Nun hör mal zu, Liebling, niemand zwingt dich dazu, irgend etwas zu unternehmen. Ich ganz sicher nicht. Versteh das bitte. Ich mache mir vielmehr Gedanken darüber, was du glaubst, tun zu müssen.«

»Wie meinst du das?«

»In eine neue Freiheit auszubrechen bringt eine Menge Leid und Verantwortung mit sich. Vielleicht warst du bereit, das zu tun, als du mich kennengelernt hast. Aber nur bis zu einem gewissen Punkt. Und vielleicht hast du das Recht, dich in dein Niemandsland zurückzuziehen, damit du das noch ein wenig länger vermeiden kannst. Eine neue Freiheit für dich kann auch eine bessere Beziehung zu deiner Familie bedeuten.«

Er wurde blaß. »Ich weiß nicht.«

»Vielleicht sitzt du auch nur in deinem Niemandsland, weil deine eigene Leistungsfähigkeit dir zu große Angst macht. Ich habe das Gefühl, mich in dein Potential verliebt zu haben, und deshalb hast du Angst.«

Er sagte nichts.

»Ich glaube, ich muß dir die Frage stellen«, sagte ich.

»Welche Frage?«

»Kannst du ohne mich leben? Willst du ohne mich sein?«

Sein Gesicht wirkte schmerzvoll und angestrengt. Ich wartete auf seine Antwort, aufgewühlt, weil er mich so lange warten ließ und auch weil er eine solch übermenschliche Anstrengung machte, fair zu sein.

»Ich weiß nicht«, sagte er. »Ich vermute, ich muß ja sagen. Ich könnte zu meiner Einsamkeit zurückkehren, die du erkannt hast. Ja, ich glaube, ich könnte es.«

Ich spürte, wie ich innerlich zitterte. Es schien an mir zu liegen, es einfacher für ihn zu machen und zu gehen, *weil* er mich liebte.

Ich schluckte die Tränen hinunter. »Was soll ich tun?« fragte ich. »Ich weiß nicht, ob ich es aushalte, zu wissen, wie einsam ich dich mache, wenn ich gehe. Ganz zu schweigen von meiner Einsamkeit.«

»Ja«, sagte er. »Ich wäre verzweifelt, wenn du mich verläßt.«

»Und wenn du nicht verstehen kannst, daß ich dich sehr liebe, wie kannst du dann verstehen, wie du mich liebst? Wenn du dich selbst lieben würdest, wärst du freier, mich und auch andere zu lieben.«

Er bekam einen spöttischen Zug um den Mund. »Das verstehe ich nicht«, meinte er.

»Erst mußt du dich lieben, dann kannst du wirklich einen anderen Menschen lieben.«

»Ich verstehe immer noch nicht.«

»Es ist, als hättest du dein ganzes Leben damit verbracht, anderen Menschen zu helfen, und darüber hast du vergessen, dir selbst zu helfen.«

Er stand auf.

»Heißt das, du willst nicht weiter darüber sprechen?« fragte ich.

Er lachte und ließ sich auf mich fallen. »Es gibt eine Grenze, wieviel ich ertragen kann«, sagte er. »Du bist sehr stark.«

»Schonungslos ist das Wort. Aber du willst ja Schonungslosigkeit, sonst wärst du nicht hier.«

Er richtete sich neben mir auf: »Also gut. Es gibt drei Möglichkeiten. Eine – mit dem Betrügen politisch und persönlich weiterzumachen. Zweitens – das betrifft deine Lösung ... und ...«

»Moment. Was ist meine Lösung?«

»Die Lösung, die du gerade erwähnt hast. Du weißt doch ...«

Er konnte nicht einmal die Worte aussprechen: »Verlasse mich und gehe.«

»Und drittens – noch etwas länger nachzudenken.«

»Wir denken doch gerade darüber nach, oder etwa nicht?« sagte ich.

Er lachte.

»Na ja, zumindest sprechen wir wirklich darüber.«

Er sah aus dem Fenster.

»Weißt du, das ist das längste persönliche Gespräch, das ich je geführt habe.«

»Ich glaube, es ist das einzige persönliche Gespräch, das du je gehabt hast. Stimmt das?«

Wir sahen uns an.

»Hör mal zu«, sagte ich. »Ich will weder deine Ehe noch deine politische Karriere zerstören. Aber ich will auch nichts mit Betrug in irgendeiner Form zu tun haben, ob persönlich oder politisch oder sonst irgendwie.«

»Ich weiß«.

»Und was die Lösung angeht, wäre ich glücklich, wenn du gelöster wärest, wenn du bei mir bist, das ist alles. Nur so können wir weiter zusammensein.«

»Okay, ich verstehe. Ich versuche freier zu sein, und du machst den Betrug noch eine Weile länger mit.«

»Abgemacht. Aber da wäre noch etwas. Du hast recht, es gibt eine Grenze, wie weit meine Schonungslosigkeit gehen darf, aber es gibt auch eine Grenze, wie ›fair‹ du sein darfst. Bitte hör auf, fair zu sein, und habe einfach Spaß mit mir, und ich höre auf, schonungslos zu sein.«

»Abgemacht«, lachte er.

Er rollte die Augen, schüttelte den Kopf in gespielter Verzweiflung. Es war wundervoll, mit ihm zu sprechen: keine Feindseligkeiten, kein Aufgeben, kein Streit; nur ein tiefes, verzweifeltes Verlangen zu verstehen, was zwischen uns vorging.

Er zog sich an und ich mich ebenfalls. Er sagte, er habe ein Jugendtreffen in einer anderen Stadt, und er würde erst in zwei Tagen wieder in Stockholm sein. Dann würden wir uns sehen.

Ich hatte mich auf weiteren Betrug eingelassen, aber ich wollte nicht die echte und wirkliche Unmoral erwähnen, der er sich schuldig machte, indem er seiner Frau verschwieg, was beinahe seit einem Jahr dauerte. Und ich sagte nicht, daß ich glaubte, er habe Angst davor, daß sie ihn in der Öffentlichkeit verurteilen würde, wenn sie von uns wüßte. Das würde ihn nicht nur die Wahl kosten, sondern all seine Illusionen, die er darüber hatte, wie moralisch sie wirklich war ... oder nicht war.

Ich brachte ihn zu dem privaten Eingang, zeigte ihm, wie der Schlüssel funktionierte und sah, wie er in den Schnee hinausging, etwas über den Nachtwächter murmelte, der ihn möglicherweise erkennen könnte.

Dann erinnerte ich mich an etwas, das er gesagt hatte, was mir zu kompliziert schien, um es zu verstehen.

»Ich liebe es, bewundert zu werden«, hatte er gesagt, »aber nicht von Menschen, die mir wirklich etwas bedeuten.«

Darüber dachte ich lange nach, während ich einzuschlafen versuchte.

Von Menschen bewundert zu werden, die einem etwas bedeuten, hieß, dieser Bewunderung gerecht zu werden. Das war mehr als Öffentlichkeitsarbeit; das erforderte starke Qualitäten, die einer Prüfung unter ständiger Beobachtung über eine längere Zeitdauer hinweg standhalten mußten.

Die meisten Menschen fürchten enge persönliche Kontakte. Dadurch entstehen zu große Berührungsängste... ein paar Tage vielleicht, aber über längere Zeit hinweg wurde das zu bedrohlich. Die Ironie daran ist, daß wir alle uns nach Liebe sehnen. Wir verbringen unser Leben damit, einen Menschen zu suchen, der es mit uns teilt. Und wenn wir jemanden finden, der unsere Bedürfnisse erfüllen könnte, ziehen wir uns zurück.

10. Kapitel

> »Ich glaube, Unsterblichkeit ist die Wanderung einer Seele durch viele Leben oder Erfahrungen, und so wie diese gelebt, genützt und erlernt werden, helfen sie im nächsten, jedes wird reicher, glücklicher, höher, trägt mit sich nur die wirklichen Erinnerungen dessen, was früher war…«
>
> Louisa May Alcott
> *Briefe*

Ich sah Gerry drei Tage nicht. Nachts schlief ich nur vier Stunden; tagsüber machte ich kalte Spaziergänge im Schnee, aber ich bemerkte die Kälte nicht. Ich dachte über mein Leben nach, las einige der Bücher, die ich im Bodhi Tree gekauft hatte, hauptsächlich über Edgar Cayce. Dann holte ich die Adresse und Telefonnummer des schwedischen Trancemediums hervor, der Ambres vermittelte.

Ich rief Lars und seine Frau an, die mich vom Flughafen abgeholt hatten. Sie arbeiteten beide in der Werbung, waren gehobener Mittelstand, obwohl die Schweden nichts davon wissen wollen, daß sie immer noch in einer Klassengesellschaft leben. Ich hatte das Ehepaar vor ein paar Jahren während einer Tournee in Stockholm kennengelernt.

Sie stellten keine Fragen, warum ich in Stockholm war. Wir plauderten eine Weile am Telefon, und dabei erwähnte ich, daß ich einige metaphysische Bücher gelesen hatte, besonders über die spiritistischen Readings von Edgar Cayce.

»Ach ja«, sagte Lars. »Ich kenne die Arbeit von Edgar Cayce ziemlich gut.«

Ich war leicht erstaunt darüber, daß Edgar Cayce in Schweden bekannt war und ich in Amerika erst vor kurzem von ihm gehört hatte.

»Ein seltsamer Zufall, daß du ihn gerade jetzt erwähnst«, fuhr Lars fort. »Denn heute abend besuchen wir eine spiritistische

Sitzung mit einem schwedischen Trancemedium. Hättest du Lust mitzukommen?«

»Ein Trancemedium?« fragte ich. »Lars, du nimmst an spiritistischen Sitzungen teil?«

»Ja«, sagte er schlicht.

»Wie heißt das spiritistische Wesen?«

»Ambres.«

Nun, um es milde auszudrücken, dieser »Zufall« verfehlte seine Wirkung nicht. Während des Gesprächs hatte ich im Cayce-Buch geblättert. Jetzt klappte ich es entschlossen zu und sagte ja, ich würde gerne mitkommen. Ich war tatsächlich aus anderen Gründen, als Gerry zu sehen, in Schweden. Die Dinge wurden wirklich interessant.

Lars und Birgitta holten mich ab, fragten nicht, was ich seit meiner Ankunft getan hatte, und ich erzählte ihnen, ich hätte eine Idee für ein neues Buch, wollte dem hektischen Leben in Amerika eine Weile entfliehen, um Ruhe und Frieden im schwedischen Winter zu suchen. Sie schienen meine Erklärung zu akzeptieren, die Schweden sind im allgemeinen ziemlich zurückhaltend.

Wir fuhren in einen der Vororte von Stockholm, wo das Medium und seine Frau lebten. Sie sagten, der Mann heiße Sturé Johanssen und seine Frau Turid. Die geistige Wesenheit, die durch Sturé sprach, war in ganz Schweden bekannt.

»Viele Leute kommen zu den Lehrsitzungen von Ambres«, sagte Lars, »weil er vielen mit seinen medizinischen Diagnosen hilft.«

»Etwa so ähnlich wie Cayce?«

»Hm. Die Leute kommen aus ganz Schweden mit Problemen aller Art. Manche mit chronischen Leiden, manche mit unheilbaren Krankheiten, andere mit psychologischen Problemen, andere nur mit Fragen, woher die Menschheit kommt und wohin sie geht.«

»Und dieser Ambres hat auf all die Probleme eine Antwort?«

»Ja«, sagte Lars, »wenn die Menschen seinen ganzheitlichen Anweisungen genau folgen, finden sie gewöhnlich Erleichterung, und die meisten seiner Lehren handeln davon, die Kraft, die jeder von uns in sich hat, zu verstehen, daß wir nämlich alles wissen, wenn wir es nur erkennen und daran glauben.«

»Was ist, wenn jemand an unheilbarem Krebs leidet? Kann Ambres die Krankheit zum Stillstand bringen?«

»Nein«, sagte er. »Ambres geht es nicht darum, eine Krankheit aufzuhalten. Er hilft den Menschen geistig und spirituell auf den richtigen Weg, damit sie selbst versuchen, dies zu tun oder zumindest mit den damit verbundenen emotionellen Problemen fertig zu werden. Es ist grundsätzlich eine ganzheitliche und spirituelle Methode.«

»Hat er damit Erfolg?«

»Die Basis von Ambres' Lehren ist es, uns zu erziehen, daß wir die Kraft und das Wissen in uns haben, alles zu werden, was wir werden wollen, auch wenn uns das noch nicht bewußt ist. Er lehrt, daß unsere positive Energie ebenso ehrfurchtgebietend ist wie seine, mit dem Unterschied, daß *er* als geistige Wesenheit gegenwärtig im körperlosen Zustand sich dessen bewußt ist und wir nicht.«

»Was ist eigentlich eine ›geistige Wesenheit‹? Ich verstehe das nicht ganz.«

»Wir sind alle geistige Wesenheiten«, erklärte Lars. »Wir bekennen uns nur nicht dazu. Wir sind geistige Wesenheiten aus Energie, die sich gegenwärtig in einem physischen Körper befinden, und Ambres ist eine geistige Wesenheit aus Energie, die sich gegenwärtig nicht in einem Körper befindet. Natürlich ist er hoch entwikkelt, aber das sind wir auch. Der Unterschied ist, daß wir nicht daran glauben.«

Erinnerungen von dem, was David mir gesagt hatte, Bruchstücke von Sätzen aus Artikeln und Büchern, die ich gelesen hatte, schossen mir durch den Kopf. Sai Baba in Indien hatte ähnliches gesagt. Ebenso der geistige Meister Krishnamurti. »Wir besitzen alle Fähigkeiten«, hatten sie gesagt, »und das Erkennen unserer scheinbar unsichtbaren, geistigen Kraft wird unsere Entwicklung beschleunigen.«

»Du und Birgitta«, sagte ich, »Ihr glaubt also, durch Sturé Johanssen spricht tatsächlich eine geistige Wesenheit?«

»Ja, sicher«, sagte Birgitta. »Sollte keine geistige Wesenheit einer hochentwickelten Bewußtseinsebene durch ihn sprechen, dann ist Sturé Johanssen nicht nur ein hervorragender Schauspieler, er hat auch Kenntnisse und Heilmethoden, die bereits viele

Leben sowohl körperlich als auch seelisch gerettet haben. Er hat den Menschen Dinge gesagt, die so persönlicher Natur sind, daß es kaum vorstellbar ist, woher Sturé sie wissen soll. Und niemand weiß, woher er das medizinische Fachwissen hat, das er bei seinen Diagnosen mitteilt. Aber jeder Mensch muß selbst glauben. Ambres gibt auch Auskünfte über vergangene Leben, die den Menschen so vertraut sind und die starke Bezüge haben zu dem Leben, das sie heute führen.«

Ich kurbelte das Wagenfenster herunter und holte tief Luft.

»Heißt das, es besteht die Möglichkeit, Informationen von vergangenem Leben im Zusammenhang mit gegenwärtigem Leben zu ermitteln?«

»Ja«, sagte Lars. »Aber Ambres unterstreicht ausdrücklich, *dieses* Leben ist das wichtigste, denn sonst würde uns die Vergangenheit überwältigen, statt daß wir uns auf die Gegenwart konzentrieren.«

»Beantwortet er immer Fragen nach einem vergangenen Leben?«

»Nein«, antwortete Birgitta, »nicht immer. Manchmal schätzt er den Fragenden so ein, daß für diesen die Bewertung der Gegenwart viel wichtiger ist. Anderen wieder gibt er ausführliche Vergangenheits-Readings. Das hängt vom Einzelfall ab.«

Ich hörte eine Weile schweigend zu, wie Birgitta und Lars die Fälle aufzählten, in denen Ambres Fragen und Probleme gelöst hatte, unter denen die Menschen litten. Und andere, die einfach aus Neugier wissen wollten, wie das Phänomen spiritueller Vermittlung vor sich ging.

»Wir haben viele Freunde in Amerika und auch hier in Europa«, fuhr Lars fort, »die sich für geistige Metaphysik interessieren. Und Trance-Übermittlung von geistigen Wesenheiten breitet sich immer mehr aus. Es scheint, je mehr wir uns dem Ende des Jahrtausends nähern, desto mehr geistige Hilfe bekommen wir, wenn wir sie nur in Anspruch nehmen.«

»Gibt es unter den Medien auch Schwindler? Wie kann man den Unterschied feststellen zwischen einem, der nur so tut und einem, der wirklich in Trance ist?« fragte ich.

Lars dachte über meine Frage nach, als habe er sie sich nie gestellt. Er sah Birgitta an. Beide zuckten die Schultern.

»Keine Ahnung«, antwortete er. »Vermutlich erkennt man den Schwindel einfach. Das übermittelte Material ist normalerweise zu kompliziert oder zu persönlich, als daß ein Medium es erfinden könnte. Du würdest den Unterschied auf alle Fälle durch die Ergebnisse, die du bekommst, feststellen. Wir haben es noch mit keinem Schwindler zu tun gehabt, deshalb können wir es nicht genau sagen.«

Wieder sog ich die kristallklare schwedische Winterluft tief in meine Lungen. »Wer ist dieser Sturé Johanssen?«

»Sturé ist Tischler«, erklärte Lars, »und kein bißchen an der geistigen Welt interessiert.«

»Macht es ihm etwas aus, als Instrument benutzt zu werden, wenn er seine Zeit damit verbringen könnte, ein Bücherregal zu bauen oder sonst was?« fragte ich.

Lars lachte. »Nein«, antwortete er. »Er sagt, wenn er den Leuten hilft, dann tut er es gern. Er ist ein gutmütiger Mann. Einfach, schlicht, ein herzensguter Mensch.«

»Und wie klingt Ambres im Vergleich zu Sturé?«

»Ambres' Sprache ist manchmal ziemlich schwer verständlich«, sagte Lars. »Er spricht altes Schwedisch, so eine Art Bibelsprache. Sein Wortschatz unterscheidet sich völlig von dem Sturés, hat nichts mit unserem modernen Schwedisch zu tun. Ambres sagt, die Sprache reiche nicht aus, manches von dem Wissen, was er uns vermitteln will, auszudrücken.«

»Was heißt das?«

»Er versucht uns, über Dimensionen und Konzeptionen zu belehren, über die wir noch nie nachgedacht haben, und er sagt, daß jede Sprache in sich selbst eine Begrenzung darstellt.«

»Tut mir leid«, sagte ich aufrichtig, »kannst du dich deutlicher ausdrücken?«

Lars nickte. »Unsere Sprachen in Wort und Schrift beschreiben nur die Dimensionen, die sich auf unsere fünf Sinne beziehen. Unsere physikalische Welt. Erst durch die Entwicklung der Astrophysik und Psychodynamik beginnen wir zu begreifen, daß wir eine Sprache entwickeln müssen, um eine für uns unsichtbare Welt zu erfassen. Allmählich beginnen wir die aufregenden Dimensionen zu entdecken, die wir spöttelnd als metaphysische Welt definieren. Und Ambres hat manchmal Schwierigkeiten, uns begreiflich zu machen, das Leben von einem nichtphysikalischen Standpunkt aus zu betrachten.«

Ich schloß die Augen, während wir durch die Winternacht fuhren, und versuchte mir vorzustellen, wie man einen »nichtphysikalischen« Zustand empfinden würde. Bei allen Diskussionen über Metaphysik wählten die Leute Wörter wie »Okkultismus«, »astrale Ebene«, »kosmische Schwingungen«, »das Gedächtnis des Äthers«, »Seele«, »Gott« – das Standardvokabular eines Studiums, das so alt wie die Zeit ist. Ich reagierte darauf – wie immer – mit nervösem Spott, sarkastisch-herablassendem Lachen, Mißtrauen oder offener Verachtung. Aber jetzt wollte ich mehr wissen. Ich wollte selbst ein Medium »ausprobieren«.

Lars sprach weiter, ich hörte mit geschlossenen Augen zu. »Jede Wissenschaft hat ihre eigene Terminologie«, sagte er, »gewöhnlich unverständlich für den Laien, um ihre Mysterien, Wunder und Mirakel zu verschleiern. Das trifft auch auf alle Religionen zu. Wir nehmen wissenschaftliche Wunder hin, ohne sie wirklich zu verstehen, und wir glauben an religiöse Wunder. Ich frage mich, warum wir in der westlichen Welt so große Schwierigkeiten mit dem ganzen Konzept der Erfahrung und des Denkens haben, das allgemein als ›Okkultismus‹ bezeichnet wird.«

Ich öffnete die Augen. »Weil wir«, sagte ich, »bei ›Okkultismus‹ an schwarze Mächte und *Rosemaries Baby* und so was denken. Man bekommt Angst davor. Die Geister der Toten und all das sind ja auch nicht gerade erheiternde Dinge, oder?«

Lars kicherte. »Na ja, viele Leute haben Okkultismus dazu benutzt, um einen Blick auf die dunkle Seite der metaphysischen Welt zu werfen. Aber die helle Seite ist unglaublich schön. Man kann in allem Existenten nur die negative Seite sehen, doch die positive Schönheit kann dein Leben ändern.«

Ich schloß wieder die Augen. Da saß ich in einem Wagen, fuhr durch Stockholm mit einem Ehepaar, das redete wie David in New York und Cat in den Calabasas Bergen in Kalifornien. Breitete sich dieses Denken über die ganze Welt aus?

Als habe Lars meine Gedanken gehört, sagte er: »Millionen Menschen in der ganzen Welt interessieren sich für diese Zusammenhänge. Eine ganze Industrie ist entstanden; Bücher und Schriften, Lehrstätten, Vorträge; viele Menschen beschäftigen sich mit den metaphysischen Dimensionen des Lebens. Ich würde das ohnehin nicht als Okkultismus bezeichnen, sondern als Interesse an geistigen Dimensionen des Lebens.«

Lars und Birgitta fingen gleichzeitig an zu sprechen. Wieder hoben sie hervor, wie »wunderbar verbindend« ihre geistigen Interessen geworden waren. Sie sagten, dadurch seien sie glücklichere und liebesfähigere Menschen geworden. In ihren vielen Sitzungen mit Ambres hatten sie viele neue Freunde gewonnen, die an die gleiche Sache glaubten, und von keinem schien in Frage gestellt zu werden, daß Ambres tatsächlich eine ›geistige Wesenheit‹ war, die von astraler Ebene zu ihnen sprach.

Ich wollte nicht respektlos sein, doch ich fragte noch einmal: »Und ihr glaubt aufrichtig, daß Ambres, diese geistige Wesenheit, tatsächlich existiert?«

Birgitta wandte sich an mich, Lars lächelte geduldig. »Es ist beinahe unmöglich es jemandem zu erklären, der nicht die Aufgeschlossenheit besitzt, zumindest die Möglichkeit in Erwägung zu ziehen.«

Ich blickte sinnend hinaus auf die schwedische Landschaft. Jedes schneebedeckte Haus, jeder Baum sah aus wie eine Postkarte. Der Polsterung von Lars' Volvo entströmte ein feiner Duft nach Leder. Ziemlich erstaunlich, dachte ich, ein erfolgreicher, mächtiger Werbemann, der zu einer spiritistischen Sitzung mit einem Trancemedium fährt.

Etwa fünfzehn Kilometer außerhalb von Stockholm kamen wir in einen ruhigen Vorort. An jeder Ecke standen altmodische Straßenlaternen. Sandkisten und Kinderschaukeln gab es vor den Reihenhäusern, die absolut identisch wirkten, und sich lediglich durch Blumenkästen, Schneemänner oder Bäume in den Vorgärten voneinander unterschieden.

Lars parkte den Wagen, und wir stiegen aus. »Ich würde mindestens einmal in der Woche ins falsche Haus latschen«, sagte ich.

Lars lächelte und klingelte an einer Haustür. Eine fröhliche, weibliche Stimme ertönte von drinnen, eine mollige Frau mit rosigen Wangen öffnete die Tür und begrüßte uns mit einem schwedischen Wortschwall.

»Das ist Turid«, sagte Lars. »Es tut ihr leid, daß sie kein

Englisch spricht. Sie kennt deine Filme und freut sich, daß du Ambres kennenlernen willst.«

Turid führte uns ins Wohnzimmer: moderne Couch, Bücherregal, die Imitation einer Tiffanylampe über dem niedrigen Couchtisch aus Holz. Um den Tisch saßen Leute. In den Blumentöpfen rankte sich immergrüner Efeu.

»Die Möbel hat Sturé selbst gemacht«, sagte Lars.

Turid stellte mich ihren anderen Freunden vor, Lars übersetzte, sie nannte mich Shirley und erwähnte meinen Familiennamen nicht.

»Sturé ruht sich aus«, sagte sie. »Er kommt gleich.« Sie lud uns ein, Platz zu nehmen und zu essen. Auf dem Tisch standen eine große Käseplatte und Bier. Wir aßen schwedische Cracker und Käse.

»Sturé und Turid haben ihr Leben geistiger Kommunikation gewidmet«, sagte Lars. »Aber Turid macht sich Sorgen, daß Sturé seine Energie durch die Trance-Sitzungen erschöpfen könnte, trotzdem wollen sie so vielen Leuten wie möglich helfen.«

»Warum?« fragte ich. »Hat Sturé seinen Beruf aufgegeben?«

»Fast.«

»Und wovon leben sie?«

»Die Leute geben soviel Geld, wie sie es für angemessen halten.«

Hier war also ein schwedischer Tischler, der plötzlich feststellte, daß eine geistige Stimme durch ihn sprach und der sein normales Leben aufgab, um Leuten zu helfen, indem er sich als Instrument für die Übermittlung von Botschaften dieses geistigen Wesens zur Verfügung stellte, ähnlich wie Edgar Cayce. Waren sie vergleichbar mit Moses, Abraham und den Propheten aus der Bibel? Waren es dieselben Phänomene heute wie damals – nur in anderer Form?

»Warum tut er das, Lars?« fragte ich.

»Er kann es nicht erklären. Er spürt nur, daß er es tun muß. Er weiß, die Welt verschlechtert sich, und er spürt, dies ist ein Weg, geistige Botschaften zu vermitteln, die den Verlauf der Welt beeinflussen können. Ambres' Botschaften haben zum Beispiel unser Leben verändert. Ich kann positivere und menschenfreundlichere Entschlüsse treffen, weil ich mehr über meinen Daseinszweck als menschliches Wesen weiß.«

Die Gäste unterhielten sich leise miteinander, aßen Käse und tranken Bier. Einige sprachen über Begebenheiten in ihrem Leben. Andere diskutierten über geistige Wahrheiten, die sie glaubten, nicht richtig verstanden zu haben.

Dann betrat Sturé still das Zimmer. Er war etwa einsfünfundsiebzig groß, stämmig und untersetzt, mit festem Gang und klarer, gedämpfter Stimme. Er wirkte zunächst etwas schüchtern auf mich, doch sein Händedruck war kräftig, als Lars uns vorstellte, Sturé und mich in Schwedisch begrüßte. Sein Gesicht war ausgesprochen gütig. Er mußte etwa Fünfunddreißig sein. Einen Augenblick stand er herum, begrüßte scheu die anderen Gäste, bis Turid ihm bedeutete, sich zu setzen. Sie nahmen nebeneinander auf Stühlen mit Holzlehnen Platz. Neben Turid stand ein Glas Wasser auf dem Tisch.

»Wir müssen sofort anfangen«, sagte sie entschuldigend, »wir erwarten später noch andere Freunde.«

Sie löschte die Lichter, zündete eine Kerze an. Sturé saß ruhig, schien sich zu entspannen.

»Ich bitte um einige Minuten stiller Meditation«, sagte Turid.

Wir senkten alle die Köpfe und warteten darauf, daß Sturé sich in Trance versetzte, damit Ambres erscheinen konnte.

Ich saß in dem dämmerigen Raum, der nur von der Kerze erleuchtet war, und dachte daran, was Gerry sagen würde, wenn er mich hier sitzen sähe. Er störte mich, und ich konzentrierte mich stark auf die Kerze. Ich hatte nie viel davon gehalten, etwas in Gemeinschaft zu tun, zog es vor, Dinge auf meine Weise allein zu erledigen. Aber in vielen Büchern, die ich gelesen hatte, hieß es, positive kollektive Energie sei für jeden einzelnen der Gemeinschaft nutzbringender und heilsamer als die individuelle, einzelne Energie. Ein Schauspieler oder öffentlicher Redner kennt die Kraft, die vom Publikum ausgeht, und jeder der im Publikum sitzt, spürt und teilt das Gefühl der Gemeinschaft. Bald überkam mich ein Gefühl der Einheit mit den anderen Anwesenden.

Etwa zehn schweigende Minuten verstrichen. Mein Kassettenrecorder schnurrte leise neben mir. Lars saß nahe am Recorder. Er wollte versuchen, das alte Schwedisch, so gut er konnte, zu übersetzen.

Sturé saß reglos, atmete tief und regelmäßig. Seine Augen waren geschlossen, die Hände lagen unbewegt auf seinen kräftigen Schenkeln. Sein braunes, lockiges Haar war über den Ohren kurz geschnitten. Mir wurde bewußt, wie ich mich auf Kleinigkeiten konzentrierte. Nach etwa fünfzehn Minuten fing er an, leicht zu zittern..., es war ein Zittern, als durchliefe elektrische Ladung seinen Körper. Turid nahm seine Hand und lächelte. Lars flüsterte in mein Ohr: »Wegen der elektromagnetischen Kraft von Ambres' geistiger Persönlichkeit braucht Sturé Turids erdgebundene Energie, um seinen Körper zu neutralisieren. Deshalb müssen sie immer zusammenarbeiten.«

Sturés Körper wurde plötzlich starr, er saß kerzengerade da. Seine Augen öffneten sich. Dann spannte sich sein Kopf nach vorn und neigte sich seitlich. Sein ganzer Körper wurde geschüttelt, und als das Schütteln aufhörte, öffnete er den Mund und sprach mit gutturaler Stimme. Die Stimme hatte nichts mit der des Mannes zu tun, dem ich vor kurzem vorgestellt worden war. Lars beugte sich zu mir und flüsterte: »Ambres begrüßt uns und sagt, er freue sich, daß wir zusammengekommen sind. Er gibt uns ein Reading über das Niveau der geistigen Energie in diesem Raum.«

Ich weiß nicht, was ich dachte. Ich wollte Lars fragen, wie Ambres die geistige Energie messen könnte. Doch bevor ich eine Frage stellen konnte, hatte die Sitzung sich bereits in einen Dialog entwickelt zwischen Ambres und den Menschen, die gekommen waren, um von ihm zu lernen.

Lars übersetzte, so schnell er konnte. Die meisten der Anwesenden schienen nicht daran interessiert zu sein zu erfahren, wie Ambres arbeitete, diesen Vorgang hatten sie bereits akzeptiert. Sie waren an den »Lehren« interessiert, die Ambres mitteilte, ihren Fragen zufolge waren sie weder an Informationen aus ihrem vergangenen Leben noch an Energieebenen interessiert. Sie stellten Ambres Fragen nach dem Beginn der Erschaffung der Welt!

Lars versuchte, mit der Übersetzung klarzukommen. Ich versuchte, das, was geschah, zu erfassen. Ambres sprach in schnellem, stetigem Rhythmus. Ich sage Ambres, weil es sich »anhörte« wie Ambres. Ich war sicher, Sturé hatte nichts damit zu tun. Er fungierte als eine Art Telefon, durch das eine geistige Wesenheit sprach. Ich spürte seine Persönlichkeit, die Stimmung, den alten Rhythmus der Gedanken dieses Wesens namens Ambres. Er gestikulierte und lachte mit seiner eigenen, nicht mit Sturés Energie. So wirkte es wenigstens auf mich. Seine Haltung war kerzengerade und steif; das waren nicht die lockeren Bewegungen des Mannes, den ich vor einer halben Stunde beobachtet hatte.

Lars übersetzte in verkürzter Form, als Ambres Gott als Intelligenz beschrieb. Er beschrieb die ersten Regungen der Gedanken Gottes und die Erschaffung der Materie. Er beschrieb die Geburt der Welten und Welten in diesen Welten; und Universen und Universen in den Universen. Er beschrieb die Liebe Gottes zu seinen Schöpfungen und seinen Wunsch, Liebe in Form von »Gefühlen« zu bekommen. Und er beschrieb Gottes Wunsch, neues Leben zu erschaffen.

Jetzt verstand ich, was Lars mit den Grenzen unserer Sprache meinte. Die irdische Sprache war in der Tat begrenzt!

Etwa zwei Stunden vergingen. Lars übersetzte allgemeine Zusammenhänge. Ambres sprach vom Aufstieg und Fall von Kulturen, sprach vom Bau der Großen Pyramide, die eine wichtige Bedeutung zu haben schien. Er nannte sie »eine Bibliothek aus Stein«. Irgendwie konnte ich mir das, was er sagte, vergegenwärtigen. Die Anwesenden stellten Fragen, und Ambres erkannte, daß fremde »Wesenheiten« im Raum seien, die nur mit »fremder Zunge« sprachen; er sagte, er sei Schwede und auch wenn er in »fremder Zunge« sprechen könne, würde das dem »Instrument« schwerfallen, würde zuviel Energie aus ihm ziehen, wegen der Anstrengung, Worte in einer Sprache, die es nicht kannte, zu formulieren.

Trotz des monumentalen Themas der Erschaffung der Welt schien die Wesenheit Ambres Sinn für Humor im menschlichen Sinn zu haben. Ich hätte gern gewußt, vor wie langer Zeit *er* wohl ein Mensch war, ob er je ein Mensch war, doch in dieser Sitzung schien keine Zeit für meine oberflächlichen Fragen. Ich spürte nur, daß alle Anwesenden weiter fortgeschritten waren als ich. Ich lehnte mich zurück und ließ das Geschehen auf mich einwirken.

Ambres-Sturé stand auf, ging in gebeugter Haltung durchs Zimmer. Nichts an seiner Haltung erinnerte an den Sturé, den ich kennengelernt hatte. Manchmal lachte er und machte Witze, um einen Gesichtspunkt besonders hervorzuheben. Er trat an eine Zeichentafel an der Wand, zeichnete Diagramme, geometrische Figuren und Spiralen auf, um seine Beschreibungen verständlicher zu machen. Er stellte der Gruppe Fragen wie ein Lehrer, der eine Klasse unterrichtet. Die Gruppe war aufmerksam und angeregt; wenn die Teilnehmer einen Punkt nicht verstanden, erklärte er ihn geduldig noch einmal. Einige Male rügte er jemanden, der offenbar seine Hausaufgaben nicht ordentlich gemacht hatte. Dann setzte er sich wieder neben Turid.

»Das Instrument verliert seine Energie«, sagte Ambres. »Es muß sich wieder revitalisieren.«

Er sagte, er hoffe, uns bald wieder zu treffen, wir sollen gut zueinander sein. Dann sprach er ein Gebet in seiner alten Sprache, dankte Gott für die Gnade, dienen zu dürfen.

Sturé zitterte. Die elektrische Ladung, die sich Ambres nannte, schien seinen Körper zu verlassen. Turid reichte ihrem Mann schnell das Glas Wasser. Sturé leerte es auf einen Zug. Langsam kam er zu seinem eigenen Bewußtsein und stand auf.

Ich wußte nicht, was ich denken sollte. Die Gäste sprachen leise miteinander, fragten mich, ob mein Schwedisch ausreiche, um die Vorgänge verstanden zu haben, und ich sagte, ja, wollte nicht zugeben, daß der Vorgang an sich mir eine Weile Schwierigkeiten bereiten würde, geschweige denn die Mitteilungen. Aber sie schienen Verständnis dafür zu haben und sagten, wenn ich es einmal akzeptiert hätte, würde ich Nutzen daraus ziehen.

Nutzen? In meinem Kopf wirbelte alles durcheinander. Ich war nur froh, vor dieser Begegnung Cayce gelesen zu haben.

Ich begab mich zu Sturé hinüber.

»Ich danke Ihnen«, sagte ich. »Ich hoffe, Sie fühlen sich wohl. So etwas habe ich noch nie erlebt.« Lars übersetzte, und Sturé schüttelte mir die Hand. Er wirkte müde, aber ruhig. Seine Augen waren feucht und gütig. Er sagte, er hoffe, ich habe etwas von Ambres gelernt, meinte, er würde selbst gern eines Tages mit ihm sprechen und zuckte leicht die Schultern, als verstünde er selbst nicht, was wirklich vor sich ging. Ich war verblüfft von seiner offenen Einfachheit. Turid legte ihren Arm um mich.

»Ambres ist ein großer Lehrer«, sagte sie. »Ich bin glücklich, daß Sie ihn gehört haben. Sturé muß sich jetzt ausruhen.«

Sie brachte Lars, Birgitta und mich zur Tür und sagte, wir könnten morgen darüber sprechen, wenn wir wollten.

Wir verabschiedeten uns von den anderen und gingen. Draußen schneite es. Der Schneemann im Sandkasten war unter dem frischen Schnee zu einem unförmigen Klumpen geworden.

Wir drei gingen unter dem grauen Himmel zum Wagen.

»Wie fandest du es?« fragte Lars.

Ich wollte etwas Tiefsinniges sagen.

»Ich glaube, ich brauche Zeit, um darüber nachzudenken«, wich ich aus. »Weißt du, ich fange an zu glauben, daß ich irgendwie hierhergeführt wurde. Es ist mir in letzter Zeit zuviel passiert, um an Zufälle zu glauben. Vielleicht mußte ich nach Stockholm kommen...«

Lars und Birgitta lächelten. Auf der Fahrt sprachen wir nicht viel, jeder war in seine eigenen Gedanken versunken. Ich dachte über die Reihe von Zufällen in meinem Leben nach. Ja, ich fing an, an einen vorbestimmten Plan zu glauben, der sich ausbreitete, gemäß meines Bewußtseins und meiner Bereitschaft zu akzeptieren, wofür ich reif war. Als müßten die Vorgänge und Ereignisse geschehen, wenn ich dies zuließe. Die Festsetzung des Zeitpunkts lag an mir, aber das Unvermeidliche schien fixiert und vorherbestimmt. Meine Gedanken verblüfften mich. Ich hatte nie an solche Dinge geglaubt. Die Aneinanderreihung von Zufällen in meiner Beziehung zu Gerry: ihre ganze Art, die damit verbundenen Frustrationen politischer Realitäten und negativer Hindernisse, parallel dazu meine Freundschaft zu David und mein wachsendes Verständnis für seine geistigen Ansichten –, all das zwang mir sanft ein Bewußtsein anderer Dimensionen auf.

Ich kam mir vor wie ein Beobachter zwischen zwei Stühlen dualistischer Realitäten. Und ich spürte, wie ich allmählich ein Verständnis für beide Standpunkte entwickelte, die, wenn ich darüber nachdachte, die Dualitäten des Lebens zu repräsentieren schienen (etwas Ähnliches hatte mein Vater gesagt) – die Erdenrealität und die kosmisch geistige Realität. Vielleicht waren beide für menschliches Glücksempfinden wichtig.

Mir wurde immer klarer, daß es kurzsichtig, voreingenommen

und vermutlich falsch war, nur einen Standpunkt als einzig wahre Realität gelten zu lassen. Möglicherweise bestanden alle menschlichen Wesen aus Verstand, Körper und Geist, wie die großen Alten versucht hatten, uns zu lehren. Das war ihr Vermächtnis. Möglicherweise mußte ich das *wieder* erlernen.

Ich verabschiedete mich von Lars und Birgitta.

11. *Kapitel*

> »Es gibt ein Prinzip, das der Beweis gegen alle Information ist, der Beweis gegen alle Argumente, das nie versagt, den Menschen in immerwährender Unwissenheit zu lassen; dieses Prinzip ist Ablehnung von vornherein, ohne Untersuchung.«
>
> Herbert Spencer

Als ich das Hotelzimmer betrat, schrillte das Telefon, ich hob ab.

»Hallo«, sagte Gerry, »wie geht es dir?«

»Gut«, antwortete ich.

»Tut mir leid, ich habe mich ein paar Tage verspätet.«

»Macht nichts. Ich weiß, du hast viel zu tun.«

»Ja.«

»Wie fühlst du dich?«

»Der Schnee auf den Bäumen ist paradiesisch.

»Ja, es muß wunderschön sein auf dem Land.«

»Meine Frau ist aus London angekommen.«

Mir blieb die Luft weg. Ich konnte nichts sagen. Ich war wie gelähmt. Hatte er gewußt, daß sie kommt? Hatte er sie gebeten zu kommen?

»Hallo?« fragte er.

»Ich. Ich bin noch dran.«

»Ja..., ich komme rüber.«

»Ja, gut. Ich bin hier.«

Ich geriet ins Schleudern. Mir war schlecht, ich war wütend. In meinem Magen war ein Loch. Was würden Edgar Cayce oder Ambres in diesem Fall raten? Ich versuchte meinen Kopf zu beruhigen, mich in geistige Harmonie zu versetzen. Vergeblich. Es war alles Quatsch, wenn es um gelebte Wirklichkeit ging. Ich mußte unwillkürlich über meine oberflächliche Denkweise lachen.

Gerry kam, ich war zugeknöpft, konnte mich nicht mitteilen.

Wir liebten uns, aber ich hatte Angst. Er sagte nichts –, weder über seine Frau noch über meine Reaktion. Ich auch nicht.

Er fragte mich, ob sein Haar nach Parfum rieche. Ich sagte, er wisse, daß ich seit Monaten keines benutze.

Als ich die Badezimmertür öffnete, um zu fragen, ob er etwas brauche, saß er wie ein viel zu großer Embryo in der Wanne, wusch sich und sah aus, als sei er noch nicht geboren.

Für die nächsten zwei Tage und Nächte blieb er verschwunden.

Ich schrieb. Ich schrieb alles, was ich fühlte.

Ich schrieb, bis mir der Kopf rauchte. Ich lebte alles noch einmal durch, schrieb es auf, um es zu verstehen, um zu entscheiden, was ich tun sollte. Ich versuchte, der Mensch zu bleiben, der ich war, zu tun, was ich tun wollte – mit oder ohne Gerry. Ich schrieb, um mich selbst zu begreifen. Ich schrieb über mein Leben, meine Gedanken und meine Fragen. Ich schrieb tagelang.

Immer wenn Gerry anrief, sagte ich ihm, daß ich schreibe. Er freute sich, daß ich etwas tue. Dadurch fühle er sich weniger schuldig, mich nicht sehen zu können, meinte er. Ich sagte ihm, er solle sich darüber keine Gedanken machen. Ich sei ein Mensch, der immer eine Beschäftigung finde. Anschließend hatte ich Schuldgefühle, weil ich teilweise über ihn schrieb und es ihn nicht wissen ließ.

Am sechsten Abend gegen halb zehn war er mit seiner Arbeit fertig, rief an und sagte, er wolle mich sehen, müsse aber zu seiner Frau. Ich antwortete, gut.

Ich schrieb bis tief in die Nacht, stand um sechs auf und schrieb weiter. Ich verließ das Hotelzimmer überhaupt nicht. Ich schrieb wie in ein ausführliches Tagebuch, eine Art Selbstgespräch.

Am nächsten Abend kam er. Wir aßen und redeten. Er aß Kiwis und Melone. Er trug eine schmale, türkisfarbene Krawatte, ein Geschenk der kleinen Stadt, die er am Tag zuvor besucht hatte. Ich ging durchs Zimmer, um Tee zu holen. Er hielt mich fest, zog mich an sich. Ich rührte mich nicht. Langsam, mit sanfter Zärtlichkeit küßte er meine Augen, mein Kinn, mein Haar, und schließlich meine Lippen. Er umarmte mich, preßte sich an mich. Ich stand still.

Mit hinterhältiger Zielstrebigkeit führte er mich ins Schlafzimmer. Ich wollte nicht. Er zwang mich aufs Bett und küßte mich lang und tief, als wolle er ausprobieren, wie weit sein Recht ging, sich das zu nehmen, was er haben wollte. Ich erwiderte seine Zärtlichkeiten kaum. Er zog mir meinen dicken Wollpullover aus, seine Hände tasteten sich über meinen ganzen Körper.

Er versuchte, mich weiter auszuziehen, seine Hände schlüpften in meine Hose, glitten um mich und unter mich. Dann nahm er mein Gesicht in die Hände, zerdrückte mir das Haar.

»Ich liebe dich«, sagte er.

Ich sagte nichts.

»Ich sagte, ich liebe dich.«

Ich sagte nichts.

Dann brach es aus ihm wie aus einem berstenden Damm: »Ich liebe dich, ich liebe dich, ich liebe dich ...«

Wir lagen nebeneinander, bis die Wirklichkeit wieder zu uns zurückschwamm.

Er setzte sich auf, schaute über mich hinweg aus dem Fenster. Er sah aus wie ein hundertjähriger Greis.

»Woran denkst du?« fragte er. Zum ersten Mal wollte er wissen, was ich dachte.

»Ich denke daran, wie unwirklich das alles ist«, sagte ich. »Ich habe von diesem Zimmer aus den Schlepper gesehen, wie er das Eis in der Bucht aufgebrochen hat, habe zugesehen, wie sechs Lagen Schnee auf die Straße unter meinem Fenster fielen. Ich habe Knäckebrot und Butter gegessen und sonst nichts. Ich habe geschrieben und geschrieben und geschrieben, bis meine Hand weh tat. Ich bin der Teppich, die Möbel und die kalte Luft geworden. Und nun bist du hier. Du bist hier, und das erscheint mir unwirklich.«

»Vielleicht ist das, was wir tun, wirklich?«

»Ja, vielleicht.« Ich schüttelte mich, um mich in einen Normalzustand zurückzuzwingen. »Und jetzt mußt du in deine Unwirklichkeit zurückkehren.«

Er stand auf und ging ins Bad. Er kam zurück.

»Ich liebe dich«, sagte er.

Ich hielt ihn in meinen Armen.

»Ich danke dir, Gerry. Danke.«

Er strahlte. Seine dunklen Augen glänzten. Er ging wieder ins Bad. Und kam zurück.

»Ich liebe dich«, wiederholte er.
»Ja«, sagte ich. »Ich liebe dich auch.«
»Aber ich verstehe immer noch nicht, warum. Ich verstehe immer noch nicht, warum du mich willst.«
»Ich auch nicht«, antwortete ich. »Eigentlich verstehe ich kaum etwas von dem, was da passiert.«
Er schüttelte den Kopf.
»Und mehr als alles«, sagte er, »wünsche ich mir, eine ganze Nacht mit dir zu verbringen.«
»Wahrscheinlich deshalb, weil das jetzt nicht möglich ist.«
»Nein, ich kenne mich besser.«
Er nickte ernst und stand wieder auf. Diesmal schaffte er es bis ins Bad. Naß und kalt kam er zurück. Ich trocknete ihn ab. Er zog mich an sich und streichelte mich zärtlich.
Ich trocknete sein Haar mit dem Fön, während er Strümpfe und Schuhe anzog.
Dann sprachen wir über seine Pläne für die nächsten zwei Tage. Er hatte Besprechungen und Pressekonferenzen.
Ich sagte ihm, ich müsse bald nach Amerika zurück. Er sagte, er könne mich am nächsten Tag nicht sehen; sein Terminkalender sei zu voll. Ich sagte: »In Ordnung, es macht nichts.«
Er zog Mantel und Pelzhandschuhe an und ging zur Tür. Anstatt einfach zu gehen wie sonst, drehte er sich um und fragte: »Wie steht's mit deiner Schreiberei?«
»Gut«, sagte ich. »Gut. Ich bin nur nicht sicher, wohin es mich bringt.«
Er sah mich an. »Vielleicht sollte es einfach vorübergehen«, sagte er. Seine Worte zerschnitten die Luft. Ich wußte nicht, was er meinte, oder vielleicht wußte ich es doch.
Er zwinkerte mir zu, sagte »Ciao« und schloß die Tür hinter sich.
Tiefe Verwirrung schwappte über mich, gefolgt von Schuldgefühlen ... dann eine Art Doppelvision. Wieder wußte ich nicht, was Wirklichkeit war. Ich haßte dieses Gefühl. Unklarheit über meinen Gefühlshorizont war das Schlimmste, was mir passieren konnte.
Ich fing wieder an zu schreiben – ich hatte niemand, mit dem ich sprechen konnte, nur mich selbst. Mich selbst.

Alles war wie eine Illusion. War es eine Illusion? War die physische Realität nur das, wofür ich sie *hielt*? Ein einfacher Tag im Leben eines jeden war eine Abfolge von Szenen; wir spielten das, was wir *glaubten* zu fühlen. Das hatte Shakespeare gesagt. Vielleicht war das ganze Leben eine Bühne und wir nur Akteure auf dieser Bühne, die ihre Rollen spielten. Sprach er von Reinkarnation, als er das schrieb? Also wenn es heute das Schauspiel ist, war es gestern dann eine Illusion? Und morgen?

Vielleicht gab es Gerry und unsere Zusammentreffen und meine Arbeit und unsere Welt morgen gar nicht mehr. Vielleicht machte mich die Tatsache verrückt, unter dem Druck zu stehen, die Realität in physikalischen Begriffen definieren zu müssen. Vielleicht lag die Wahrheit darin, daß alles auf jeder Ebene real ist, weil alles relativ ist und in Erwägung gezogen werden muß. Vielleicht liebten und lachten, arbeiteten und spielten wir in einem unbewußten Bestreben, uns in Erinnerung zu bringen, daß wir einen *Sinn* über diese Wirklichkeit hinaus haben *müssen*. Wenn *dieser* Sinn real war, benutzten wir dann andere als Sprungbrett, um unseren eigenen Sinn klarer deuten zu können? Benutzten wir andere, die wir liebten, nur, um unsere eigenen, verborgenen Kräfte, unsere unsichtbaren Fähigkeiten auszuprobieren, um eine Definition unseres Selbst zu finden? Suchten wir nach dem Ursprung unserer eigenen Bedeutung in einer anderen Zeit? Oder hatten wir uns früher schon einmal gekannt? Verarbeiteten Gerry und ich wirklich eine Beziehung, die ungelöst geblieben war? Wenn das so war, und wenn wir das irgendwie verstehen könnten, dann würden wir einander nicht mehr brauchen. War das der letzte Witz? Vielleicht war das der tiefe Grund für Humor. Vielleicht war alles Leben ein kolossaler kosmischer Witz, denn das Universum würde seinen eigenen Verlauf nehmen, egal was wir taten oder nicht taten. Vielleicht sollten wir lächeln bis zum Ende, weil das Ende vielleicht nur der Anfang war. Es mochte wahr sein, daß der Kreislauf einfach wieder von vorn beginnen würde, bis wir es richtig gemacht hatten. Und das war gar kein schlechter Gedanke. Dann brauchten wir den Tod nicht zu fürchten. Wenn der Tod gar nicht stattfand, dann bedeutete das Leben doch nur einen Scherz. Also konnten wir ebensogut lächeln, während wir unseren Weg durch unsere Bestimmung gingen.

Während ich über Gerry schrieb, verstand ich die Dinge objektiver. Ich begann, seine Rolle in meinem Leben mit größter Klarheit zu sehen. Ich fing an zu spüren, daß hinter dem, was immer wir im Leben des anderen bedeuten, eine Bestimmung stand. Im Plan seines Lebens und im Plan meines Lebens mochte der Sinn jetzt noch nicht deutlich sein, möglicherweise würde er es noch werden.

Ich schrieb, als würde ich mit mir selbst sprechen. Die Stunden flossen ineinander. Wieder verließ ich das Hotel nicht. Ich fing an, die Wände in mir zu tragen. Jede Runde des Schleppers, der täglich seine Bahnen durch das Eis in der Bucht unter meinem Fenster zog, kannte ich auswendig. Ich merkte, wie die Tage mit jedem Schneesturm länger wurden. Und jetzt, am Ende einer weiteren Woche, lag die Stadt unter mir, eingehüllt in einen weißen Teppich, und ein Schleier aus Schneeflocken machte sie noch weißer.

Ich spazierte durch den Schnee, durch die Stadt und in den Tierpark, um mich herum sanfte Wellenhügel aus sahnigweichem Schnee. Die Luft war klar und scharf. Meine Atemzüge schienen in der Stille widerzuhallen.

Gerry hing sozusagen schweigend in der Luft, als ich dahinstapfte. Er war wie diese Luft, dieses Land, diese Umgebung. Eine Pastell-Landschaft ohne laute Farbakzente. Eine Landschaft, die ihre Absicht verbarg, als verstecke sie ihre Bedeutung. Sie breitete nicht die Arme aus –, lag still, als warte sie, entdeckt und berührt zu werden, verstanden zu sein. Auch Menschen verhielten sich so, fanden keine Möglichkeit, aus ihrer entrückten Stille, aus sich selbst herauszufinden. Ein völlig falsches Verhalten.

Sich emotionell ausgehungert zu fühlen wegen mangelnder Klarheit und verständlicher Kommunikation bedeutete, den inneren Reichtum der Kommunikation mit der Stille abzulehnen. Wenn ich mir als Opfer ohne Kommunikation und Verständigung vorkam, so war das mein Problem. In meinem bisherigen Leben kannte ich nur explosive Kommunikation; nun erfuhr ich etwas, was ich implosive Kommunikation nennen möchte. Ich mußte herausfinden, was in mir war, und das mußte auch Gerry für sich tun.

Ich wanderte den ganzen Tag und kam gerade noch rechtzeitig

zurück, um Gerry im schwedischen Fernsehen zu sehen in einer Diskussion über Wirtschaftsprobleme der Dritten Welt.

Ich kannte das alles schon, doch ich schaute mir die Sendung aufmerksam an. Er wirkte sicher und überzeugend in seiner Vorstellung von möglichen Lösungen. Ich las die *Herald Tribune*, wartete auf seinen Anruf –, als ich hörte, wie die Tür geöffnet wurde.

Er mußte den ganzen Weg gelaufen sein, war völlig außer Atem, sein Gesicht vor Kälte gerötet, seine Augenbrauen und Wimpern glitzerten vom schmelzenden Schnee. Ich küßte ihn schnell. Er war immer noch »high« und wollte wissen, was ich von seinem Fernsehauftritt hielt. Wir sprachen darüber, welche Fortschritte er machte, seine Persönlichkeit fernsehgerecht zu präsentieren. Er aß zwei schokoladegefüllte Kekse und trank lauwarmen Tee. Wir sprachen über alles mögliche, nur nicht über das, was mich am meisten interessierte.

»Gerry?« fing ich schließlich tapfer an.

»Hmm…«

»Willst du wissen, worüber ich geschrieben habe?«

Er wirkte erstaunt. »Ja, natürlich.«

»Über uns«, fuhr ich fort, und ich sah die beherrschte Unruhe in seinem Gesicht.

»In welcher Hinsicht?«

»Also, in letzter Zeit sind mir ziemlich seltsame Dinge passiert, zumindest seit wir uns kennen. Ein Zufall folgte dem anderen, um uns zusammenzubringen. Die Kraft unserer Beziehung ist doch unter den gegebenen Umständen unlogisch. Du und ich, wir wissen, daß es viel mehr als nur eine körperliche Anziehung ist, aber warum? Die ganze Zeit mit dir habe ich so seltsame Vorahnungen und Wiedererkennungsgefühle. Gerry, sag mir ehrlich – hast du das Gefühl, daß du mich von früher her kennst?«

»Guter Gott! Ich versteh' dich nicht. Und überhaupt, was würde das ändern? Welchen Unterschied würde das machen?«

»Wenn wir vielleicht herausfinden, was wir vorher waren, könnten wir ergründen, was wir jetzt sein sollten.«

Er holte tief Luft. »Liebling, du warst zu lange allein in diesem Zimmer…«

»Nein, verdammt!« Plötzlich verlor ich die Geduld. »Sei nicht so überheblich! Ich will nur darüber *reden*. Ich bin nicht überreizt, ich bin auch nicht übergeschnappt, und ich bin nicht dumm. Und es scheint eine Menge mehr Dinge in dieser Welt zu geben, als du bereit bist, zu akzeptieren.«

Er grinste schief. »Damit magst du recht haben«, sagte er. »Woran denkst du denn speziell?«

»An Reinkarnation, zum Beispiel.«

»Nichts gegen Reinkarnation –, sie ist in Ordnung für diejenigen, die sie brauchen.«

»Gerry, ich spreche nicht von hungernden Bauern in Indien. Es gibt viele Menschen, durch alle sozialen und intellektuellen Schichten und durch alle Zeiten, die an Reinkarnation glauben. Aber jetzt spreche ich von uns.«

»Um Himmels willen! Wenn du meinst, wir hätten früher schon mal ein Leben zusammen verbracht, Shirley, na *und*? Was, zum Teufel, würde das für einen Unterschied machen, wir erinnern uns doch nicht daran?«

»Den Unterschied, den wir durch Trance-Vermittlung herausfinden könnten.« Ich wußte, ich machte alles falsch.

»Was, zum Teufel, heißt denn Trance-Vermittlung?«

»Das heißt«, schluckte ich, »mit körperlosen Geistern durch einen Vermittler zu sprechen –, das tun viele Leute und erfahren dabei alle möglichen Dinge.«

Gerry schwankte zwischen Entsetzen und Besorgnis. »Shirley, warst du schon mal bei einem Medium?«

»Tu nicht so, als sei es ein schmutziges Wort«, sagte ich.

»Nein, nein! So hab' ich das nicht gemeint.« Er holte wieder tief Luft. »Du hast recht. Wir müssen darüber sprechen. Was genau hast du getan?«

Ich fühlte mich schuldig und in die Ecke gedrängt, das ärgerte mich. Ich erzählte ihm von Cat und Ambres, von Edgar Cayce, über die Sitzung, an der ich teilgenommen hatte. Er hörte schweigend zu. Und als ich fertig war, sah er mich peinlich berührt und mitleidig an.

»Gerry, was denkst du?« fragte ich.

Er schüttelte den Kopf. »Ich weiß nicht, was ich sagen soll«, murmelte er. »Du kannst das doch nicht ernst nehmen?«

»Warum nicht?«

»Du lieber Gott, merkst du das denn nicht? Diese Medien sind doch Psychopathen oder verrückt, holen irgendwas aus ihrem Unterbewußtsein hervor. Oder sie sind Schwindler. Du glaubst doch nicht im Ernst, daß sie mit *Geistern* in Verbindung stehen?«

»*Sie* stehen nicht mit ihnen in Verbindung. Sie übermitteln nur –, sie erinnern sich nicht einmal an das, was gesprochen wurde.«

»Was sie auch tun, es ist völliger Quatsch. Sie tun es für Geld, beuten leichtgläubige Menschen aus, die irgendeinen Unsinn über tote Verwandte oder sonstigen Blödsinn hören wollen.«

»Edgar Cayce nahm kein Geld. Seine Ratschläge waren richtig, und sie kamen nicht aus seinem Unterbewußtsein, da er sich in der Medizin nicht auskannte.«

Gerry wußte nicht weiter. »Warum in Gottes Namen mußt du dich mit solchen Dingen beschäftigen?« fragte er verzweifelt.

»Ich versuche nur eine Erklärung für uns zu finden«, sagte ich. »Oder vielleicht nur für mich. Ich fange langsam an zu denken, daß ich es nicht für uns tun kann ...«

»Hoffentlich nicht. Hör mal, Liebling (er gebrauchte so selten Kosenamen und jetzt zweimal im selben Gespräch – er mußte wirklich durcheinander sein), du solltest wirklich mit diesem Zeug aufhören. Das bringt doch nichts. Neunzig Prozent dieser Leute sind Scharlatane, das ist zur Genüge bekannt. – Deine Freunde werden denken, du bist nicht richtig im Kopf. Und Gott weiß, was die Öffentlichkeit denkt, wenn es je herauskommt.«

Es war interessant, daß er sich um mein Image Gedanken machte. Aber es war wohl naheliegend, da er sich der Wichtigkeit seines eigenen Images ständig bewußt war. Dabei zog er in keiner Weise die Möglichkeit der Welt, die ich erforschte, in Erwägung. Die lag völlig außerhalb seiner Reichweite. Er konnte sie nicht sehen, also konnte er die mögliche Gültigkeit ihrer Existenz nicht einmal in Betracht ziehen.

»Was willst du damit sagen, ›wenn es je herauskommt‹, Gerry? Darüber habe ich geschrieben.«

»Das kannst du nicht«, sagte er tonlos. »Nicht um es zu publizieren.«

»Warum *nicht*?« Seine Sturheit provozierte mich zu dieser Frage, denn bisher hatte ich nicht im Traum daran gedacht, irgendwas davon zu publizieren.

»Weil jeder Intellektuelle, den du kennst, jeder, der nur einen Funken Verstand hat, dich in Stücke zerreißen wird –«, er unterbrach, gequält und unglücklich.

Seine nicht gerade schmeichelhafte Annahme, *alle* intelligenten Menschen teilten seine Meinung, amüsierte mich. Und sein echtes Mitleid rührte mich. Aber seine versteckte Abwehr gegen das, worüber ich sprach, machte jede weitere Diskussion unmöglich – wenn je eine stattgefunden hatte. Ich beugte mich vor und murmelte: »Ach zum Teufel damit«, und küßte seine Nase. »Sie ist warm«, sagte ich.

»Wer ist warm?«

»Deine Nase. Sie war kalt, als du reinkamst.«

Er spielte mit meinen Ohrringen und strich mir durchs Haar. Ich kniete mich neben ihn. Er hob mein Gesicht und küßte mich mitten im Wort, streichelte meine Augenbrauen.

Dann zog er mich zu sich hoch, ich hob den weichen Stoff meines Negligés und ließ es um unsere Körper fallen; er gab ein zärtliches Stöhnen von sich. Wir zogen uns nicht aus. Wir liebten uns, so wie wir unser Leben führten, das Vergnügen versteckten wir.

Ich fiel auf ihn. Er küßte meine Augen und meinen Hals. »Du fliegst morgen?« fragte er.

»Ja, ich muß.«

»Ich liebe dich mehr, als ich sagen kann.«

Mir war, als sei ich im Begriff, in ein einsames Verlies zu gehen. »Wann glaubst du, können wir wieder einen ganzen Abend für uns haben?« fragte er.

»Also jetzt haben wir Januar«, bemerkte ich. »Rechnen wir mal mit September, wenn deine Wahl vorbei ist.«

Er stieß ein jämmerliches Geheul aus und verbarg sein Gesicht in gespielter Theatralik in den Händen.

»Tja, da kann man nichts machen, Gerry.«

»Jetzt muß ich aufstehen«, seufzte er. »Sonst werde ich zu melancholisch, um es zu ertragen. Wo wirst du sein?«

Ich sagte, ich wisse es nicht. Ich würde viel unterwegs sein.

Er hüpfte ins Badezimmer, seine Hosen schlenkerten um seine Knöchel. Und dieser Mann wollte Premierminister von England werden. Kaum zu glauben.

Später zog er eilig seinen Mantel und die Pelzhandschuhe an, legte den Hotelschlüssel auf den Tisch, nahm seinen Aktenkoffer und mit noch entschlossenerer Eile als sonst rannte er zur Tür. Ich stand still, ohne ihm zu folgen. Er öffnete die Tür, drehte sich um, sah mich an, als wolle er mein Bild in sein Gedächtnis einbrennen.

»Du bist schön«, sagte er und war verschwunden.

Ich lief zur Tür und sperrte sie ab. Zurück im Zimmer, sah ich, daß seine Brille auf dem Tisch lag.

Ich rannte in den Flur und pfiff. Ich hörte seine Schritte zurückkommen. Als er seine Brille nahm, sagte er: »Was, glaubst du, haben wir gemeinsam?«

Ich seufzte und strich ihm das Haar aus den Augen.

»Ich weiß«, sagte er, »wenn man die Frucht am Baum erreichen will, muß man sich auf den gefährlichen Ast hinauswagen.«

Er sah mir in die Augen und ging, drehte sich nicht um. Ich kehrte ins Zimmer zurück und machte die Tür zu.

Ich zündete eine Zigarette an und trat ans Erkerfenster, öffnete es, blies den Rauch in die Luft, beobachtete, wie er sich mit meinem Atem vermischte. Schnee fiel in dicken Flocken.

Gerry überquerte den Hof. Ich pfiff leise. Er sah hoch und winkte. Seine Pelzhandschuhe und sein dunkler Mantel zeichneten sich scharf gegen den weißen Hintergrund ab. Schneeflocken tanzten um ihn, als er auf die Straße trat, um nach einem Taxi zu winken. Die Straße war wie ausgestorben, er beschloß zu Fuß zu gehen. Er schaute noch einmal herauf, ich winkte und warf ihm eine Kußhand zu. Doch er war bereits in der kalten, stillen, weißen schwedischen Nacht verschwunden.

12. Kapitel

> »Die ›Seele‹ ist wirklich ein vager Begriff und die Realität, auf die sie sich bezieht, kann nicht veranschaulicht werden. Aber Bewußtsein ist die einleuchtendste aller (unsichtbaren) Wahrheiten ... Die Physiologen vergleichen gern das Netz unserer Zerebralnerven mit einem Telefonsystem, übersehen dabei jedoch die signifikante Tatsache, daß ein Telefonsystem erst dann funktioniert, wenn jemand es benutzt. Das Gehirn erzeugt nicht die Gedanken (Sir Julian Huxley hat auf diesen Umstand kürzlich hingewiesen); es ist ein Instrument, dessen sich Gedanken bedienen.
>
> Joseph Wood Krutch
> *More Lives Than One*

Der Rückflug nach Amerika war seltsam. Ich wußte nicht wirklich, wen oder was ich hinter mir ließ oder zu wem oder was ich zurückkehrte. Seltsame Dinge geschahen in meinem Leben, die ich weder beschreiben noch definieren konnte. Ich hatte das Gefühl, etwas wie ein neues Zeitalter meiner Gedankenwelt breche an. Das Erlebnis mit Ambres war faszinierend, doch die Fragen, die ich Lars und Birgitta gestellt hatte, beschäftigten mich immer noch. Als pragmatisches Kind meiner Zeit beschloß ich, zumindest den Vorgang der Übermittlung genauer zu untersuchen.

In den folgenden Wochen und Monaten las ich, recherchierte und prüfte, stellte Fragen und hörte Tonbänder ab, soweit dies möglich war. Es gab eine ziemliche Anzahl von Medien bzw. Trance-Vermittlern. Mit Ausnahme von Edgar Cayce benutzte keiner dieser Menschen die Bezeichnung Medium. Die Persönlichkeiten, die übermittelt wurden, standen im Vordergrund, und unter diesen gab es einige, deren Ansehen über den Rest hinausragte, hinsichtlich Klarheit und Verständlichkeit der Mitteilungen. Auch unter den Medien gab es bessere und schlechtere. (Ich stellte fest, daß es auch bei ihnen, was jeder Berufstätige kennt, Tage gab, an denen absolut nichts klappte: in solchen Fällen verließen sich manche auf frühere Ergebnisse, manche schwindelten, und andere gaben offen zu, daß es nicht funktionierte und die Leute wieder nach Hause gehen sollten.)

Ich war verblüfft über die Verschiedenartigkeit und die Kraft der Persönlichkeit der einzelnen Wesenheiten, die sich mitteilten. Die ziemlich nebulöse, unbehagliche Feierlichkeit, die das Phänomen einer Kontaktaufnahme mit immateriellen Wesen bei vielen Menschen auslöst (vielleicht weil sich ihr Gemüt bei der Aussicht eines Gesprächs mit einem körperlosen Geist unbehaglich verdüstert?), scheint nichts mit der Wirklichkeit zu tun zu haben. Einige der übermittelten Persönlichkeiten bewiesen echten Humor und gelegentlich offene Frivolität. Wer immer, oder was immer, diese Wesen waren, sie wiesen eine enorme Vielfalt ihrer Charaktere auf und strahlten weniger Feierlichkeit als Erfahrung und Wissen aus.

Diese Art der übersinnlichen Kontaktaufnahme existierte seit langem, und viele berühmte Menschen »glaubten« nicht nur daran, sie praktizierten sie: Abraham Lincoln, der Carpenter regelmäßig zu Rate zog (das Medium lebte sogar im Weißen Haus beim Präsidenten); J. P. Morgan (der Evangeline Adams befragte), William Randolph Hearst – und viele, viele andere aus den verschiedensten Tätigkeitsbereichen. Die Arbeiten von Sir Oliver Lodge und Mrs. Piper waren sehr bekannt. Um die Jahrhundertwende waren spiritistische Séancen geradezu Mode geworden, nicht nur spiritistische Kontaktaufnahme, sondern auch Tischrücken, die Befragung mit der Planchette und dem Oui-ja-Board. Zweifellos unterhaltsame Spielereien, aber mir wurde auch klar, daß viele bedeutende und ernstzunehmende Menschen Spiritismus – und alles, was damit zusammenhängt – anerkannten.

Ebenso klar wurde mir, daß viele mit dem Umfang der Information, die auf diese Weise vermittelt wurde, nicht zurechtkamen, geschweige denn mit ihrem Inhalt. Der Kosmos ist eine überwältigende Konzeption: jeden einzelnen Menschen in Beziehung zu setzen mit dieser immensen Weite und Fülle war oft mehr, als die Zuhörer ertragen konnten. Und wenn es um Begriffe des außerirdischen Lebens ging, der Struktur des Atoms, der Verbindung aller Materie, aller Gedanken –, so waren das Dinge, denen die meisten Menschen nicht viel Aufmerksamkeit geschenkt hatten.

Die Persönlichkeiten, die diese Informationen mitteilten, schienen oft nicht zu wissen, wieviel der Partner am anderen Ende der Telefonleitung sozusagen aufnehmen konnte.

Ich wandte meine Aufmerksamkeit den modernen Medien zu und den Wesen, die durch sie sprachen.

Ein bekanntes, modernes geistiges Wesen schien ein spiritueller Meister zu sein, der sich D. K. nannte, durch Alice Bailey sprach und später durch Benjamin Creme. Ein hochinteressanter Fall war Seth, von Jane Roberts vermittelt. Seth stellte mehr als nur eine Facette des Phänomens geistiger Übermittlung dar.

Seit 1963, als Seth zum ersten Mal Kontakt mit Mrs. Roberts aufnahm, hatten sie und ihr Ehemann (der von Anfang an alles, was Seth sagte, mitschrieb), eine ganze Bibliothek von Material der Sitzungen gesammelt. Einiges von diesem Material wurde in mehreren Werken publiziert, ein Buch davon diktierte Seth selbst. Am interessantesten fand ich die starken Zweifel, die Mrs. Roberts in ihren frühen Kontakten mit Seth äußerte *(The Seth Material).*

Sie hatte sich nie zuvor mit parapsychologischen Phänomenen befaßt, hatte nie Interesse daran gezeigt. Eines Abends, als Mrs. Roberts ihre eigenen Gedichte schrieb, wurde sie mit einem Schwall von Wörtern bombardiert, die verlangten zu Papier gebracht zu werden. Stundenlang schrieb sie in wütender Besessenheit. Irgendwann schrieb sie den Titel dessen, was sie selbst »diese komische Ansammlung von Notizen« nannte, nämlich *The Physical Universe As Idea Construction.* (Es stellte sich als Synthese des Materials heraus, das Seth später weiterentwickelte.) Doch zu dieser Zeit wußte Mrs. Roberts noch nichts von Seth, beide, der Vorgang und der Inhalt »ihres« Schreibens, erschienen ihr höchst seltsam, verwirrend und erstaunlich.

In den folgenden Wochen und Monaten, nachdem Seth sozusagen darauf bestand »durchzukommen«, führten sie und ihr Mann viele Experimente durch, um Seths Existenz oder Nichtexistenz, seinen »Energiepersönlichkeitskern«, als den er sich bezeichnete, zu beweisen. Seth brauchte ziemlich lange, mußte einige spektakuläre Beweise seiner besonderen Fähigkeiten liefern, um Mrs. Roberts zu überzeugen, daß er nicht Teil ihres eigenen Unterbewußtseins war!

Trotzdem war ein echter »Beweis« des geistigen Kontakts, das heißt, eine physische Präsenz auf Erden, die als Kommunikationskanal für eine weitere Form der Anwesenheit auf anderer Ebene dient, schwer im wissenschaftlichen Sinne zu erbringen. Letztlich stützt sich der Beweis der Vorgänge auf ihre Inhalte: Wenn ein Medium, das eine fremde Sprache spricht, oder eine Fähigkeit demonstriert (wie beispielsweise Klavierspielen), berufliches Wissen (wie beispielsweise Medizin) oder Informationen mitteilt, zum Beispiel von einem Ort, über ein besonderes Ereignis, eine bestimmte Person, also von Dingen, von denen das Medium keinerlei Kenntnis haben konnte, so ist der Schluß zugelassen, daß die fremde Sprache, das Klavierspiel, das berufliche Wissen oder die Aussagen über Ort, Begebenheiten und Personen aus einer anderen Quelle kommen müssen.

Über eine lange Zeitspanne begegneten mir viele Beispiele solcher »Beweise«, doch nach drei Monaten intensiven Lesens und Recherchierens war mir der Prozeß bereits selbstverständlich geworden.

Ein Aspekt der spiritistischen Mitteilungen beschäftigte mich immer wieder, und das war die Erinnerung an frühere Leben. Vielleicht deshalb, weil ich mir dadurch Aufschluß über meine Beziehung mit Gerry erhoffte?

Meine wirkliche Aufmerksamkeit galt jedoch der Tatsache, daß das umfangreiche Material so viele allgemeingültige Botschaften enthielt – das heißt, die Wesen, die sich durch die verschiedensten Menschen, in vielen Ländern, in verschiedenen Sprachen äußerten, sagten im Grunde dasselbe: Schaut in Euer Inneres, erforscht Euch selbst, *Ihr* seid das Universum ...

Je mehr ich las und dachte, in desto höherem Maße zwang mich diese *Botschaft*, Beweggründe noch einmal zu untersuchen, noch einmal zu überdenken oder vielleicht zum ersten Mal über Wertigkeiten und Aspekte des Lebens nachzudenken, die ich bislang als gegeben hingenommen hatte.

Ich war es gewohnt, in einer Welt zu leben, in der es beinahe unmöglich ist, sich Zeit zu nehmen, um nach innen zu blicken. Wo es galt zu überleben, ganz zu schweigen davon, an der Spitze zu sein, schien eine Haltung notwendig, die genau das Gegenteil verlangte. Hatte man nicht ständig den Fortschritt des Nachbarn im Auge, so dauerte es nicht lange, daß man den Anschluß verlor.

War man erfolgreich, mußte man ständig am Ball bleiben, um den Erfolg zu bewahren. War man arm, so hatte man genug damit zu tun, zu überleben. Nie blieb Zeit für sich selbst, einfach fürs Nichtstun, einen Sonnenuntergang zu genießen, einem Vogellied zuzuhören, eine Biene zu beobachten, zu horchen, was man dachte, wieviel weniger erst, was ein anderer dachte.

Das Wettbewerbsdenken ließ keine Zeit, darüber nachzudenken, was wir waren, wer wir sein könnten und was wir einander bedeuten könnten. Ich kannte sehr wenige Beziehungen mit echter, dauerhafter Bedeutung – meine eigenen eingeschlossen. Sie schienen nicht einmal unserer eigenen Prüfung standzuhalten.

Und anstatt tiefer einzudringen, gaben wir dem Druck der Bequemlichkeit nach, arrangierten uns innerhalb der Grenzen und Beschränkungen sicherer Oberflächlichkeit, begnügten uns, erfolgreiche, achtbare Geschöpfe der Bequemlichkeit zu sein, die uns schützte und wärmte. Wir scheuten uns, die Herausforderung von etwas beängstigend Neuem und Unbekanntem anzunehmen... wir fragten uns nicht, wieviel mehr in uns steckte, fragten nicht, wieviel mehr wir verstehen könnten und erkannten nicht, was es bedeuten würde, am Ende allein zu sein.

Allein... das war das kalte Wort. Jeder hatte Angst, allein zu sein. Aber es ist nicht wirklich wichtig, mit wem wir leben, mit wem wir schlafen, wen wir lieben, oder wen wir heiraten. Im Grunde sind wir alle allein – allein mit uns selbst – und da liegt der Haken. So viele Beziehungen gehen kaputt, weil die Menschen nicht wissen, wer *sie* sind, geschweige denn der oder diejenigen, mit denen sie es zu tun haben.

War eine Veränderung im Gange? Fingen die Menschen an, in ihren eigenen Tiefen zu suchen, in einer Art instinktivem Überlebensmechanismus, um die Polarität von Gewalt und Unruhe in der Welt aufzuheben? Entdeckten sie das Potential reiner Freude in sich selbst –, wie Lars und Birgitta es beschrieben hatten? Tausende von Menschen in der ganzen Welt befaßten sich mit dem Mysterium, ob es außer, oder besser neben dem physischen Leben eine Existenz gibt, die wir als »Seele« bezeichnen. Ich stellte fest, daß ich immer mehr an geistige Lehren, an die Hilfe von Meditation, an die Richtigkeit der emotionellen Botschaft und an die grenzenlosen Möglichkeiten metaphysischer Realität glaubte.

Wenn alle Energie ewig und unendlich war, dann mußte unsere eigene, unsichtbare Energie – Gedanken, Seele, Geist, Persönlichkeit, wie immer man sie nennen will – irgendwohin gehen. Es fiel mir zunehmend schwerer, zu glauben, diese Energie löse sich einfach auf, wenn die körperliche Hülle verwest. Und offenbar dachten viele Menschen ebenso. Trieb ich in eine Dünung menschlicher Erkenntnis? Wenn Gerry die alte, intellektuelle, ziemlich zynische, pragmatische Erkenntnis des Lebens verkörperte, so konnte dies der Grund sein, warum unsere Beziehung für beide letztlich unbefriedigend war. Ich wollte »sein« –, er wollte »tun«. Ich fragte mich, ob jeder von uns nur eine Hälfte der Gleichung kannte.

Was würden meine anderen Freunde zu dem sagen, was ich las und was ich dachte? Spirituelle Themen wären ihnen zweifellos peinlich, sie würden verlegen lachen – kein Wunder in Anbetracht der Welt, in der wir lebten. Doch die Menschen, die sich mit Parapsychologie beschäftigten, sagten alle dasselbe. Rudolf Steiner, Leadbetter, Cayce und unzählige andere, alle betonten die fundamentale Existenz eines Göttlichen Willens, einer Energiekraft, der alles entspringt. Derselbe Göttliche Wille ist in allem Leben. Wir sind Teil davon, und er ist Teil von uns. Unsere Aufgabe besteht darin, diese Göttlichkeit in uns zu finden und danach zu leben.

Und ich fragte mich, wenn wir wirklich Leben auf anderen Planeten entdecken, würde dieses Leben das gleiche Wissen haben wie wir, oder würden »sie« klarere Verständnismöglichkeiten besitzen? Die Wissenschaft schien tatsächlich der Überzeugung zu sein, daß es Leben auf anderen Planeten geben müsse. Die Möglichkeiten, daß sich da nichts entwickelt haben sollte, waren gering. Dieses Leben vorausgesetzt, würde es einen anderen Göttlichen Willen haben oder denselben? Beherrschte diese Energiekraft im Zentrum der Gesamtheit des Kosmos Leben auf anderen Planeten ebenso wie das Leben auf unserem eigenen?

Die Alten Weisen sagten: »Erkenne dich selbst, denn im Selbst findest du die Antworten auf alle Fragen. Denn der Geist des Menschen mit all seinen physischen und geistigen Begleiterscheinungen ist Teil des großen Gesamtgeistes. Also liegen alle Antworten im Selbst. Dein Schicksal und dein Karma hängen davon ab, was deine Seele dafür getan hat, wieviel Bewußtsein sie erlangt hat. Und wisse, jede Seele wird letztlich auf sich selbst treffen. Man kann keinem Problem entkommen. Triff dich also jetzt.«

Die Alten Weisen haben nichts anderes gesagt als das, was die moderne Psychologie, die Theologie oder die Wissenschaft sagen oder, nebenbei bemerkt, auch Shakespeare. Es war immer dasselbe: »Erkenne dich selbst, habe den Mut hinzuschauen, dadurch wirst du frei.«

Vielleicht mußte man, um sich selbst zu erkennen, seine eigene Seele bewußt anerkennen. Die Gesamtheit der Lebenszeiten, die diese Seele erfahren hatte, zu erfassen, scheint außerhalb des Möglichkeitsbereiches zu liegen und vielleicht irrelevant zu sein. Doch viele Leute, die ich kannte, suchten dieses Wissen und akzeptierten darüber hinaus die Theorie der Wiedergeburt so selbstverständlich, wie sie akzeptierten, daß die Sonne jeden Morgen aufgeht.

Schließlich sollte ich erfahren, daß ein hervorragender Schauspieler, dessen wunderbare, berufliche Arbeit ich sehr schätzte, mit dem ich eine herzliche, persönliche Beziehung hatte, ganz gewiß einer dieser Menschen war – Peter Sellers. Und eine Begebenheit in seinem Leben, die er mir anvertraute, trug dazu bei, seinen Glauben daran zu festigen, daß seine Seele tatsächlich ein getrenntes Wesen von seinem Körper ist.

Ich habe zwei Filme mit Peter gemacht. Der eine hatte den Titel *Woman Times Seven*; er spielte darin die Rolle eines meiner sieben Ehemänner. Im zweiten, *Being There* spielte ich eine Nebenrolle. Er lieferte in der Hauptrolle die brillanteste Darstellung seiner gesamten Schauspielerkarriere. Peter verwandelte sich immer in die Rollen, die er spielte, vor der Kamera und im Privatleben. Für mich war er ein Genie, doch er litt unter dem, was er als mangelnde Kenntnis über seine eigene Identität bezeichnete. Er sagte, er kenne die Personen, die er spielt, besser als sich selbst; er fühle, er habe diese Personen zu irgendeiner Zeit verkörpert, in einer Weise, die nur mit »sie in der Vergangenheit gelebt haben« bezeichnet werden könne.

Eines Tages, gegen Ende der Dreharbeiten zu *Being There*, hatten wir ein Gespräch über dieses Thema. Wir waren von Außenaufnahmen in Asheville, North Carolina, zurückgekommen, um in den Goldwyn Studios in Hollywood zu drehen. Als ich am

Morgen des Studio-Drehtages die Dekoration betrat, hatte ich das unangenehme Gefühl, etwas sei nicht in Ordnung. Ich wußte nicht, ob es mit den Erinnerungen an Filme zusammenhing, die ich in diesen Studios gemacht hatte – *Irma la Douce, Two for The Seasaw, Children's Hour* und *The Apartment* –, oder ob sich etwas ankündigte, das ich erst später erfahren würde.

Peter war an diesem Morgen nicht in Hochform. Vielleicht war er erschöpft, dachte ich. Er arbeitete zehn Stunden täglich mit einem Herzschrittmacher, und außerdem war er nicht der Typ für Marathondreharbeiten. Wir saßen zusammen im Fond der aufgebockten Limousine und warteten, bis die Beleuchtung in Ordnung war.

Plötzlich krampfte sich Peters Hand um seine Brust, die andere ergriff meinen Arm. Es war kein großer Anfall, eigentlich nur eine kleine Geste, doch ich spürte, etwas war wirklich nicht in Ordnung. Unauffällig rief ich den Produktionsleiter zu mir und flüsterte ihm zu, er solle einen Arzt in Bereitschaft halten. Er nickte und ging. Peter erzählte weiter über die Arbeit, über Rollen und sein Gefühl, er kenne die Charaktere, die er gespielt hatte. Er bestand eigensinnig darauf, daß er »jede einzelne dieser Figuren zu irgendeiner Zeit *war*«.

Anfangs begriff ich nicht, was er meinte, doch als er fortfuhr, kapierte ich, daß er davon sprach, diese Charaktere in früheren Lebensinkarnationen gelebt zu haben.

»Ach«, sagte ich beiläufig. »Du hast das Gefühl, auf Erfahrungen und Empfindungen zurückzugreifen, an die du dich tatsächlich erinnerst, sie in früheren Lebenszeiten erlebt zu haben?« Ich war sehr sachlich. »Das ist wahrscheinlich der Grund, warum du so gut spielst. Du hast einfach eine bessere Erinnerung an frühere Leben auf einer kreativen Ebene als die meisten von uns.«

Seine Augen leuchteten auf.

»Weißt du, ich spreche nicht gern über diese Dinge«, sagte er, »sonst denken die Leute noch, ich spinne.«

»Ja, ich weiß. Mir geht's genauso. Aber wahrscheinlich gibt es mehr heimliche kosmische Glaubensanhänger, als wir ahnen.«

Er schien sich zu entspannen.

»Was war das eben für ein Schmerz?« fragte ich.

»Ach, nur eine Verdauungsstörung, weiter nichts.«

»Mag sein, aber vielleicht wäre es gut, darüber zu sprechen.«

Er wich aus, sprach über richtige und falsche Ernährung und was es heißt, mit »diesem verdammten Spielzeug im Herz« zu leben.

»In diesem Studio bekomme ich Gänsehaut«, sagte er.

»Warum?«

»Nur so.«

»Nur warum?«

Er wischte sich Schweißtropfen von der Stirn und holte tief Luft.

»Weil ich in diesem Studio gestorben bin.«

Ich hatte Mühe, meinen Schock zu verbergen. Ich hatte gelesen, wie knapp er dem Tod entronnen war.

»Rex Kennamer hat mir das Leben gerettet«, sagte er. »Und ich habe ihm dabei zugesehen.«

»Mach keine Witze«, sagte ich. »Wie das denn?«

Wie ein Mensch, der ein Erlebnis beschreibt, das einem anderen widerfahren war, begann er zu erzählen:

»Na ja, ich spürte, wie ich meinen Körper verließ. Ich schwebte aus meiner Körperhülle und sah zu, wie sie mich in die Klinik schafften. Ich begleitete mich. Aus Neugier. Ich wollte wissen, was mit mir los war. Ich hatte keine Angst oder so was, denn *mir* ging's ja gut; nur mein Körper hatte Probleme. Dann sah ich Dr. Kennamer kommen. Er fühlte meinen Puls und sah, daß ich tot war. Er und ein paar andere Leute drückten auf meinem Brustkorb herum. Sie preßten förmlich die Scheiße aus mir heraus... im wahrsten Sinne des Wortes, glaube ich. Sie taten alles, außer auf mir herumzutrampeln, damit mein Herz wieder zu schlagen anfing. Dann sah ich, wie Rex jemanden anschrie und sagte, es sei keine Zeit, eine Herzoperation vorzubereiten. Er ordnete an, mich an Ort und Stelle aufzuschneiden. Rex nahm mein Herz heraus und massierte es wie verrückt. Daß er es nicht wie einen Fußball in die Luft warf, wunderte mich. Ich schaute ihm neugierig zu. Er wollte nicht begreifen, daß ich tot war. Dann sah ich mich um, und da war ein unglaublich schönes, liebevolles, weißes Licht über mir. Ich wollte zu diesem weißen Licht hin, mehr als alles in der Welt. Ich habe nie einen innigeren Wunsch verspürt. Ich wußte, auf der anderen Seite des Lichts war Liebe, echte Liebe, die mich so stark anzog. Und ich erinnere mich, daß ich gedacht habe ›das ist Gott‹. Ich versuchte zu ihm aufzusteigen, während Rex mein

Herz bearbeitete. Aber irgendwie schaffte ich es nicht. Dann sah ich eine Hand, die sich durch das Licht nach mir ausstreckte. Ich versuchte sie zu berühren, sie festzuhalten, damit sie mich zu sich zog. Dann hörte ich Rex unter mir sagen: ›Es schlägt wieder. Ich bekomme seinen Herzschlag.‹ Im selben Augenblick sagte eine Stimme, die zu der Hand gehörte, die ich so gerne berühren wollte: ›Es ist noch nicht Zeit. Geh zurück und beende es. Es ist noch nicht Zeit.‹ Die Hand verschwand, und ich fühlte, wie ich zurück in meinen Körper schwebte. Ich war bitter enttäuscht. Danach erinnere ich mich an nichts mehr, bis ich das Bewußtsein in meinem Körper wieder erlangte.«

Nachdem Peter seine Erzählung beendet hatte, versuchte ich weiter sachlich zu bleiben. »Ja, ich habe viel von Elisabeth Kübler-Ross gelesen; sie hat dokumentarisches Material von Menschen gesammelt, die das gleiche Phänomen beschreiben, nachdem sie für klinisch tot erklärt waren. Auch für diese Menschen war es offensichtlich noch nicht Zeit, und sie kamen zurück, um darüber zu berichten.«

Peter sah mich scharf an, in seiner fragenden Art. Ich wollte ihn nicht drängen, wollte aber auch nicht, daß er aufhörte.

»Hältst du mich für verrückt?« fragte er.

»Nein, natürlich nicht. Es gibt so viele Menschen, die das gleiche erlebt haben. Sie können nicht alle verrückt sein. Ich halte es für wichtig, darüber nachzudenken, warum man zurückkommt.« Ich sagte »man« anstatt »du«, denn mit Peter durfte man nicht zu persönlich werden, sonst wurde er mißtrauisch. Wie gesagt, die Identität von »Peter Sellers« war ihm vollkommen fremd. Er hatte des öfteren in Interviews betont, daß er seine Charaktere bis ins Innerste verstehe und viele andere Mysterien im Leben, aber Sellers? Nichts... davon hatte er keine Ahnung.

Peter rutschte in unserer aufgebockten Limousine hin und her.

»Geht's dir gut?« fragte ich.

»Ja, schon«, sagte er. »Aber das Ganze hier... diese Dekoration... diese Kamera... die Scheinwerfer... dieser Wagen... Ich weiß nicht, warum ich eigentlich hier bin! Ich weiß nicht, warum ich diesmal zurückgekommen bin! Deshalb spiele ich so, wie ich spiele. Ich weiß es nicht. Ich kann meinen Zweck nicht herausfinden. Was verlangt man von mir?«

Seine Augen füllten sich mit Tränen, er flüsterte: »Ja, ich weiß, ich gehe vielen Menschen auf die Nerven, sie denken, ich bin verrückt. Aber ich bin verrückt nach den richtigen Dingen. Ich bin nicht sicher, ob sie das sind.«

Er wischte sich die Augen am Ärmel seines makellosen Kostüms der Rolle des Chauncey Gardiner. Er blinzelte und schniefte, wie Chauncey es getan hätte.

»Ich weiß, ich habe schon viele Leben gelebt«, sagte er. »Dieses Erlebnis hat es mir bestätigt. Denn in diesem Leben habe ich gespürt, wie sich meine Seele fühlt, wenn sie außerhalb meines Körpers ist. Aber seitdem ich zurück bin, weiß ich nicht, warum. Ich weiß nicht, was ich tun soll, weswegen ich zurückgekommen bin.«

Er holte tief Luft, es war ein langes, schmerzhaftes Seufzen – immer noch in der Person des Chauncey Gardiner.

Ein paar Minuten später war das Kamerateam fertig. Hal Ashby, der Regisseur, betrat die Dekoration, und wir spielten unsere Szene, als sei nichts geschehen. Wir drehten unsere erste Szene des Films am letzten Drehtag. Das Leben ist eine Illusion ... genau wie das Kino.

Etwa eineinhalb Jahre später saß ich mit Freunden in meiner Wohnung in Malibu. Ich war lange verreist gewesen und wußte nicht, daß Peter wieder einen Herzanfall gehabt hatte.

Wir waren mitten in einer angeregten Unterhaltung, als ich plötzlich aufsprang.

»Peter«, sagte ich, »etwas ist mit Peter Sellers geschehen.«

Während ich das aussprach, spürte ich seine Gegenwart. Es war, als stünde er in meinem Wohnzimmer und sähe mich an.

Ich kam mir lächerlich vor. Natürlich hörten die Gespräche abrupt auf. Da schrillte das Telefon.

Ich meldete mich mit verstellter Stimme. Es war ein Reporter. »Kann ich bitte Miß MacLaine sprechen?« sagte er. »Ich hätte gern eine Stellungnahme von ihr.«

»Stellungnahme? Wozu?«

»Ach«, sagte er. »Falls Sie es noch nicht wissen, es tut mir leid, aber Peter Sellers ist gerade gestorben.«

Ich wandte mich ins Zimmer. Ich spürte, wie Peter mich beobachtete. Ich wollte dem Reporter sagen, daß er sich irre. Ich wollte ihm sagen: »Ja, Sie denken vielleicht, er ist tot, aber er hat lediglich seinen letzten Körper verlassen.« Ich wollte sagen: »Hören Sie, in unserem letzten gemeinsamen Film hat er die beste Arbeit seines Lebens geliefert, indem er eine der gütigsten, zartesten Seelen porträtierte, die je auf der Erde geweilt hat. Es gab nichts mehr, was er erfüllen sollte. Vielleicht hatte er keine Lust mehr, hier noch länger rumzuhängen, deshalb ist er zu dem weißen Licht gegangen..., und außerdem hatte er wirkliche Sehnsucht nach seiner Mutter.«

Das alles habe ich natürlich nicht gesagt. Aber Peter hätte es gefallen...

Statt dessen sagte ich: »Shirley ist nicht zu Hause. Ich werde ihr Bescheid sagen«, und legte den Hörer auf.

»Was ist los?« fragten mich meine Freunde.

Ich spürte, wie Peter lächelte.

»Nichts«, sagte ich. »Irgendein Reporter versuchte mir weiszumachen, Peter Sellers sei gerade gestorben.«

13. Kapitel

»Warum sollte es für unmöglich erachtet werden, daß dieselbe Seele in einer Aufeinanderfolge eine unendliche Anzahl sterblicher Körper bewohnt...? Sogar während dieses einen Lebens verändern sich unsere Körper ununterbrochen durch einen Prozeß des Vergehens und Wiedererstehens, der sich so allmählich vollzieht, daß wir dies nicht bemerken. Jedes menschliche Wesen wohnt also aufeinanderfolgend in vielen Körpern, sogar während eines kurzen Lebens.«

Francis Bowen
Christian Metempsychosis

Gleich nach meiner Rückkehr aus Schweden hatte ich Cat im Ashram angerufen; wir verabredeten uns zu einer Wanderung in den Calabasas-Bergen. Während unseres Spaziergangs erzählte ich ihr von meinem Erlebnis mit Ambres, wie sehr mich die ganze Sache verwirrte, daß ich darüber geschrieben habe, um mir Klarheit zu verschaffen. Ihre blauen Augen leuchteten, und sie klatschte in die Hände.

»Großartig, Shirley«, sagte sie. »Das ist ja großartig! Du schreibst darüber, wie du von geistigen Dimensionen angezogen wurdest? Es gibt so viele Menschen, die darüber lesen wollen, was wir tun; sie warten nur darauf, etwas darüber zu lesen. Wirklich, das ist wahr!«

Das ging weit über meine Absichten hinaus. Trotzdem fragte ich sie, warum sie annehme, daß jeder sich dafür interessiere.

»Weil ihnen sonst nichts mehr richtig erscheint«, antwortete sie. »So viele Menschen spüren, daß es einen anderen Weg zu leben gibt... und der geistige Weg ist der einzige, den sie noch nicht ausprobiert haben.«

Wir gingen eine Weile schweigend, dann sagte sie: »Möchtest du eine großartige spirituelle Sitzung in Englisch haben? Ich kenne ein sehr gutes Trancemedium hier in Kalifornien. Er hat viel zu tun, aber er kommt für ein paar Gäste im Ashram aus Santa

Barbara rüber. Vielleicht kann er in einer Sitzung mit dir arbeiten?«

»Ach, wirklich?« sagte ich, wunderte mich wieder einmal über Cats ›Katalysatorfunktion‹. »Hast du schon Sitzungen mit ihm gehabt?«

»O Shirley«, rief sie, als wolle sie mit ihrer strahlenden Energie die Berggipfel umarmen. »Ja! Und du wirst sein Licht lieben, und du wirst die geistigen Wesenheiten, die durch ihn sprechen, lieben!«

Cat sprach gern in Ausrufen, und ich konnte mir gar nicht vorstellen, daß sie in ihrem sonnigen Naturell jemand nicht liebte, körperlos oder nicht.

»Ja, sicher«, stimmte ich zu, ihre Begeisterung steckte mich an. »Das würde mir Spaß machen. Was, meinst du, geschieht dabei?«

»Gewöhnlich kommen mehrere Wesenheiten durch, und es ist, als seien sie tatsächlich im Zimmer mit dir.«

»Und was muß ich tun?«

»Du stellst Fragen. Sie können dir etwas über deine früheren Leben sagen, oder sie stellen Diagnosen bei Schmerzen, sie schlagen auch Diäten vor, die gut sind für deine ›Schwingungsfrequenzen‹ – alles, was du willst...«

»Na ja«, meinte ich, »nachdem ich von Ambres etwas über die Erschaffung der Welt gehört habe, würde ich gern etwas Persönlicheres erfahren.«

»Außerdem«, sagte sie, »brauchst du dringend eine geistige Ruhepause.«

Ich fragte mich, wie um alles in der Welt, Cat eine spiritistische Sitzung mit einer geistigen Ruhepause übersetzen konnte. Na ja, sie empfand sie vielleicht so...

Drei Monate später – nach dem Lesen einer Minibibliothek von einschlägigen Büchern – hielt ich die Zeit für gekommen, um persönliche Erfahrung mit spiritueller Vermittlung anzustellen. Cat traf für mich eine Verabredung mit Kevin Ryerson, und ich nahm mir vor, unverbindlich, zurückhaltend und höflich und alles mögliche mehr zu sein, was ich nicht bin...

Am nächsten Abend um ein Viertel vor sieben klingelte es an der Tür meiner Wohnung in Malibu. Ich öffnete voller Spannung auf das, was mich erwartete. Unter einer breiten Hutkrempe sah mich ein junger Mann an, etwa neunundzwanzig Jahre alt, mit klaren, freundlichen, tiefblauen Augen. Er trug einen beigefarbenen Anzug, der zu seinem Hut paßte, eine Weste und Schuhe sowie Socken in gleicher Farbe. Einen Staubmantel (ebenfalls beige) hatte er über die Schulter geworfen. Er lächelte mir offen ins Gesicht. Sein Lächeln war unschuldig und sanft. Ironischerweise schien er sich seiner theatralischen Aufmachung nicht bewußt.

»Hallo?« sagte er. »Ich bin Kevin?« Sein Tonfall ging am Ende eines jeden Satzes nach oben, als stelle er eine Frage. »Ich bin Kevin Ryerson.« Er machte einen etwas unsicheren Eindruck, wirkte aber gleichzeitig locker.

»Ja, Kevin.« Ich öffnete die Tür und bat ihn einzutreten.

Ich musterte ihn genau. Sein Mantel fiel ihm beinahe von der Schulter. Er bewegte sich geschmeidig, leicht vorgebeugt, setzte beim Gehen die Fersen zuerst auf.

»Kann ich mein Vehikel in der Einfahrt stehen lassen?« fragte er.

»Ihr Vehikel? Ach, Sie meinen Ihren Wagen? –, ja sicher.«

Er bedankte sich. »Meine Lady holt mich eventuell später ab. Auf diese Weise sieht sie gleich, wo ich bin.«

»Ihre Lady?«

»Ja, wir haben kürzlich geheiratet und für heute abend ein Festessen geplant. Kommt darauf an, wieviel Zeit wir miteinander verbringen?«

Ich wußte nicht recht, wie ich auf seinen Sprachgebrauch reagieren sollte. Er klang so affektiert. Dazu kam die Art, wie er ging, wie er sich kleidete; ich fragte mich, ob ich ihn ernstnehmen konnte.

»Ach ja«, bemerkte ich kühl, »keine Ahnung, wie lange so eine Sitzung dauert. Das wissen Sie sicher besser als ich.«

Kevin betrat mein Wohnzimmer und setzte sich etwas steif.

»Ja«, sagte er. »Sie stellen den geistigen Helfern die Fragen. Sie werden entscheiden, wieviel Zeit erforderlich ist.«

Kevin wirkte merkwürdig altmodisch, sozusagen anachronistisch.

Ich fragte, ob er einen Drink wolle oder eine Tasse Kaffee oder sonst etwas.

»Nein, danke«, sagte er. »Alkohol schwächt meine Präzision. Aber Tee wäre schön.«

Ich machte einen Tee und ermahnte mich, die Botschaft nicht mit dem Botschafter zu verwechseln.

»Sie haben also vor kurzem geheiratet?« fragte ich, machte absichtlich Konversation und hätte gern gewußt, wie es sei, mit einem Trancemedium zusammenzuleben.

»Ja«, sagte er, »ich habe mich in der ›Kaugummi-Brigade‹ genau umgesehen, bevor ich meine Entscheidung getroffen habe.«

Ich lachte laut.

Sprachlich hüpfte er zwischen den Rittern der Tafelrunde und der Rock-Generation hin und her.

»Hmm. Wollen sie auch Kinder?«

»Nein. Meine Lady und ich möchten ausziehen, um die Welt zu verändern, können uns aber keinen Babysitter leisten.«

Ich goß Kevin Tee ein.

»Haben Sie Erfahrung mit Trance-Vermittlung?«

»Nein«, sagte ich, »kaum.« Ich erzählte ihm von Ambres in Schweden und von anderen Leuten, die mir ihre Erfahrungen mitgeteilt hatten. Ich sagte, ich kenne das Edgar-Cayce-Material ziemlich gut. Kevin meinte bescheiden, er sei Cayce-Experte und bewundere ihn sehr. »Eine große Seele«, sagte er. »Ich besitze einige Cayce Bücher, die man nirgends findet. Ich leihe sie Ihnen gern.«

Wir plauderten über Cayce und geistige Führung sowie medizinische Diagnosen durch Trance-Vermittlung. Wir diskutierten Sir Oliver Lodges Untersuchungen in der »Society for Psychical Research« in England und seine Experimente, Kontakt mit der Seele seines toten Sohnes aufzunehmen. Wir sprachen über den Fall von Mrs. Piper in Boston, deren Mitteilungen sich stets als unfehlbar erwiesen haben.

Kevin redete zwanglos, war in methaphysischer und esoterischer Literatur belesen, konnte sich artikulieren und bewies erstaunlichen Humor in seinen klugen Bewertungen einiger Umstände, die ihm durch seine parapsychologische Gabe begegneten.

»Ich wußte auch nicht, was mit mir geschah, als das alles anfing«, gab er zu. »Während einer Meditation kam der Geist durch. Ich wußte es nicht einmal. Irgendwer sprang auf, holte ein

Tonbandgerät und nahm alles auf. Als sie mir das Band vorspielten, flippte ich beinahe aus. Ich wußte nichts über die medizinischen Ratschläge, die ich gegeben hatte. Und ich kannte auch die Stimmen nicht, die durch mich sprachen. Ich habe ganz sicher keine Informationen über vergangene Leben gegeben und dabei meine Stimme verstellt.«

Es fiel mir schwer, das, was er sagte, zu glauben. Warum sollte ich glauben, daß er fremde Stimmen nicht nachahmen konnte oder wollte und Geschichten über vergangene Leben erfand? Ich dachte an Ambres in Schweden. Wenn ich Schwedisch beherrschte, hätte ich *ihm* ebenfalls Fragen gestellt. Nun ja, ich höre mir das einfach mal an, dachte ich und verschränkte die Arme.

»Ich kann das nicht rational erklären«, fuhr Kevin fort. »Ich weiß lediglich, daß durch mich offenbar geistige Meister sprechen. Meine Schwester besitzt die gleiche Fähigkeit. Unsere Eltern waren völlig verblüfft, sie begriffen einfach nicht, was da vor sich ging. Ich fing dann an, über andere Menschen zu lesen, die solche Gaben ebenfalls besitzen. Es soll sogar Kinder von acht oder neun Jahren geben, die Sprachen übermittelten, die sie nicht kannten und ähnliches. Also beruhigte ich mich, ließ es einfach geschehen und helfe einer Menge Menschen damit.«

Ich sah Kevin an, ließ das, was er gesagt hatte, in mein Hirn einsickern, dachte an all die Dokumentationen, die ich gelesen hatte. Er wirkte bescheiden, anspruchslos, auch wenn er angezogen war, als käme er direkt vom Kostümverleih. Ich hatte mich immer auf das verlassen, was ein Freund von mir einen eingebauten Lügendetektor nannte – eine angeborene Skepsis. Doch ich wollte ihm keine Fragen wegen seiner Aufmachung stellen, um ihn nicht zu verunsichern.

Was war denn eigentlich meine Idealvorstellung eines glaubwürdigen Trancemediums? Jedes Individuum war genau das – ein Individuum. Wie sah denn ein »typisches« Trancemedium aus? Wie sah denn ein »typischer« Psychiater oder Arzt oder Rechtsanwalt aus? Sollte man nicht in jedem Fall eher nach den *Resultaten* urteilen? War unsichtbare Realität etwas, das überhaupt beweisbar war?

Unsichtbare Realität war ganz einfach etwas, von dem man glaubte, es sei wahr. Zu Gott beten – das hieß, Glauben an eine unsichtbare Realität zu haben. Wenn ein Baseballspieler sich bekreuzigt, bevor er zum Schlagmal geht, ruft er eine höhere unsichtbare Realität an; wenn ein Basketballspieler sich bekreuzigt, bevor er den regelwidrigen Führungstreffer versucht, lacht kein Mensch auf den Tribünen; und in den Schützengräben vermutet man keine Atheisten. Millionen Menschen nehmen jeden Sonntag an der unsichtbaren Realität eines Gottesdienstes teil, etwas das sie nicht beweisen können. Nichts von all dem fordert Skepsis heraus. Diese unsichtbare Realität ist seit Jahrhunderten anerkannt. Niemand stellt sie in Frage.

»Nun«, sagte Kevin schließlich, »was immer man von der Vermittlung unsichtbarer, geistiger Lehrer halten mag, es handelt sich um eine persönliche Entscheidung. Die Leute wissen einfach, ob es vernünftig oder unvernünftig ist. Ich versuche niemanden zu überreden. Ich versuche nur, das Phänomen zu verstehen und dabei zu lernen. Ich fühle mich von meinen geistigen Freunden ziemlich beschützt und geleitet und versuche meine metaphysische Begabung weiterzuentwickeln. Sie müssen Ihre Entscheidung selbst treffen.«

Ich fragte mich, ob das Gelingen einer Sitzung mit ihm voraussetzte zu glauben, was er sagte. Ich war dabei, meine eigene »Bereitwilligkeit« in einem neuen Licht zu untersuchen. War Aufgeschlossenheit ein Akt der Leichtgläubigkeit? Ich trank Tee.

»Welcher Religion gehören Sie an, Kevin?« fragte ich.

Er verschluckte sich beinahe. »Machen Sie einen Witz? Welche Kirche würde mich wohl haben wollen? Ich dringe doch in ihr Territorium ein. Ich sage den Leuten, sie sollen Gott in sich tragen. Die Kirche sagt, *sie* trage Gott in sich. Es gibt eine Bibelstelle, wonach man keine anderen geistigen Wesen als Gott anerkennen darf. Die meisten Christen halten sich daran. Aber in der Bibel steht auch nichts über Reinkarnation. Und es ist ziemlich bekannt, daß beim Konzil von Nicäa beschlossen wurde, die Lehre der Reinkarnation aus der Bibel zu streichen.«

»Woher wissen Sie das?« fragte ich.

»Das wissen die meisten gründlichen Bibelforscher. Das Konzil von Nicäa änderte viele Bibelstellen. Der Mensch Jesus studierte achtzehn Jahre in Indien, bevor er nach Jerusalem zurückkehrte. Er studierte die Lehren Buddhas und wurde selbst ein Meisteryogi.

Er hatte offenbar vollständige Kontrolle über seinen Körper und wußte, daß der Körper nur die Behausung für seine Seele war. Jede Seele hat viele Behausungen. Christus lehrte, das Verhalten eines Menschen entscheide zukünftige Geschehnisse – das Karma, wie die Hindus es nennen. Was man säet, das wird man ernten.«

Ich bezweifelte diese ziemlich allgemein gehaltenen Thesen nicht. Ich bot Kevin einen Keks an. Er schien eine Vorliebe für Süßes zu haben, denn er aß den Keks in zwei Bissen.

Ich dachte an die Ähnlichkeit zwischen den Cayce-Readings und Ambres und Buddha und den zahllosen Menschen, die diese Glaubenssätze vertraten.

»Also«, sagte ich, »was geschieht jetzt?«

Kevin verschlang noch einen Keks. »Gut«, sagte er. »In Ordnung. Also ... zwei, drei, manchmal auch vier geistige Wesenheiten benützen mich, um ihre Informationen zu übermitteln. Der erste, der normalerweise erscheint und die Leute begrüßt, nennt sich John. Einige von uns glauben, er ist das höchstentwickelte der körperlosen Wesen, die sich meiner bedienen. Er spricht eine Art Bibelsprache, der man manchmal schwer folgen kann. Wenn Sie es wünschen oder wenn John Schwierigkeiten mit der Kommunikation spürt, erscheint eine andere Wesenheit. Er nennt sich Tom McPherson, weil seine Lieblingsinkarnation die eines irischen Taschendiebs vor ein paar Jahrhunderten war. Er kann sehr amüsant sein. Viele Leute arbeiten gern mit ihm. Anderen wieder ist er zu humorvoll, um ernst genommen zu werden. Viele Menschen wollen, daß ihre geistigen Lehrer ernst sind. Dann gibt es Dr. Shangru, einen Pakistani, der vor ein paar Jahrhunderten gelebt hat – er ist Experte auf medizinischem Gebiet – und Obidaya, dessen liebste Erdengestalt die eines Jamaikaners war; er kennt sich in modernen Rassenproblemen aus.«

Wieder hatte ich Schwierigkeiten, ihn ernst zu nehmen. Es klang wie ein Comic-Strip mit einer Ansammlung verschiedener Figuren. Aber Moment mal, dachte ich. Das bestätigt nur alles, was ich gelesen hatte. Wenn diese Wesen, Wesenheiten einer »astralen Ebene« *sind*, dann hatte jeder von ihnen eine eigene Persönlichkeit ebenso wie wir.

»Moment mal«, wandte ich ein. »Sie sagen, dieser Tom McPherson war ein irischer Taschendieb? Heißt das, er war nichts anderes?«

»Nein«, sagte Kevin, »wie ich schon vorher sagte, diese Taschendieb-Persönlichkeit war seine Lieblingsinkarnation. Er lehrt gern aus dieser Lebensspanne.«

»Aha«, sagte ich. »Und warum gefiehl es ihm, Taschendieb zu sein?«

»Fragen Sie ihn«, erwiderte Kevin. »Aber ich glaube, es liegt an seinem Sinn für Humor.«

»Sie hören also diese Wesen, wenn sie durch Sie sprechen?«

»Nein«, antwortete er. »Mein bewußter Verstand ist ausgeschaltet. Aber ich kann auf der astralen Ebene, im Schlaf, mit ihnen sprechen. Und ich spüre, wie sie mich führen, wenn ich in einem bewußten Zustand bin.«

»Glauben sie, jeder hat geistige Lehrer?« fragte ich.

Kevin war erstaunt. »Aber sicher«, sagte er. »Das ist die Aufgabe der Seele, wenn sie einen Körper verläßt. Seelen, die verstorben sind, sozusagen, helfen denen, die noch im Körper sind. Aber darum handelt es sich doch bei spirituellem Verständnis.«

»Was ist denn eigentlich spirituelles Verständnis?«

Kevin richtete sich auf und beugte sich vor. »Haben Sie nie das Gefühl gehabt, von etwas geführt zu werden, von einer Kraft, die Sie nicht erfassen können?«

Ich dachte an all die Zeiten in meinem Leben, als ich meiner Intuition gehorchte, die mich manchmal beinahe zwang, eine bestimmte Entscheidung zu treffen, einem Menschen zu begegnen oder irgendwohin zu reisen. Ich dachte an meine Erlebnisse in Afrika, an eine Kraft, die mich zu beschützen schien, wenn ich allein reiste; oder an die Zeit in Bhutan im Himalaja, als ich mich gezwungen fühlte, zu erkunden und zu erforschen, was die Lamapriester machten, wenn sie, in Meditation versunken, in ihren Klöstern fünftausend Meter hoch über den Wolken saßen.

»Ja«, sagte ich zu Kevin. »Ich gebe zu, ich fühlte mich mein ganzes Leben von einer Art Macht geleitet. Was hat das zu bedeuten?«

»Das bedeutet, daß Sie neben Ihrer eigenen intuitiven Sicherheit von ihren geistigen Freunden und Lehrern geleitet werden. Sie mögen das einfach als Kraft bezeichnet haben, doch nun sollten

Sie sich in Ihrem Bewußtsein klarer werden, was wirklich vor sich geht.«

Ich stand auf. »Wie fühlt man sich mit dem Wissen, daß geistige Wesen durch einen sprechen?«

»Manchmal«, sagte er zögernd, »manchmal wäre ich lieber Gärtner anstatt Gartenverwalter. Aber das ist vielleicht mein Karma. Wir alle haben unsere Rollen im Leben zugeteilt bekommen. Meine ist vielleicht die eines menschlichen Telefons.«

Kevin wirkte plötzlich schutzlos, wie er so kerzengerade dasaß und die Teetasse auf seinem Knie balancierte. Ich hätte gerne gewußt, wie sich sein Leben abspielte, wie er seine Samstagabende verbrachte, was er über Politik dachte.

Damals realisierte ich noch nicht, daß Kevin Ryerson eines der Telefone in meinem Leben werden sollte. Und an diesem Freitagabend in Malibu war ich dabei, zu einigen neuen Freunden zu sprechen ... *real oder nicht, wieder einmal wurde ich daran erinnert, daß jeder Mensch seine eigene Realität erfährt*, und niemand sonst kann Richter darüber sein, was Realität wirklich ist. Aber es ist nicht einfach eine Sache, das zu glauben, wozu man bereit ist. Es ist mehr eine Frage, darauf zu achten, nicht zu skeptisch zu sein, um nicht automatisch herausfordernde Gedanken und neue Wahrnehmungen auszuschließen.

14. Kapitel

> »Jedes neugeborene Wesen kommt frisch und munter in eine neue Existenz und genießt sie als freies Geschenk: aber... seine frische Existenz wird bezahlt... eine verbrauchte Existenz, die vergangen ist, die jedoch unzerstörbaren Samen enthielt, aus dem die neue Existenz entstanden ist: sie sind ein Wesen. Die Brücke zu schlagen zwischen den beiden würde gewiß die Lösung eines großen Rätsels bedeuten.«
>
> Arthur Schopenhauer
> *Die Welt als Wille und Vorstellung*

Ich dämpfte das Licht in meinem Wohnzimmer. Draußen rauschte sanft der Ozean. Ich stellte das Tonbandgerät an und fragte Kevin, ob er etwas brauche.

»Nein«, antwortete er, »ich denke, ich verschwinde jetzt.«

»Gut, aber ich bleibe hier.«

»Richtig«, sagte Kevin. »Wir sehen uns dann später.«

Er lehnte sich zurück, verschränkte die Arme über der Brust und schloß die Augen. Ich rückte den Kassettenrecorder näher zu ihm. Er atmete tief und langsam. Etwa drei Minuten saß er reglos, atmete gleichmäßig und immer tiefer. Dann fiel sein Kopf sanft nach vorn auf die Brust, und er röchelte leise. Der Kopf richtete sich wieder hoch und neigte sich seitlich. Weitere dreißig Sekunden verstrichen. Dann öffnete er den Mund, und sein Körper bebte. Sein Atem veränderte den Rhythmus. Langsam weitete sich sein Mund in ein Lächeln. Seine Augenbrauen hoben sich, gaben ihm einen erstaunten Gesichtsausdruck. Seine Hände bewegten sich zu den Armlehnen. In einem krächzenden Flüstern, das nicht zu Kevins Stimmvolumen paßte, hörte ich:

»Heil! Ich bin John. Gib dich zu erkennen und nenne den Zweck der Zusammenkunft.«

Ich räusperte mich und setzte mich auf den Boden neben Kevins Stuhl.

»Also«, fing ich an, »mein Name ist Shirley MacLaine. Ich bin aus Richmond, Virginia in den Vereinigten Staaten, aber ich spreche zu Ihnen von Malibu, Kalifornien. Ich bin Schauspielerin und Tänzerin, ich schreibe auch, und ich kann nicht genau sagen, warum ich hier bin.«

»So sei es«, sagte die Stimme.

So sei es...? Ich vermutete, das hieß »in Ordnung«. Kevin hatte ja gesagt, eine der spirituellen Wesenheiten spreche in biblischer Form.

»Wir nehmen an, du hast Nachfragen. Wir spüren deine Schwingungen und sind mit ihnen vertraut.«

Es entstand eine Pause, als warte er darauf, daß ich eine Frage stelle oder etwas sage. Ich wußte nicht, wo ich anfangen solle.

»Ja also«, sagte ich, »können Sie mir bitte verraten, wer das ist: ›Wir‹?«

Er antwortete: »Wir sind jene, die dich in früheren Leben gekannt haben.«

Er verblüffte mich.

»Ihr Leute habt mich in früheren Leben gekannt?«

»So sei es.«

»Aha, ich verstehe«, schwindelte ich. Er sprach weiter.

»Um dich selbst zu verstehen, mußt du verstehen, daß du mehr bist, als du jetzt erscheinst. Die Summe deiner Begabungen, die Summe deiner Gefühle sind jene, die du früher erfahren hast... und alles, was du bist, ist Teil der Einheit von allem. Verstehst du das?«

Ich wand mich auf dem Teppich. Hatte nicht jeder gewisse Begabungen, Gefühle und Gedanken, die nicht zu seiner gegenwärtigen Lebenserfahrung paßten? »Entschuldigen Sie, worauf gründen Sie Ihre Information, was mich betrifft oder irgend etwas anderes im Kosmos?«

Beinahe ohne Pause antwortete er: »Auf das, was in der Akasha-Chronik aufgezeichnet ist.« Er machte eine Pause, als wolle er mir Zeit geben, seinen Hinweis aufzunehmen. Er wirkte so fremd, so pseudobiblisch. Ich war enttäuscht.

»Du bist angewiesen zu erkennen, daß Akasha das ist, was du als gesammeltes Unbewußtes der Menschheit bezeichnen kannst, gespeichert in ätherischer Energie. Diese Energie kann als der Geist Gottes bezeichnet werden. Du bist angewiesen zu erkennen, daß Verständigung besagter Vorstellungen schwer gegeben werden kann, aufgrund der begrenzten Dimensionen der Sprache.«

»Ja, ich verstehe, was Sie meinen. Und wenn wir schon dabei sind, warum sprechen Sie so?«

Es folgte eine Pause. Dann sagte er: »Ich werde mich bemühen, meine Sprache moderner zu halten, wie du dich ausdrücken würdest.« Er redete sofort weiter: »Diese gespeicherte Energie, genannt Akasha-Chronik, riesigen Schriftrollen vergleichbar, die in riesigen Bibliotheken aufbewahrt werden. Du, als Individuum bist gedacht als eine Schriftrolle innerhalb dieser Bibliotheken oder als einzelne Seele innerhalb des Geistes Gottes.«

»Verzeihen Sie, ist das, was Sie sagen, nicht ein wenig zu einfach?«

»Alle Wahrheit ist nicht so sehr einfach, als sie dazu angetan ist, einfach dargelegt zu werden.«

»Wenn sie so einfach dargelegt werden kann, warum kennen wir sie dann nicht?« fragte ich.

»Der Mensch weigert sich anzuerkennen, daß er im Besitz aller Wahrheiten ist, seit dem Anbeginn von Zeit und Raum. Der Mensch weigert sich, die Verantwortung für sich selbst zu übernehmen. Der Mensch ist neben Gott der Mitschöpfer des Kosmos.«

Nein, dachte ich, die Kirche lehrt, Gott ist der Schöpfer der Welt. Doch »John« sprach weiter.

»Erst wenn der Mensch akzeptiert, daß er Teil der Wahrheit ist, die er sucht, werden ihm die Wahrheiten selbst offenbar.«

»Sie sagen also, wenn ich mich selbst verstehe und verstehe, woher ich komme, verstehe ich alles.«

»Richtig«, sagte er.

»Also, ich war mir nie sicher, daß es so etwas wie Gott gibt. Bei allem, was in der Welt passiert, wie kann man überhaupt an Gott glauben?«

»Heißt das, du brauchst einen Beweis deiner eigenen Existenz?« fragte er.

»Ich verstehe nicht ganz, was Sie meinen. Natürlich nicht. Ich bin sicher, daß ich existiere.«

»Hast du einen Verstand?«

»Natürlich.«

»Der Verstand ist das Spiegelbild der Seele. Die Seele ist das Spiegelbild Gottes. Die Seele und Gott sind unendlich und ewig miteinander verbunden.«

»Das bedeutet, wenn ich verstehe, was dieses Gott-Etwas ist, dann muß ich mich selbst kennen?«

»Richtig«, sagte er, »deine Seele ist eine Metapher für Gott.«

»Wie? Moment mal. Ich kann weder das eine – die Seele – noch das andere – Gott – beweisen. Ich möchte nicht respektlos klingen, aber das ist eine trickreiche Art zu beweisen, daß es eine Seele gibt.«

»Tricks«, sagte er, »sind ein Spiel der Menschen, nicht von Gott.«

Ich fühlte mich seltsam verlegen.

»Aber ich könnte doch sehr hochmütig werden, wenn ich wirklich glaubte, ich sei eine Metapher für Gott.«

»Niemals«, sagte er. »Verwechsle nie den Weg, den du gehst, mit der Wahrheit selbst.«

Etwas beschämt wartete ich darauf, daß er von etwas anderem sprach.

»Pause«, sagte er. »Eine andere Wesenheit wünscht zu sprechen.«

»Was?«

Kevin verlagerte sein Gewicht. Die Arme wechselten die Position. Der Kopf fuhr auf die andere Seite herum. Einen Moment bedeckte er sein Gesicht mit den Händen und schlug ein Bein über das andere.

Ich hockte mich auf die Knie.

»Ich ziehe meinen Hut vor Ihnen«, sagte eine völlig andere Stimme. »McPherson hier. Tom McPherson. Wie geht's Ihnen da draußen?«

Er sprach mit einem komischen Akzent. Ich lachte laut. Kevin hob den Kopf wie eine Marionette. Seinem Gesichtsausdruck zufolge wunderte er sich, warum ich ihn komisch fand.

»Sieh mal einer an«, sagte die McPherson-Stimme. »Ganz so schnell habe ich eine solche Reaktion nicht erwartet. Gewöhnlich dauert es eine Weile, bis ich das schaffe.«

Kevin hatte gesagt, dieser McPherson sei amüsant. Ich *spürte* richtig, wie seine Persönlichkeit durchkam. Es war nicht nur der Klang seiner Stimme, es war beinahe die Präsenz einer völlig neuen Energie im Raum. Ich als Schauspielerin mußte vor Kevin den Hut ziehen. Wenn er eine Show abzog, dann war es eine exzellente Darbietung.

»Geht Ihre surrende Schachtel?«

»Meine was?«

»Ihre surrende Schachtel.« Ich schaute auf mein Tonbandgerät.

»Ach das«, sagte ich. »Ja. Macht es Ihnen etwas aus?«

»Nein, nein«, beteuerte er, »keineswegs. Ich wollte nur sichergehen, daß Sie die Einzelheiten auch mitbekommen.«

»Einzelheiten?«

»Ganz recht«, sagte er.

Kevin hustete, räusperte sich und hustete wieder.

»Entschuldigen Sie, was ist mit Kevins Kehle nicht in Ordnung?«

»Ach nichts«, sagte McPherson. »Ich habe nur Schwierigkeiten, mich den Schwingungen des Instruments anzupassen.«

»Oh, das heißt, Sie versuchen Ihre Energiewellen Kevins Energiewellen anzupassen?«

»Ja, ganz recht. Wir hier arbeiten mit Schwingungsfrequenzen. Haben Sie noch etwas von Ihrem Gebräu?«

»Meinem Gebräu?«

»Ja, ich glaube irgendwo ist ein Gebräu aus Kräutern.«

»Ach, Sie meinen Tee?«

»Ganz recht.«

»Aber ja. Wollen Sie welchen?«

»Ja, gern.«

»Die Tasse ist etwas klein. Soll ich sie Kevin in die Hand geben? Wird er in der Lage sein, sie zu halten?«

»Aber ja«, sagte McPherson.

Ich hielt Kevin die Tasse hin. Er machte keine Anstalten, seine Hand danach auszustrecken. Seine Augen blieben geschlossen.

»Geben Sie sie einfach in die Hand des jungen Mannes. Danke.«

Ich hob Kevins rechte Hand und gab ihm die Tasse.

»Die Tasse ist nicht nur klein, sie ist winzig«, sagte McPherson.

Ich lachte. Ich mochte diese kleinen Tassen selbst nicht besonders.

»Haben Sie nicht irgendwo einen Becher?« fragte er. »Ich glaube, Sie haben Glaskrüge in Ihrem Regal.«

Ich blickte hinüber in meine Küche. Ja, er hatte recht. Ich hatte Glaskrüge. Ich servierte nur nie Tee darin.

»Ich habe eine Vorliebe für Krüge«, sagte McPherson. »Gibt mir ein wenig von dem alten Pub-Gefühl. Hilft mir klar denken.«

Ich stand auf, ging in die Küche und holte den Krug. Dabei unterhielt ich mich weiter mit McPherson.

»Sie sind also wirklich Ire? Denken alle Iren besser, wenn sie einen Krug in der Hand halten?«

»Ganz recht«, sagte McPherson in meinem Rücken.

Ich kam wieder, goß Tee in den Krug und tauschte ihn gegen die Tasse aus.

»Es ist zwar nicht ganz so wie im Pub, aber immerhin«, sagte McPherson. Kevin hob den Krug zu den Lippen und trank. Seine Augen waren immer noch geschlossen.

»Können Sie den Tee schmecken?« fragte ich.

»Na ja, ich spüre ihn mehr, als ich ihn schmecke. Ich benutze die oralen Werkzeuge des Instruments, um ihn zu spüren.«

Er nahm noch einen Schluck.

»Wenn er zu heiß wäre, würden Sie das spüren oder Kevin?« fragte ich.

»Ich würde reagieren, um das Instrument zu schützen«, sagte McPherson. »Ich würde den Schmerz nicht fühlen, aber ich hätte das Einfühlungsvermögen, ja.«

»Und wenn er wirklich heiß wäre, was würden Sie tun?«

»Ich würde das System des Instruments besser kontrollieren, um den Schmerz zu ersticken.«

Es war eine Weile still. Ich spürte, wie McPherson auf mich wartete.

»Darf ich Sie Tom nennen?«

»Sehr gut.«

»Ich höre, Sie waren ein Taschendieb?«

»Ganz recht. Obwohl Taschendiebstahl mehr etwas war, was man als ›Deckberuf‹ bezeichnen könnte.«

»Ihr Deckberuf?«

»Ganz recht. Eigentlich hätte man mich als Spion in diplomatischen Diensten bezeichnen können.«

»Ein Spion? Für wen?«

»Für die englische Krone, muß ich zu meinem Bedauern gestehen.«

»Sie waren Spion für England, obwohl Sie Ire sind?«

»Ganz recht, Ire. Der Name McPherson ist zwar schottisch. Ich mußte ihn annehmen, um meine irische Herkunft zu verbergen, denn damals herrschten größere Vorurteile gegen die Iren als gegen die Schotten. Na ja, viel hat sich daran bis heute nicht geändert.«

»Und warum spionierten Sie für die Engländer?«

»Ich betrachtete mich gern als freiberuflicher Spion. Die Krone heuerte mich nur an, um wichtige Papiere von spanischen Diplomaten zu stehlen. Diese Kunst beherrschte ich perfekt. Deshalb nenne ich mich einen Taschendieb. Das machte mir mehr Spaß.«

Ich trank Tee, versuchte aus ihm schlau zu werden und kam nicht weiter. »Und jetzt nehmen Sie Ihren Beruf etwas ernster und helfen anderen hier unten, oder?«

»Ganz recht. Gleichgewicht und Karma und all das.«

»Da haben Sie sich wohl ein paar schlechte Punkte eingehandelt, wegen Ihrer Taschendiebereien – auf diplomatischer Ebene und so.«

»Ganz recht. Ich bewältige jetzt etwas von meinem Karma, indem ich Ihnen zu Diensten bin.«

»Ich verstehe.« Ich schwankte zwischen Amüsiertheit und Skepsis.

»Haben Sie noch etwas von Ihrem Gebräu?« fragte Tom.

Ich schenkte mir ebenfalls Tee nach und überlegte mir einen positiven Ansatzpunkt.

»Vor kurzem sprach ich mit jemand über die Existenz der Seele«, sagte ich. »Dabei nahmen wir déjà-vu-Erlebnisse als Beispiel für vergangene Daseinsformen. Manche Leute sagen, das Zellular-Gedächtnis oder Erbgedächtnis sei eine mögliche Erklärung dafür. Einige Wissenschaftler stellen die Hypothese auf, daß wir genetisch die Erinnerung an Dinge erben, die unsere Vorfahren erlebt haben. Wie beurteilen *Sie* diesen Bereich der Existenz der Seele?«

Es folgte ein Augenblick des Schweigens.

»Wie würden Sie ihn beurteilen?« fragte er.

»Ich hätte noch dazu sagen müssen, daß es Fälle gibt – beispielsweise in Stammesgesellschaftsformen in Afrika. Ihre Vorfahren hatten nie das Land verlassen, und doch haben sie Erinnerungen an Nordamerika, Indien und so weiter.«

»Interessante Argumente«, sagte Tom. »Sicher haben Sie auch von Telepathie und ›out-of-body-Experience‹ gehört.«

»Ja«, antwortete ich.

Viele Menschen hatten von diesen Erfahrungen außerhalb des Körpers berichtet. Sie hatten wirklich erlebt, daß ihre Seelen die Körperhülle verlassen hat, wenn sie dem Tod sehr nahe waren. Die meisten sprachen von einem weißen Licht, wie Peter Sellers, das sie mit starker Sehnsucht nach Liebe und Frieden anzog, während sie gleichzeitig auf ihren eigenen, sterbenden Körper blickten. Einige wollten nicht in den Körper zurückkehren. Viele dieser Erfahrungen waren in *Life after Life* von Dr. Raymond Moody aufgezeichnet. Und in meinem Bekanntenkreis befanden sich erstaunlich viele Menschen, die von ähnlichen Erlebnissen berichteten.

»Übrigens ist déjà-vu auch in modernem Kontext möglich. Beispielsweise können Sie ein déjà-vu haben, wenn Sie ein Haus betreten, das erst ein paar Jahre alt ist. Das kann kaum im Erbgedächtnis eingeprägt sein.«

»Also was ist es dann?« fragte ich.

»Es ist das Ergebnis einer Astralprojektion der Seele auf das neue Haus. Ähnlich Ihrer Erfahrung, die Sie in Ihrem schwebenden Traum hatten, den Sie so sehr geliebt haben. Erinnern Sie sich daran?«

Ich war völlig verblüfft. Ich hatte ihn nie irgendeinem Menschen gegenüber erwähnt.

»Du lieber Himmel, woher wissen Sie das?«

»Ach, nur eine kleine Voo-doo-Spielerei, sozusagen.«

Es dauerte eine Weile, bis ich meine Fassung wiedererlangt hatte. War das eine naheliegende Vermutung? Sagte er so etwas jedem, für den er vermittelte? Ich unterdrückte ein Hüsteln.

»Ich brauche einen Moment Zeit«, antwortete ich.

»Ganz recht«, sagte er. »Wir haben viel Zeit.«

Ich war vollkommen verwirrt. War es möglich, daß bestimmte Träume eine Astralprojektion der Seele waren?

»Haben Sie noch Fragen?«

Ich nahm mich zusammen.

»Ja«, sagte ich. »Warum gibt es soviel Abwehr gegen die Erforschung der Seele als Realität? Warum wird nicht ebensoviel Zeit und Geld in die Erforschung der Existenz der Seele gesteckt wie in die Atomkernspaltung oder die Atomenergie?«

»Nun, einmal, weil kein greifbares Material darüber vorhanden ist«, sagte er. »Die Seele ist keine materielle Sache. Also besteht die Tendenz, Seelenforschung zu verachten und lächerlich zu machen. Man setzt sozusagen seine fachliche Reputation dabei aufs Spiel.«

»Aber warum verachtet man sie?«

»Sie gilt als lächerliche Zeitverschwendung, Aberglaube und ähnliches. Ernst zu nehmende Menschen, die sich zu derartigen Studien bekennen, machen sich lächerlich. Aber wie ein Freund von Ihnen vor kurzem sagte, ›Wenn man die Frucht am Baum erreichen will, muß man sich auf den gefährlichen Ast hinauswagen‹.«

Ich schwieg – sprachlos. Er hatte dieselbe Analogie wie Gerry benutzt. Ich hatte mich stets gehütet, Gerry irgendeinem Menschen gegenüber zu erwähnen, schon gar nicht das, was er gesagt hatte.

McPherson fuhr fort: »Sie müssen mit Ihrem Gerry geduldig sein. Wir sind geduldig mit Ihnen.«

Ich war wie erschlagen. Wie zum Teufel konnte dieser Kerl etwas über uns wissen? Er wußte nicht nur von Gerry, er wußte auch, was Gerry gesagt hatte.

»Handelt es sich in diesem Fall um eine Indiskretion?« fragte Tom.

»O Gott«, sagte ich.

»Ganz recht«, erwiderte er heiter.

Ich trank Tee und versuchte, meine Fassung wiederzuerlangen. Es vergingen ein paar Minuten.

»Möchten Sie fortfahren?« fragte Tom.

Mein Gott, dachte ich, das kann ja alles wahr sein. Es gab so viele Fragen, die ich stellen mußte. »Okay«, sagte ich leise und »Okay. Sagen Sie mir, warum sind Wissenschaft und Kirche so gespalten?«

»Weil die Wissenschaft sich erst vor kurzem – in kosmischen Begriffen natürlich – von den Fesseln des religiösen Aberglaubens befreit zu haben glaubt und nun ihre goldene Freiheit genießt. Diese Haltung ist verständlich.«

»Steht die Seele unter der Herrschaft der Kirche?«

»Im orthodoxen Sinne – ja. Tatsächlich ist die Seele jedoch, hm, eine höchstpersönliche Angelegenheit, wenn ich so sagen darf.«

»Würde der Beweis der Existenz der Seele die Haltung der Wissenschaft radikal verändern?«

»Ja, natürlich. Aber die Wissenschaft sieht keine Basis, von der Fragen über die Existenz der Seele zu stellen wären. Also werden keine finanziellen Mittel für diese Art von Forschung zur Verfügung gestellt.«

»Aha, durch die Erforschung der Elektrizität erzeugt man elektrisches Licht, durch die Atomforschung eine Bombe...«

»Ganz recht.«

»...aber die Erforschung der Seele bringt keinen materiellen Gewinn.«

»Ganz recht. Kann ich noch etwas von Ihrem Gebräu haben?«

Ich schenkte ihm Tee nach. Es war fast keiner mehr da. Eine Weile schwieg ich und dachte über unsere ungewöhnliche Teegesellschaft nach. Ich fragte mich, ob ich derartig leichtgläubig und bereit war, einen Walfisch zu schlucken. Das Tonbandgerät schnurrte in die Stille hinein.

»Tja«, meinte ich.

»Ganz recht«, erwiderte Tom.

»Hm, ich würde ganz gern etwas über meine vergangenen Leben wissen. Wäre das möglich?«

»Natürlich«, sagte Tom. »Einen Moment noch. Nehmen Sie bitte den Krug?«

Ich nahm den Krug aus Kevins Hand, prüfte das Band und setzte mich wieder.

15. Kapitel

> »Sollte die unsterbliche Seele wohl in der ganzen Unendlichkeit ihrer künftigen Dauer ... an diesen Punkt des Weltraumes, an unsere Erde jederzeit geheftet bleiben? Sollte sie niemals von den übrigen Wundern der Schöpfung eines näheren Anschauens teilhaftig werden? Wer weiß, ist es ihr nicht zugedacht, daß sie dereinst jene entfernten Kugeln des Weltgebäudes ... die schon von weitem ihre Neugierde so reizen, von nahem soll kennenlernen?
>
> Immanuel Kant
> *Allgemeine Naturgeschichte und Theorie des Himmels*

Ein Schauder durchlief Kevin, sein Kopf fuhr herum, bis er »Johns« Wesen wieder angenommen hatte.

»Heil«, sagte die John-Stimme. »Du hast Fragen bezüglich deiner früheren Leben?«

»Ja«, antwortete ich.

Das Telefon schrillte.

John reagierte mit einem Ruck seines Kopfes.

Ich wartete.

Ich konnte spüren, wie John »seine Schwingungen anglich«, wie McPherson gesagt hatte. Das Telefon schrillte weiter. Ich ging nicht hin.

»Du wirst lernen«, sagte John, »daß du, um die Seele in sich heute zu begreifen, auch etwas von den vergangenen Zivilisationen, die du gekannt hast, verstehen mußt.«

»Wirklich?« fragte ich verdattert, ich kam mir etwas albern vor.

»Tatsächlich«, sagte John, »warst du einige Male verkörperlicht während der fünfhunderttausend Jahre dauernden Periode der am höchsten entwickelten Zivilisation, die der Menschheit je bekannt war. Es war die Zeit, die die Bibel als Paradies symbolisiert. Ich möchte, daß du jetzt einen sehr wichtigen Gedankengang verstehst. Der Stand des Fortschritts jeder Zivilisation wird durch ihre geistige Entwicklung beurteilt. Technologischer Fortschritt ist wichtig und interessant, aber wenn er geistiges Verständnis behindert oder verleugnet, trägt er den Samen der eigenen Zerstörung in sich. Du bist Zeuge dieser einfachen Wahrheit in eurer gegenwärtigen Zivilisation auf Erden. Euer geistiges Verständnis hinkt weit hinter eurem technologischen Wissensstand her, daraus folgen zunehmend Geisteskrankheiten, Depression, Sinnverwirrungen, völlige Ungleichheit der Menschen und Verzweiflung.«

»Wo liegt also die Hoffnung für uns? Ich meine, wenn wir uns rückentwickeln anstatt vorwärts, warum leben wir dann?«

»Eine gute und wichtige Frage«, sagte John, »die uns wieder zum Thema Karma führt. Dazu ist es notwendig, daß du deine Grundidentität, die Macht deines freien Willens, deine Göttlichkeit und deine Gleichwertigkeit mit Gott begreifst.«

»Entschuldigen Sie«, unterbrach ich ihn, »wie paßt die Religion in all das hinein?«

»Gegen vieles von dem, was ich sage, haben deine weltlichen Religionen Einwände. Deine Religionen lehren Religion – nicht Geistigkeit. Die Religion hat die Menschen hauptsächlich ausgebeutet. Deine Weltreligionen sind grundsätzlich auf dem richtigen Weg, doch sie lehren *nicht*, daß jedes Individuum grundsätzlich der Schöpfer und Beherrscher seiner eigenen Bestimmung ist. Sie lehren, daß *Gott* diese Rolle zukommt. Ich versuche zu erklären, daß jedes Individuum der Mitschöpfer von Gott ist. Das paßt euren Kirchen und Religionen nicht, denn sie ziehen es vor, die Menschheit zu beherrschen, anstatt lehren zu helfen, daß die Menschheit nur sich selbst beherrschen kann durch Selbsterkenntnis und durch das Wissen ihrer Vergangenheit und ihres Sinnes in der Gegenwart und Zukunft.«

Mir war bewußt, wie brisant solche Gedankengänge waren. Aber befaßten sich nicht viele Menschen innerhalb der Kirche mit Selbsterkenntnis? Gab es nicht viele Menschen, die, während sie die Gebote der Kirche befolgten, rastlos nach der Wahrheit hinter den Geboten suchten?

Ich blickte aus dem Fenster über den nächtlichen Ozean. In der Ferne blinkten die Lichter eines Fischerbootes. Wie viele der großen Wahrheiten des Lebens würde man nie sehen, beweisen oder bekräftigen können? Das war beunruhigend und angsteinflößend. War die Wahrheit nur dann Wahrheit, wenn sie zu »beweisen« war? Ich war ziemlich ratlos und wandte mich wieder Kevin zu und der »körperlosen, geistigen Wesenheit«, die er vermittelte.

»Also«, sagte ich aufgeregt und ein wenig atemlos, »habe ich in einer früheren Zivilisation gelebt?«

»Ja, einige Male«, sagte John. »Zweimal als Mann und einmal als Frau.«

Es beruhigte mich irgendwie, daß die Reinkarnation mir diesmal die bessere Daseinsform zugedacht hatte. »Machen wir alle die Erfahrung, als verschiedene Geschlechter zu leben, damit wir das andere Geschlecht besser verstehen?«

»Das ist korrekt«, sagte John, »wie sonst könnte die Menschheit Verständnis für sich selbst und ihre Identität erreichen, ohne diese verschiedenen körperlichen Erfahrungen?«

Ich beugte mich wieder vor. »Könnte das eine metaphysische Erklärung für Homosexualität sein?« fragte ich. »Ich meine, wenn eine Seele beispielsweise eine zu schnelle Veränderung vom weiblichen in den männlichen Körper erfährt, bleibt dann ein gefühlsmäßiger Rest aus der vorhergegangenen Inkarnation?«

»So sei es«, sagte John. »Die sexuelle Priorität eines solchen Individuums spielt eine wichtige Rolle in der Unerläßlichkeit zu verstehen, daß wir alle im Grunde gleich sind, da wir alle die Erfahrung beider Geschlechtlichkeiten haben; unsere Seelen, wenn du so willst, sind grundsätzlich zweigeschlechtlich.«

»Zweigeschlechtlich?«

»Ja, hohes geistiges Verständnis kennt keine sexuellen Unterschiede, weil die Elemente beider Geschlechter gleichzeitig vorhanden sind. Die Polaritäten stehen gleichmäßig in Opposition. Eure alten Propheten und Christusfiguren, wie Jesus und Buddha, waren deshalb Zölibaten, weil ihre Schwingungen in ausgeglichener und perfekt ausbalancierter Frequenz verliefen. Ihr Yin und Yang war so gleichmäßig verteilt, daß Sexualität sie nicht interessierte, da es keinen Konflikt und folglich keine Spannung gab. Sie mußten weder etwas sublimieren noch unterdrücken. Sex interessierte sie nicht wegen ihrer friedlichen, geistigen Ebene.«

»Ich weiß nicht, ob ich mit ihnen tauschen möchte.«

John schwieg einen Moment. »Wir raten keineswegs Zurückhaltung in sexueller Beziehung«, sagte er. »Ganz sicher nicht. Sexualität in menschlichen Begriffen ist ebenso ein Weg zu Gott, wenn sie geistig ebenso wie körperlich vollzogen wird.«

»Verzeihen Sie«, bemerkte ich, »kommen wir da nicht zu sehr vom Thema ab?«

»Ja«, sagte John. »Aber Sexualität ist ein faszinierendes Gebiet, auch für mich.«

Ich lachte. »Und wer sind Sie?« fragte ich. »Ich meine, hatten Sie auch einmal einen physischen Leib?«

»O ja«, bestätigte John. »Ich hatte zu vielen Zeiten einen Körper, als Mann und als Frau, doch seit kurzem habe ich die Astralform beibehalten.«

»Ich verstehe«, sagte ich. Ich war neugierig, aber mehr noch wollte ich über mich selbst erfahren.

»Wer war ich also in meinem vergangenen Leben?«

»Nach der Akasha-Chronik warst du mit einer Zwillingsseele inkarniert.«

»Oh! Und was ist eine Zwillingsseele?«

»Diese Frage bedarf einer ausführlichen Erklärung, die ich versuche dir später zu geben. Jetzt möchte ich damit beginnen, Verwandtschaft der Seelen zu erklären.«

»Verwandtschaft der Seelen?« fragte ich. Der Begriff bezog sich normalerweise auf Menschen, die sagen, sie hätten ihre andere Hälfte gefunden.

»Verwandte Seelen«, fuhr John fort, »wurden füreinander erschaffen von Anbeginn der Zeit, dem Augenblick des ›Urknalls‹, wie ihr ihn bezeichnet. Sie schwingen in exakt der gleichen elektromagnetischen Frequenz, da sie der identische Gegenpart des anderen sind. Zwillingsseelen sind häufiger, da sie in der einen oder anderen Form gemeinsame Erfahrungen in vielen Lebensspannen haben. Aber verwandte Seelen sind tatsächlich von Anbeginn der Zeit erschaffen als Paar, das zusammengehört... Du siehst also, es ist mehr an eurem Urknall, als du dir vielleicht denkst... und ziemlich romantisch, findest du nicht?«

Ich gab ein paar nichtssagende Laute von mir.

»Ich möchte dort beginnen, wo wir einander begegnet sind.«

»Ach?«

»Ja, wir waren Lehrer und Schüler. Du warst einer meiner

aufgewecktesten und, um mich in heutigen Begriffen auszudrükken, einer meiner Lieblingsschüler.«

Ich wünschte, ich hätte Zeugen, die das mitanhören könnten! »Wir kannten einander also?«

»Richtig. Es ist kein Zufall, daß du heute hier bist. Wir glauben, daß du reif geworden bist für das Verständnis, daß es so etwas wie Zufall nicht gibt.«

»Wer ist ›wir‹?« fragte ich.

»Deine geistigen Leiter. Ich bin einer von ihnen«, sagte John.

»Das heißt, ich bin durch Sie und diese geistigen Leiter hierher geführt worden?«

»Das ist korrekt«, sagte John.

»Wie?«

»Durch dein eigenes Bedürfnis, dein Verhalten zu erklären und deine Fragen und deine Suche nach der Wahrheit und durch paranormale Leitung derer von uns, die spüren, daß du bereit bist, deine eigene Wahrheit zu erfahren.«

»Ist es das, was man als geistige Führung bezeichnet?«

»Das ist korrekt.«

Es entstand eine Pause; John, die Stimme, schien seine Gedanken zu sammeln. Nach einer Weile fuhr die Stimme fort:

»Wir haben deine Schwingungen während einer der Lebensspannen entnommen, die du mit einer Wesenheit verbracht hast, mit der du auch heute in Verbindung stehst. Wir glauben, daß diese Wesenheit auf euren Britischen Inseln lebt. Ist das korrekt?«

»Gerry?« sagte ich mit überschlagender Stimme. »Sprechen Sie von Gerry?«

»So sei es. Wir haben auch seine Schwingungen entnommen und gefunden, daß Ihr beide Mann und Frau während einer eurer vergangenen Lebenszeiten gewesen seid.«

»Du liebe Güte«, sagte ich amüsiert und platt vor Staunen. »Haben wir uns damals verstanden? Ich meine, war die Kommunikation damals besser als heute?«

Es entstand wieder eine Pause.

»Dein Gerry hatte sich damals sehr stark seiner Arbeit gewidmet. Und wir müssen gestehen, zum Schaden eurer Verbindung. Aber er vollbrachte wichtige Arbeit im kulturellen Austausch mit den Außerirdischen, die versuchten technologisch und geistig Hilfe zu leisten.«

Außerirdische?

John spürte wohl mein Erstaunen. Mit festerer Stimme als vorher antwortete er: »So sei es. Außerirdische haben damals wie heute diesen Planeten besucht.«

»O mein Gott«, ich holte tief Atem. »Könnten Sie mir mehr davon erzählen? Ich meine, was sagen Sie da eigentlich? Heißt das, daß wir von Anbeginn der Zeit Besuch aus dem Weltall hatten?«

»Das ist korrekt. Es gibt Planeten, deren Wissensstand weiter entwickelt ist als eure Erde. Ebenso wie eure Erde weiter entwikkelt ist als andere Planeten.«

Ich zwang mich zur Ruhe. Ich wünschte, ich wüßte, welche Fragen ich stellen sollte.

»Also«, sagte ich, völlig durcheinander. Vielleicht war dies alles Schwindel; aber wenn nicht? Ich wollte keine Gelegenheit verpassen, mehr zu erfahren. »Also«, fing ich wieder an, »welche Art von Wissen brachten diese Außerirdischen?«

John antwortete, ohne zu zögern. »Die einzig wichtige Kenntnis ist das geistige Wissen von Gott im Menschen. Jedes andere Wissen folgt daraus.«

»*Jedes* andere Wissen?«

»Das ist korrekt. Eure wissenschaftlichen Erkenntnisse zum Beispiel hängen von eurem Verständnis der Schwingungsfrequenzen ab und davon, wie diese sich zum Universum verhalten. Gott ist Liebe – das ist die höchste Schwingungsfrequenz, die es gibt. In eurer physikalischen Welt ist Licht die höchste und schnellste Geschwindigkeitsfrequenz. Aber für Wesenheiten, die größeres Wissen haben, größere Kontrolle, haben *Gedanken* eine wesentlich höhere Frequenz als das Licht. Gedanken sind Teil von Gott, ebenso wie Gedanken Teil des Menschen sind. Und *wenn Gedanken Liebe sind*, schwingen eure Frequenzen im höchsten Energiebereich. Das ist es, was die Außerirdischen gelehrt haben, ebenso wie ihr auf der Erde dies eines Tages andere lehrt.«

Ich wußte nicht, wie ich antworten sollte.

Ich räusperte mich, strengte meinen Verstand an, um zu verstehen. Ich konnte keinen persönlichen Bezug herstellen zu dem, was John sagte. Die Konsequenzen dessen, was er sagte, waren so unfaßbar, daß mir keine guten Fragen dazu einfielen. Ich wollte zu mir selbst zurückkommen. Das konnte ich verstehen.

»Bitte verzeihen Sie«, sagte ich. »Könnte ich einfach Fragen über mich stellen? Ich habe genug Schwierigkeiten, mich damit auseinanderzusetzen.«

»Natürlich«, sagte John. »Du bestimmst dein eigenes Tempo.«

»Okay«, sagte ich erleichtert. »Danke. Gerry und ich waren also Mann und Frau. Heißt das, wir haben Zwillingsseelen?«

»Nein, aber du bist und warst eine Zwillingsseele mit einer Wesenheit, die du David nennst.«

Ich unterbrach ihn. »Sie wissen auch von David?«

»Das ist korrekt. Du hattest einige Lebenszeiten mit dem David-Wesen während dieser frühen Menschheitsperiode verbracht, ebenso wie viele andere im Lauf der Zeit.«

Vielleicht fühlte ich mich deshalb bei David so wohl.

John sprach weiter. »Dieser David ist ein guter Lehrer, und du kannst ihm vertrauen. Aber wir fühlen, daß du das bereits spürst. Du mußt lernen, deinen Gefühlen mehr zu vertrauen, und davon absehen, dich vielen Bereichen im Leben von einer strikt intellektuellen Perspektive zu nähern. Intellekt an sich hat seine Grenzen. Gefühle sind grenzenlos. Vertraue deinem Herzen ... oder deiner Intuition, wie du das nennst.«

Meiner Intuition vertrauen? Ja, wenn ich zurückdenke, konnte ich mit ziemlicher Bestimmtheit sagen: Wann immer ich gegen meine Intuition handelte, war ich in Schwierigkeiten geraten. »Heißt das, wenn wir alle dem folgen, was in unserem Herzen ist, dann ist alles gut?«

»Nein. Nicht unbedingt. Falsche Gefühlseingebungen gilt es zu überwinden. Aber die Menschheit und alles Leben ist im Grunde genommen gut. Du mußt lernen, dem eine Chance zu geben. Leben verkörpert die Gedanken Gottes, und Gott ist Liebe.«

Offen gesagt, all das Gerede von »Gott« war mir unbehaglich. »Okay«, sagte ich. »Aber was nennen Sie Gott?«

»Gott oder die Gotteskraft, wovon alle Dinge Teil sind, ist die Göttliche Energie, die das Universum erschaffen hat und es in Harmonie zusammenhält.«

»Sie bezeichnen das, was hier vorgeht, als Harmonie?«

»Im letztlichen Lebensplan ja. Harmonisch in dem Sinne, daß die Dinge sich ausbalancieren. Aber du mußt den Prozeß des Fortschritts jeder Seele in jeder Wiederverkörperung und jeder Reinigung verstehen, um diese Harmonie zu verstehen.«

»Moment mal«, sagte ich. »Ist die Bibel nicht das Wort Gottes?«

»Ja, im Grunde ja. Obwohl vieles von dem, was heute in der Bibel steht, neu ausgelegt wurde.«

»Neu ausgelegt, von wem?«

»Von verschiedenen Menschen im Verlauf der Zeit und durch verschiedene Sprachen. Letztlich durch die Kirche. Es war für die Kirche von Nutzen, die ›Menschen zu schützen‹ vor der reinen Wahrheit.«

»Und was ist die reine Wahrheit?«

»Die reine Wahrheit ist der Prozeß des Fortschritts jeder Seele durch die Jahrhunderte. Die reine Wahrheit ist die Verantwortung jeder Seele für ihre eigene Handlungsweise und das Begreifen ihrer eigenen Göttlichkeit.«

»Sprechen Sie von Reinkarnation?«

»Das ist richtig. Das ist der Begriff, den ihr benutzt. Das Erarbeiten der kosmischen Gerechtigkeit bis zur endgültigen Harmonie.«

»Lehnt die Kirche denn diese Wahrheit ab?«

»Ja, denn diese Wahrheit würde die Macht und Autorität der Kirche überflüssig machen. Jeder Mensch, das heißt jedes Lebewesen ist sich für sein Tun selbst verantwortlich. Er braucht keine Kirche, er braucht keine Rituale, er braucht kein Kämmerchen, in das er kriecht, um die kirchliche Absolution zu bekommen. Sagen wir einfach, die Autoritäten der Kirche hatten den Wunsch, die Menschheit vor einer Wahrheit zu ›bewahren‹, für die sie die Menschheit nicht reif genug hielten.«

»Sie meinen also etwa die gleiche Einstellung, wie sie die Regierungen dem Volk gegenüber haben?«

»So sei es.«

Ich streckte mich auf meinem Teppich aus. Ich wußte weder, was ich denken sollte, noch fielen mir weitere Fragen ein. Kevin saß unbeweglich. Der Tee auf dem Tisch war kalt.

»Gibt es noch weitere Fragen?« wollte John wissen.

Ich sah hinaus auf die blinkenden Lichter des Fischerbootes.

Ich dachte an ein paar Menschen, mit denen ich gesprochen hatte, die mich für naiv und leichtgläubig hielten, weil ich die Glaubwürdigkeit von körperlosen geistigen Wesen, die durch ein Medium sprechen, überhaupt in Erwägung zog. Wie könnte ich nur auf so etwas hereinfallen? Ich hatte ihnen geantwortet, das Gefühl zu haben, etwas dabei zu lernen. Über die Bedeutung war ich mir nicht sicher, aber irgendwie fand ich bestätigt, daß es mehr Dimensionen der Realität des Lebens gab, als man erfassen konnte – etwa in der Weise, wie manche Dimensionen unserer eigenen Persönlichkeiten und Charakterzüge für uns ein Geheimnis bleiben, bis wir anfangen, Aspekte zu erforschen, die uns neu, nicht bewußt sind, weil wir sie nicht »sehen« können.

Aber wieso fühlte *ich* mich wohler als andere, indem ich mir zugestand, Dimensionen unbeweisbarer Möglichkeiten zu erforschen? Ich wußte es wirklich nicht. Ich hatte nur ein gutes Gefühl dabei. Das war alles, was ich sagen konnte. Ich fühlte mich nicht bedroht. Es warf meine Gefühlswerte bereits manifestierter Realitäten nicht durcheinander, zerstörte nicht das Bild, das ich von mir selbst hatte. Diese Erforschung schien meine Wahrnehmungen bisheriger Realität zu erweitern. Also fragte ich mich, warum meine Freunde, besonders Gerry, diese Suche nach neuem Wissen auf geistigen Wegen, durch spirituelle Medien und Reinkarnation so bedrohlich für mich und meine Glaubwürdigkeit empfanden. Warum machten sie sich Sorgen um mich? Ganz sicher aus Liebe, und weil sie mich schützen wollten. Sie wollten nicht, daß ich mich lächerlich machte – ebensowenig wie ich. Aber es war mehr als das. Sie fühlten sich selbst bedroht! Warum? Warum *nicht* Fragen stellen und in Gebiete und Möglichkeiten eindringen, die nicht unbedingt »beweisbar« sind? Welchen Schaden konnte das anrichten? Würde das die Bilder, die sie sich zurechtgelegt hatten, durcheinanderwirbeln? Würde das ihre eigenen Ansichten von Realität verwirren?

Ich hockte mich auf die Knie.

»John, warum können so viele Menschen das Phänomen der Trance-Übermittlung eines körperlosen Meisters, wie Sie einer sind, durch ein menschliches Instrument nicht akzeptieren?«

Es entstand eine kleine Pause.

»Weil sie sich nicht erinnern, auch einmal körperlos gewesen zu sein. Menschen denken, das Leben ist die Totalität dessen, was sie sehen. Sie glauben, der Mensch bestehe aus Körper und Gehirn. Aber Persönlichkeit ist mehr.«

»Wie meinen Sie das?«

»Persönlichkeit ist der immaterielle Aspekt des Bewußtseins, das nur vorübergehend, in kosmischen Zeitbegriffen, in einem Körper eingeschlossen ist.«

»Aber Sie glauben nicht, daß dieses Konzept Wirklichkeit ist?«

»Wirklichkeit?« fragte John. »Ist ein Gedanke keine Wirklichkeit? Aber wie will man das wissenschaftlich belegen? Gedanke ist Energie. Wer die physische Existenz von Gedanken oder Gedankenenergie in Frage stellt, stellt mit tiefer Skepsis seine eigene Identität in Frage.«

»Ja. Aber sind Fragen nicht positiv? Ich meine, absolute Gewißheit erzeugt doch Selbstsucht und zersetzende Machtgefühle.«

»Ja, das stimmt. Die Gefahr setzt ein, wenn die Skepsis so tief geht, daß sie das Potential unterdrückt, wunderbare Wahrheiten zu erkennen, die von großem Nutzen sind.«

»Aber wie kann ich meinen Freunden beibringen, daß Aufgeschlossenheit tatsächlich weise ist?«

»Das sollst du nicht tun. Du *bist* aufgeschlossen und legst deine Standpunkte dar. Laß den Skeptikern die Freiheit, skeptisch zu sein. Andernfalls müßte ich dir den Vorwurf machen, ein Unterdrücker zu sein. Laß ihnen das Privileg, ihre Zweifel fortzusetzen. Es wird eine Zeit kommen, in der auch sie wissen wollen, dann werden sie Dimensionen entdecken, die ihnen tiefere Wahrheiten offenbaren. Sie werden selbst Rat suchen, wenn sie dazu bereit sind. Wenn Menschen darauf bestehen, in ihrem ›logischen‹ Glaubenssystem zu verharren, dann fühlen sie sich in ihrer eigenen erkennbaren Realität sicher, und folglich auch innerhalb ihrer Machtposition, was diese Macht auch sein mag. Sie werden ihre Wahrnehmungen nicht verändern, folglich wollen sie sich selbst nicht verändern oder in ein erweitertes Bewußtsein ihrer selbst hineinwachsen.«

»Aber was ist mit der Sicherstellung des eigenen Egos?«

»Die meisten Menschen leiden unter einem *veränderten Ego*. Verändert durch die Gesellschaft, die Kirche und die Erziehung. Ihre wahren Egos kennen die Wahrheit. Ich bin so glaubwürdig wie jeder andere. Du kannst mich nicht sehen, aber es gibt viele Aspekte deines Selbst, die du ebensowenig sehen kannst. Die Menschen suchen ständig nach diesen Aspekten in sich selbst. Aber während dieser Suche müssen sie ihre Welten absichern. Der Glaube, ich sei ebenso real wie sie, würde sie aus ihren Trägheitszonen werfen – Zonen, die sie verstehen und beherrschen können. Wenn sie beginnen, mehr zu verstehen, begreifen sie im Grunde, daß es sehr viel mehr zu verstehen gibt, was sich außerhalb ihrer Reichweite befindet.«

»Aber das ist es nicht, was die Leute mir sagen. Sie sagen, die ganze Theorie der Reinkarnation ist zu *seicht*. Sie sagen, der Gedankengang ist zu einfach, um real zu sein.«

»Ich möchte noch einmal betonen: Die Wahrheit ist einfach. Es ist der Mensch, der darauf besteht, sie kompliziert zu machen. Und der Mensch kann die Wahrheit nicht einfach erlernen, wie er eine Lektion lernen würde. Er muß ihre Aspekte in sich selbst erfahren, um weiterzukommen. Die Wahrheit zu erfahren ist in sich ein Kampf. Ein Kampf zum einfachen Bewußtsein. Vergiß nicht, die natürliche Heimat der Menschen ist nicht die Erde; die natürliche Heimat menschlicher Wesen ist der Äther. Jedes Individuum kennt bereits die Göttliche Wahrheit. Sie haben sie nur verkompliziert und vergessen, daß sie sie kennen.«

»Aber meine intellektuellen Freunde sagen, die Überzeugung zu haben, alle Wahrheiten zu kennen, sei die äußerste Form des Hochmuts.«

»Jeder Mensch kennt seine eigene Wahrheit. Aber die einzige Wahrheit, die zählt, ist die Wahrheit der Beziehung zum Ursprung, zur Gottesmacht. Und *diese* Wahrheit wird blockiert, wenn sie auf intellektuelle Skepsis stößt. Um Gott zu kennen, ist Intellekt nicht vonnöten. In dieser Hinsicht sind alle Individuen gleich. Deine Intellektuellen wollen sich von der Mehrheit absetzen, um als elitär zu gelten. Sie verlassen sich mehr auf ihren Intellekt als auf die Gottesmacht, die in ihnen ruht. Vielen Menschen, nicht nur Intellektuellen, ist die Anerkennung des Göttlichen Funkens in sich selbst unangenehm. Doch intellektuelle Skeptiker neigen eher zu inneren Konflikten, Verwirrung und Unzufriedenheit. Alle Menschen suchen Frieden. Der Weg zum inneren Frieden führt nicht durch den Intellekt, sondern durch das innere Herz. In diesem inneren Herzen findet man Gott, Frieden und sich selbst. Intellektuelle Skeptiker meiden sich selbst. Das *Selbst* aber kennt die Göttliche Wahrheit, weil das Selbst göttlich ist. Verstehst du das?«

Ich richtete mich auf. Ja, ich verstand. Nichts von dem klang religiös. Es war einfach sinnvoll. Und ich konnte nicht begreifen, warum andere daraus eine solche Riesensache machten – entweder konnten sie das nicht verstehen, oder sie wollten nicht.

»Warum gibt es Kriege, John? Was veranlaßt die Menschen, andere besiegen und unterwerfen zu wollen?«

»Weil jene, die das Bedürfnis haben zu siegen, nicht die Wahrheit in sich selbst erfassen. Würde ein engstirniger Tyrann sein inneres Wissen erkennen, würde er bald den Drang, Eroberungen machen zu müssen, ablegen. Er würde begreifen, wie groß er wirklich ist, daß er es nicht nötig hat, seine eigene Unsterblichkeit sicherzustellen, indem er andere unterwirft. Sobald der menschliche Geist eine Erweiterung von Dimensionen auf vielen Ebenen erfährt, wird er friedlicher und zufriedener. Die Ansicht des Skeptikers über höheres Wissen des Selbst ist sehr begrenzt. Eure dogmatischen Religionen zum Beispiel behindern die Menschen, denn sie verlangen bedingungslose Ehrerbietung ihrer Autorität – eine äußerliche Autorität. Du bist Gott. Du weißt, du bist göttlich. Aber du mußt dich deiner Göttlichkeit ständig bewußt sein, und was das Wichtigste ist, danach handeln.«

»John, Sie haben vorhin Außerirdische erwähnt. Ich weiß nicht recht, was ich davon halten soll. Müssen sie den gleichen Kampf mit dem inneren Verständnis durchmachen?«

»Ja, so ist es«, sagte John. »Sie arbeiten – zumindest einige von ihnen – auf einer höheren Bewußtseinsebene, auch auf einer höheren technologischen Ebene. Aber sie sollen nicht als gottgleich verehrt werden. Sie sind nur Lehrer. Sie haben eure Erde durch die Äonen hindurch besucht, um Wissen und spirituelle Wahrheit zu bringen, weil sie durch die Evolution der Zeit herausgefunden haben, daß das spirituelle Verständnis das einzige Verständnis ist, das zum Frieden führt. Alles andere Wissen resultiert daraus.«

»Dann sind also die Hinweise in der Bibel auf Außerirdische echt? Was Hesekiel und andere gesagt haben?«

»Jawohl. Sie erschienen zu jener Zeit auf eurer Erde, um höheres

Wissen von Gott und geistiger Liebe zu bringen. Sie erscheinen immer, wenn sie am dringendsten gebraucht werden. Sie dienen als Symbol der Hoffnung und des höheren Verständnisses.«

»Werde ich je einem begegnen?«

Es entstand eine Pause. »Über diese Dinge sprechen wir zu einem späteren Zeitpunkt. Denke darüber nach, was ich gesagt habe und was du bereit bist zu lernen. Ist das alles im Moment?«

Ich war so vollgestopft mit Informationen, daß ich ja sagen mußte. »Ich danke Ihnen, John, wer immer Sie sein mögen. Im Moment fällt mir nichts mehr ein. Ich muß das verdauen, was ich eben von Ihnen gehört habe.«

»Sehr gut. Trachte danach, in Frieden mit dir selbst zu sein und mit Gott und seinen Werken, denn du bist Teil dieses Werkes. Gott segne dich.«

»Etwas für unser Verständnis Unbekanntes besucht die Erde.«

Dr. Mitrovan Zverev,
Sowjetischer Naturwissenschaftler

Kevin schauderte, als würden die Schwingungen von Johns Geist durch seinen Körper laufen und verschwinden. Dann rieb er sich die Augen, als erwache er aus tiefem Schlaf.

»Hallo?« fragte er schläfrig, versuchte sich in seiner Umgebung zurechtzufinden. »Hallo?«

Ich stand auf und ging im Kreis vor ihm her.

»Hallo«, sagte ich, »ich bin hier.«

»Wie war's?« fragte Kevin.

»Mein Gott. Es war unglaublich. Ich weiß einfach nicht, was ich denken soll.«

Kevin stand auf. »Tun Sie einfach, was Sie für richtig halten«, sagte er. »Haben Sie das *Gefühl*, daß das, was durchkam, richtig ist? Sie haben mir gesagt, man muß seinen Gefühlen vertrauen. Man hat gar keine andere Wahl, wenn man einmal anfängt, Fragen zu stellen.«

»Aber sie haben so unglaubliche Dinge gesagt.«

»Was zum Beispiel?«

»Ach, über vergangene Lebenszeiten. Und Dinge über Leute, die ich jetzt kenne, die ich in früheren Leben gekannt haben soll. Beide, John und McPherson.«

»Und?«

»Hm. Glauben Sie das alles?«

»Ich glaube, was ich als richtig fühle.«

»Und fühlen Sie, daß Reinkarnation richtig ist?«

»Das muß ja wohl so sein. Ich meine, ich bin ein Instrument, durch das viele geistige Wesen sprechen. Also ergibt die Existenz der Seele in vielen Dimensionen einen Sinn für mich. Sonst wäre ich entweder ein Schauspieler oder verrückt. Und soweit ich weiß, bin ich weder das eine noch das andere.«

Ich sah mir Kevin genau an.

»Ja«, sagte ich zögernd. »Aber John sagte auch eine Menge über Außerirdische, die den Menschen viele geistig fortgeschrittene Ideen vermittelt haben. Glauben Sie das?«

Er setzte sich wieder. »Natürlich, warum nicht? Nicht nur die Bibel spricht davon. In dieser oder jener Form werden sie in beinahe jeder Kultur erwähnt. Also warum sollten sie nicht existieren? Außerdem kenne ich eine Menge Leute, die welche gesehen haben.«

»Haben Sie schon mal ein UFO gesehen?« wollte ich wissen.

»Nein«, sagte Kevin. »Das Vergnügen hatte ich leider noch nicht.«

»Aber Sie glauben daran?«

»Natürlich. Ich fühle mich wohl dabei. Und außerdem, wer bin ich, das anzuzweifeln, dessen Existenz Experten im Bereich des Möglichen ansehen? Ich weiß, viele Menschen sagen, sie existieren nicht. Aber darüber gibt es auch keine Beweise.«

Gedankenlos schlürfte Kevin den Rest des kalten Tees. Dann schaute er auf den Krug.

»Woher kommt der denn?«

»McPherson. Er sagte, als Ire brauche er einen Krug, um besser denken zu können.«

»Und ich habe den Krug gehalten?«

»Ja.«

»Interessant.«

»Ja.«

»Wie spät mag es jetzt wohl sein?« fragte er.

»Gute Frage. – Kurz vor zehn.«

»Meine Lady kommt wohl doch nicht mehr.« Mit diesen Worten schlenderte er zur Tür.

»Könnten wir wieder zusammenkommen? Ich weiß, Sie haben viel zu tun. Aber wäre es möglich, mich irgendwie dazwischenzuschieben?« fragte ich.

»Ich werde mit meiner Lady darüber sprechen und mich bei Ihnen melden.«

Ich bedankte mich.

Mit seinen lässigen Bewegungen warf er sich den beigefarbenen Mantel über die Schulter und ging die Treppe hinunter wie eine Figur aus *The Lodger* (ein alter Film, den ich in meiner Kindheit gesehen hatte).

Ich schaute ihm nach, wie er zu seinem »Vehikel« schlenderte und fragte mich, ob Trancemedien unfreiwillig theatralisch sein mußten, um eine eigene Identität zu bewahren?

Erschöpft fiel ich ins Bett und konnte nicht einschlafen. Durch meine Beine vibrierte eine seltsame, beinahe magnetische Energie. Ich drehte mich herum. Es half nichts. Die Energie vibrierte kribbelnd weiter ... ein Gefühl, das mir fast unheimlich war. Die gleiche Vibration spürte ich in meinen Fingerspitzen und um meine Lippen. Es war eine körperliche Empfindung, doch konnte ich gleichzeitig fühlen, wie die Energie irgendwie aus meinem Hirn strömte.

Ich versuchte, mich auf kleine Dinge zu konzentrieren – die sanfte Brise, die ins Zimmer wehte, den leichten Wellenschlag. Den Spaziergang in die Berge durch blühende Blumen, den ich am Morgen machen wollte. Ich rekapitulierte einige bekannte Choreographien; das tat ich oft, um einschlafen zu können. Ich zählte jeden Schritt und jede Bewegung zur Musik. Ich spürte die Musik in meinem Hirn. Ich spannte die Beinmuskeln an und versuchte den magnetischen Energiestrom, der darin flimmerte, zu neutralisieren. Es war eine so fremde Energie, doch irgendwie positiv. Ich dachte an das Vergnügen eines Vanille-Eisbechers mit süßer, heißer Schokoladensoße.

Ich mußte mich irgendwie im Hier und Jetzt auf Erden zurechtfinden. Ich lachte über mich selbst. Was zum Teufel ging denn eigentlich vor? Was war real? Hatte ich wirklich irgendwo mit Gerry und mit David vor fünfhunderttausend Jahren gelebt? Wenn ich das wirklich glaubte, konnte ich nicht mehr in dieser Welt herumspazieren wie bisher. Ich war dabei, meine Wahrnehmungen zu verändern. War es das, was mit Walt Whitman und Pythagoras und Aristoteles und Thoreau geschah, als sie zur Überzeugung gekommen waren, daß Reinkarnation nicht nur möglich, sondern höchstwahrscheinlich ist? Kein Wunder, daß die Menschen in Asien einen anderen Begriff von Zeit haben als wir im Abendland. Sie wurden im Glauben der Wiederverkörperung der Seele von Lebenszeit zu Lebenszeit erzogen. Mein Gott, dachte ich, vielleicht sind Zeit und Raum so relativ, daß sie nicht meßbar sind. Vielleicht sagte meine Seele in meinem Körper, *alles ist real.* Wenn das stimmte, dann hatte Realität mehr Dimensionen, als ich je in Betracht gezogen hatte. Vielleicht war Realität immer das, was man wahrnahm, wie Philosophen und auch einige Naturwissenschaftler behaupten.

Wenn das der Fall war, konnte ich in einem Umfang riesigen Ausmaßes begreifen, was eine zusätzliche, geistige Dimension für den Planeten und alle Menschen, die darauf lebten, bedeutete. Es wäre ein unsagbares Wunder.

Jedermanns Wahrnehmung der Realität hätte Gültigkeit. Wenn nur die Erfahrung der Seele zählte und die körperliche Existenz buchstäblich irrelevant wäre, weil es von einer kosmischen Perspektive her so etwas wie den Tod nicht gab, dann wäre jede Lebenssekunde auf Erden kostbar, gerade weil sie *Teil* des großen Gesamtplans ist, *den wir geholfen hatten zu erschaffen.* Und eben weil jedes *Atom* einen Sinn hatte. Vielleicht lag der Sinn dieser Zusammensetzung von Atomen, die sich hier im Bett herumwälzten, darin, diese Botschaft zu verbreiten, daß wir Teil einer Gottkraft sind, die alle Dinge erschafft – diese Gottkraft ist ebenso Teil von uns, wie wir Teil von ihr sind.

In einer flimmernden Kugel vibrierender Verwirrung drehte ich mich herum schlief endlich ein.

16. Kapitel

»Und ob ich das, was mir zusteht, heute erlange oder in zehntausend oder zehn Millionen Jahren,
ich kann es sogleich fröhlich hinnehmen oder ebenso fröhlich warten...
Und du, Leben, ich meine, du bist das Überbleibsel von vielen Toden,
(Sicherlich bin ich selbst schon zehntausendmal vordem gestorben.)«

Walt Whitman
Song of Myself (Übersetzt von Hans Petersen für Verlag Volk und Welt, Berlin, 1966)

Ich schlief bis in den späten Vormittag, war einfach nicht in der Lage aufzustehen. Dann fuhr ich zum Colony Market und holte mir gefrorenen Pfirsich-Joghurt. Alles, was mit Pfirsich zu tun hat, tröstet mich.

Auf dem Rückweg überlegte ich mir, wie meine Freunde auf das, was geschehen war, reagieren würden. Meine Gedanken schweiften zu meiner Freundin Bella Abzug. Ich hatte mit ihr zusammen während der McGovern Präsidentschafts-Wahlkampagne gearbeitet, und wir waren uns sehr nahe gekommen. Sie war stark, klug, menschenfreundlich und pragmatisch. Was würde sie wohl denken? Ich fragte mich, ob je die Zeit kommen würde, in der Politiker sich mit ihrer eigenen, geistigen Suche beschäftigen konnten, ohne befürchten zu müssen, auf Ablehnung ihrer Wähler zu stoßen.

Als ich die Haustür öffnete, klingelte das Telefon. Es war Bella.

Ich erzählte ihr, was ich in meiner Sitzung mit Kevin erlebt hatte. Das dauerte eine Weile und sie unterbrach mich kein einziges Mal. Am Ende sagte sie: »Dieser Kevin hat dir also gesagt, du hättest schon einmal gelebt in einer alten Zivilisation mit einem Mann, in den du jetzt verliebt bist?«

»Nein, nicht Kevin. Kevin ist nur das Medium. Ich habe mit

zwei Wesen gesprochen. Einer nannte sich McPherson, der andere John.«

»Na gut, wer immer. Hör mal, dieser Kevin könnte doch alles nur erfinden und dir was vorspielen.«

»Ach, Bella. Das war der erste Gedanke, der mir durch den Kopf ging. Natürlich könnte es so sein – dann sollte er aber für seine schauspielerische Leistung einen Oscar bekommen. Ich habe sehr viel über spiritistische Sitzungen gelesen und habe wirklich nicht das Gefühl, auf einen Schwindel hereingefallen zu sein.«

»Okay«, lenkte Bella ein, »ich will mich nicht lustig machen – würdest du sagen, du hattest ein religiöses Erlebnis?«

»Gott, nein!«

»Also, was dann? Du sagst, du glaubst an die Reinkarnation?«

»Bella, ich weiß nicht. Ich weiß es einfach nicht. Es hat etwas mit Gefühl zu tun, nicht mit Denken. Ich fühle, daß das, was diese spirituellen Wesen sagten, mir wirklich hätte passieren können. In gewisser Weise ist es so, als höre ich mir selbst zu und nicht einem anderen.« Während ich redete, fiel mir etwas auf. »Und ich kann nicht einfach aufhören und die ganze Sache vergessen. Ich muß mehr darüber erfahren.«

Es entstand eine lange Pause.

»Liebes«, sagte sie schließlich. »Ich möchte nicht, daß man dich verletzt. Mach bitte nichts Dramatisches in der Öffentlichkeit daraus, okay?« Ich sagte okay. »Und ruf mich an.« Ich sagte wieder okay.

Es begann eine interessante und vieldimensionale Periode meines Lebens, die ich nur damit beschreiben kann, sie auf mehreren Ebenen erlebt zu haben. Tagsüber arbeitete ich an den Proben für meine Welttournee mit meiner Live-Show. Ich tanzte, sang, spielte, plauderte und scherzte mit meiner Truppe. Am Abend setzte ich mich über sämtliche Bücher, die ich auftreiben konnte, um mir über meine Gefühle und Gedanken Klarheit zu verschaffen, die sich aus den Fragen ergaben, die ich mir nach dem Leben und seinem Sinn stellte.

Meine Bücherregale quollen über mit esoterischer und metaphysischer Literatur. Ich war froh, ein Büro zu haben, hinter dem ich die Tür absperren konnte; denn ich war noch nicht bereit, Fragen zu beantworten über die Literatur, die ich las.

Allein über Reinkarnation gab es unendlich viel Material. Ich las viel auf diesem Gebiet, denn das Thema interessierte mich besonders. Ich wußte, daß Reinkarnation ein integrierter Begriff der meisten östlichen Glaubensrichtungen war, erfuhr jedoch zu meinem Erstaunen, daß eine Menge großer abendländischer Denker diese Ansicht der kosmischen Sinnerfüllung der Seele teilten, mit dem Unterschied, daß östliche Glaubensrichtungen in der Religion wurzelten, westliches Denken mehr auf philosophischen Überlegungen beruhte. Von Pythagoras über Plato zu Sokrates und Aristoteles (der Reinkarnation jedoch in späteren Jahren ablehnte und sich darin von seinem Meister Plato trennte), weiter zu Plutarch und bis ins siebzehnte Jahrhundert, als eine ganze Schule von Denkern entstand, als »Cambridger Platonisten« bekannt. Aus ihr gingen John Milton, der Poet Dryden, der Staatsmann und Denker Joseph Addison hervor.

Ich studierte das achtzehnte Jahrhundert, das Zeitalter der Aufklärung, erwartete, hier Ablehnung und Skepsis zu finden. Skepsis gab es tatsächlich – jedoch nicht gegen den Glauben an die Seele und eine Gottheit, eher eine Ablehnung dogmatischer, formaler Religion und Bevormundung durch die Kirche. Es fand tatsächlich eine Explosion eines neuen Denkens statt und der Aufruf zum Recht zu denken. Diese Zeit sah Isaac Newton, Benjamin Franklin, Voltaire, den großen deutschen Philosophen Immanuel Kant, den Orientalisten Sir William Jones, und den schottischen Historiker und Wirtschaftswissenschaftler David Hume (letzterer ein Verfechter der Aufklärung, der jedoch bestätigte, wenn es so etwas wie eine unsterbliche Seele gäbe, dann müsse sie logischerweise vor und nach dem Tod existieren!). Eine Blütezeit des Intellekts – in der die meisten dieser außergewöhnlichen Denker an die Wiedergeburt der Seele glaubten.

Viele Schriftsteller und Poeten, wie William Blake und Goethe, drückten ihren Glauben in ihren Werken aus. Goethe behandelte dieses Thema in Briefen. Heinrich Heine, der deutsche Lyriker und Kritiker, bediente sich einer höchst bildhaften Sprache: *Wer kann wissen, in welchem Schneider jetzt die Seele eines Plato, und in welchem Schulmeister jetzt die Seele eines Cäsar wohnt … Die*

Seele Tschingis-Khans wohnt jetzt vielleicht in einem Rezensenten, der täglich, ohne es zu wissen, die Seele seiner treuesten Baschkiren und Kalmücken in einem kritischen Journal niedersäbelt...« (Die Nordsee.)

Ich las mich durch die Berichte der Amerikanischen Transzendalisten – angeführt von Emerson und Thoreau. Diese Männer revoltierten gegen die konventionellen, autoritären westlichen Religionen, wie ihre Vorläufer – unter ihnen Kant, Schopenhauer, Carlyle und Wordsworth – es getan hatten. Walt Whitmans *Leaves of Grass* (Grashalme) ist ein Lobgesang auf die Reinkarnation. Malcolm Cowley sagte von Whitman: »Das Universum war ein ewiges Ziel für Whitman, ein Prozeß, nicht eine Struktur, der vom Standpunkt der Ewigkeit beurteilt werden mußte.«

Während des achtzehnten und neunzehnten Jahrhunderts gab es große Schriftsteller, Philosophen und Wissenschaftler; Maler, Musiker, Poeten, Historiker, Essayisten – und Politiker –, die ihren Glauben an die Reinkarnation kundtaten, den sie durch pragmatische Untersuchung des Lebenswunders auf dieser Erde erlangt hatten, oftmals mit dem Studium der Orientalisten verbunden. Dazu gehören Männer wie Thomas Edison, Camille Flammarion (der französische Astronom), Gustaf Stomberg (schwedisch-amerikanischer Astronom und Physiker), um nur einige zu nennen.

Und was hatte das zwanzigste Jahrhundert dazu zu sagen? Wieder gab es eine ungeheure Menge Literatur zu diesem Thema. Ich konnte nur an der Oberfläche kratzen. Unter den vielen Schriftstellern waren Henry Miller, Pearl S. Buck, Thomas Wolfe, Jack London, Mark Twain, Louisa May Alcott – die Liste der Namen war endlos. Mit großer Freude stellte ich fest, wie viele verschiedenartige Persönlichkeiten, wie zum Beispiel Lord Hugh Dowding (Britischer Marschall der Luftwaffe im Zweiten Weltkrieg), Sir Arthur Conan Doyle, Ernest Seton Thompson (der Begründer der Pfadfinder in Amerika!) Lloyd George (britischer Politiker) und – mein Gott – Henry Ford, alle im gleichen Boot saßen, das Reinkarnation hieß. Dazu unzählige Wissenschaftler, eine ganze Schule moderner Kunst, angeführt von Mondrian, Kandinsky, Klee, Malevich (alle Theosophen!); und Hermann Hesse, Rainer Maria Rilke, Robert Frost, John Masefield – um der reichen Auswahl prominenter Persönlichkeiten zu nennen, die an die Theorie der Reinkarnation glaubten.

Das Werk eines Mannes, nämlich John Ellis McTaggart, ragte aus allen übrigen heraus. Bereits im Alter von fünfundzwanzig Jahren war McTaggart als der bemerkenswerteste Dialektiker und Metaphysiker seit Hegel anerkannt. C. D. Broad, der McTaggart als Dozent der Moralphilosophie am Trinity College in Cambridge folgte, sagte von McTaggarts Werk, es stehe »in vorderster Linie mit den großen Geschichtsphilosophen und kann verglichen werden mit den *Enneaden* von Plotinus, mit Spinozas *Ethik* und Hegels *Encyclopädie*«.

Ich brauche nicht zu erwähnen, daß mir diese Werke unbekannt waren. Doch ich fand das, was McTaggart in seiner *Human Immortality und Pre-Existence (Menschliche Unsterblichkeit und Vorexistenz)* zu sagen hatte, sehr einleuchtend:

> »Nicht einmal die besten Menschen sind bei ihrem Tod in einem Zustand intellektueller und moralischer Vollkommenheit, daß sie sofort Zugang zum Himmel finden könnten ... Dies ist eine generell anerkannte These und einer von zwei Alternativen wird allgemein zugestimmt. Die eine ist, daß eine enorme Erhöhung – eine Erhöhung über alle Maßstäbe des Lebens hinaus – im Augenblick des Todes stattfindet ... Die andere und wahrscheinlichere Alternative ist, daß der Prozeß einer allmählichen Vervollkommnung in jedem von uns nach dem Tod unseres gegenwärtigen Leibes weitergeht ... Das Fehlen von Erinnerung schließt die Möglichkeit einer solchen Erhöhung nicht aus, die sich über viele Leben hinzieht ... Ein Mensch, der, nachdem er sich Wissen angeeignet hat, stirbt – und alle Menschen eignen sich Wissen an –, könnte ein neues Leben eingehen, dieses Wissens zwar beraubt, doch nicht der gewachsenen Kraft und der gewonnenen Sensibilität des Verstandes nach dem Erwerb dieses Wissens. Wenn das so ist, wird er im zweiten Leben weiser sein aufgrund dessen, was im ersten geschehen ist ... Wir können nicht leugnen, daß das Wesen eines Ereignisses erhalten bleibt, auch wenn das Ereignis selbst vergessen ist. Ich habe eine Vielzahl von guten und schlechten Dingen vergessen, die ich

in meinem gegenwärtigen Leben getan habe, und doch hat jedes seine Spur in meinem Wesen hinterlassen. Folglich kann ein Mensch Bereitschaften, Anlagen und Tendenzen, die er in sittlich-moralischen Prüfungen in diesem Leben gewonnen hat, in sein nächstes Leben mitnehmen...
Es bleibt die Liebe. Das Problem hier ist wichtiger, denn, wie ich glaube, in der Liebe und in nichts sonst, finden wir nicht nur den höchsten Wert, sondern auch die höchste Realität des Lebens und folglich des Universums... Viel ist vergessen worden in einer Freundschaft, die über mehrere Jahre innerhalb der Grenzen eines Lebens andauerte – viel Vertrauen, viele Dienstleistungen, viele Stunden des Glücks und der Sorgen. Doch sie sind nicht aufgelöst, ohne ihre Spuren in der Gegenwart zu hinterlassen. Sie tragen, obgleich sie vergessen sind, zur gegenwärtigen Liebe bei, die nicht vergessen ist. Wenn die ganze Erinnerung der Liebe eines Lebens beim Tod ausgelöscht wird, so ist ihr Wert nicht verloren, denn diese Liebe ist in einem neuen Leben stärker, aufgrund dessen, was vorher geschehen ist.«

McTaggarts Philosophie leuchtete mir nicht nur ein, ich fand, daß diejenigen, die diesen Thesen zustimmten – wozu ich mich zählte –, Nutzen aus der Erinnerung an frühere Leben zogen. Die Psychologie bedient sich regressiver Hypnose, um Vergangenheitstraumata aufzudecken, die unser Leben belasten. Eine gewisse Dr. Helen Wambach hatte eine Reihe von Experimenten durchgeführt, urprünglich nicht in erster Linie, um Patienten zu helfen (obwohl die Resultate in einigen Fällen sehr positiv waren), sondern den Beweis für die Existenz früherer Leben zu erbringen. In ihrem Buch *Reliving Past Lives* (Seelenwanderung. Wiedergeburt durch Hypnose [Anm. d. Red.: Goldmann-Band Nr. 11746]) beschreibt sie ausführlich die Anfänge und Durchführung ihrer Experimente und die außergewöhnlichen Resultate ihrer Untersuchungen von Erinnerungen an vergangene Existenzen bei mehr als tausend Personen. Jede Versuchsperson unternahm mindestens drei »Reisen«, jeder wurden die gleichen Fragen bei jeder Reise gestellt. Die Fragen beinhalteten soziokulturelle Zusammenhänge der vergangenen Epochen, die weit über das Maß der Allgemeinbildung hinausgingen (Sozialstruktur, Art der Nahrung, Kleidung, Architektur etc.)

Dieses Buch, vielleicht mehr als irgend ein anderes, räumte alle Zweifel beiseite, ob wir tatsächlich in der Vergangenheit gelebt hatten. Mich veranlaßte es, weiter in mich hineinzuforschen – wann immer es meine Zeit erlaubte; denn ich befand mich mitten in meiner Tournee, begleitet von Taschen voller Bücher.

Ich trat in Europa auf, in Australien, Kanada, Skandinavien und Amerika. Abends stand ich auf der Bühne und tagsüber las und dachte ich über das Gelesene nach. Ich traf Menschen, die bei Drinks und Dinner nach der Show, verstecktes Interesse zeigten an Reinkarnation und Erinnerungsempfindungen; sie konnten sie aber nicht definieren oder erklären. Einige von ihnen hatten außerkörperliche Erfahrungen, andere hatten selbst schon an Trance-Sitzungen teilgenommen. Wieder andere hatten Erinnerungen an frühere Leben; sie waren überzeugt, daß sie tatsächlich stattgefunden hatten, doch sie zögerten, darüber zu sprechen – aus Angst, versponnen zu wirken.

Ich sprach mit Gerry aus den entferntesten Winkeln der Erde, doch es war schwierig, mit ihm in Ferngesprächen über mein wachsendes Interesse an spiritueller Metaphysik zu reden. Ich wünschte, wir könnten uns sehen, doch die Termine meines Spielplans paßten nie zu seinen Terminen. Bei jeder gestelzten, spröden Unterhaltung wurde mir klarer, wie sehr er in seiner Politik aufging, und meine Reaktionen auf sein Desinteresse an meinen Bemühungen für erweitertes Bewußtsein wurden von wachsender Ungeduld bestimmt. Ich erinnerte mich, daß »John« gesagt hatte, ich solle den Menschen in meinem Leben die Freiheit lassen, ihr eigenes Tempo für ihre Bewußtseinskapazität zu wählen: Lasse den Skeptikern ihre Skepsis. *Ich* glaubte ja auch nicht unbedingt *alles*, was ich las –, aber ich sehnte mich danach, daß der Mensch, der mir nahestand, sich für die Möglichkeiten erweiterter Dimensionen interessierte. Realität ist eine subjektive Wahrheit, aber ich spürte, meine Realität erweiterte sich. Ich fühlte mich bewußter und fähiger, mit den Ideen meiner eigenen, inneren Realität zurechtzukommen: und ich wollte verdammt noch mal mit jemand darüber sprechen!

Die Tournee machte mir großen Spaß. Die Arbeit war anstrengend, aber dankbar und einige der Menschen, die ich kennenlernte, schienen mit ihrer eigenen Suche nach tieferer Identität beschäftigt zu sein. Viele sagten mir, psychiatrische Hilfe dringe nicht tief genug ein: Es gäbe Geschehnisse und Traumata, die vor ihrer Lebenszeit, in der sie sich jetzt befanden, stattgefunden haben mußten. Viele sagten, sie fühlten, ihre Kindheitserlebnisse erklärten nicht einige ihrer tiefsitzenden Ängste und Unsicherheiten. Mit gewissem Erstaunen erfuhr ich, daß viele Menschen so dachten.

Besonders eine Episode in diesem Zusammenhang berührte mich tief. Ein alter Freund aus Irland erzählte mir von einer Reise, die er vor kurzem nach Japan unternommen hatte. Als er eine Straße in Kyoto entlangspazierte, entdeckte er im Schaufenster eines japanischen Antiquitätengeschäfts ein Samurai-Kostüm. Wie angewurzelt war er stehengeblieben und hatte auf das Gewand gestarrt, von dem er »wußte«, es hatte einmal ihm gehört. Er erinnerte sich plötzlich an das Schwert, wie der Stoff sich an seiner Haut anfühlte und wie stolz er darauf war, es zu tragen. Wie er so dastand und auf das antike Gewand starrte, zogen Schlachtszenen durch sein Gedächtnis, und er erinnerte sich, wie er in dieser Uniform gestorben war. Er betrat den Laden, fragte nach dem Preis, doch das Kostüm war unverkäuflich. Er glaubte fest daran, ein Leben in Japan gelebt zu haben. Ich nickte und fragte mich, wann ich selbst mich vielleicht an Zeiten erinnern würde, die ich einmal gelebt hatte.

Ich war etwa drei Monate auf Tournee, sprach mit Menschen und las. Ich versuchte mich in neuen Denkweisen und neuen Schlußfolgerungen in jedem Land, das ich besuchte. Ich begann meine neuen Ideen freier auf mein Leben und meine Arbeit anzuwenden. Ich wählte sorgfältig aus, mit wem ich über meine Gefühle sprach.

Ich kehrte nach Malibu zurück, um mich auszuruhen, meine Notizen durchzulesen und mir meine Gedanken zurechtzulegen. Ich war nicht sicher, was ich mit dem, was in meinem Kopf vorging, anfangen sollte. Die Entdeckung eines neuen Bewußtseins kann sehr verwirrend sein. Also ging ich viel am Strand spazieren oder setzte mich mit einem Buch unter einen Baum in den kleinen Park neben dem Naturkost-Restaurant in Malibu.

Eines Nachmittags, nach Karottensaft und einem »Tofu-burger«, traf ich zufällig einen Freund, mit dem ich eine intensive Liebesaffäre gehabt hatte. Er war Autor und Fernsehregisseur aus New York, konnte extrem ätzend und zynisch geistreich sein. Ich kannte ihn gut – sein scharfer Verstand war der Grund, warum er mich jahrelang interessiert hatte.

Jemand klopfte mir auf den Kopf. Das war die Art seiner Begrüßung. Ich wußte sofort, es konnte nur Mike sein. Pfeife im Mundwinkel, Jeans, T-Shirt, Lederjacke. Der Intellektuelle war bereits an der Kleidung zu erkennen – ganz der Typ des »auf-Äußerlichkeiten-leg-ich-keinen-Wert«-Mannes.

Ohne Vorrede fing er an: »Was ist los mit dir? Wo hast du das ganze Jahr über gesteckt?«

»Ach, überall«, sagte ich, »ich war auf einer Welttournee. Bin erst seit ein paar Tagen wieder hier.«

»Aha«, sagte Mike, »du hast also immer noch diese mystische Wanderlust?« Dieser Einblick erstaunte mich ein wenig an ihm. Doch er fuhr fort: »Und deine Arbeit hast du mit dieser Wanderlust gut unter einen Hut bekommen, stimmt's? Ich find' das gut. Ich wußte immer, wenn du wegwolltest, um dich umzusehen.«

Ich hockte mich auf die Knie und er setzte sich neben mich. »Soso, das wußtest du also?« fragte ich, denn dieser Zug war mir nicht aufgefallen, als wir zusammenlebten.

»Sicher«, sagte er. »Ich wollte nur nicht, daß du gehst, deshalb habe ich nie darüber gesprochen. Ehrlich.«

Wir saßen eine Weile und lächelten uns an. »Schön, dich zu sehen«, sagte er. Und dann: »Irgendwas geht in dir vor. Ich höre, du lebst ziemlich zurückgezogen, außer einem geheimnisvollen Kerl, den du heimlich in Europa besuchst.«

O Gott, dachte ich, manchmal ist die Welt doch ein zu winziger Golfball. Aber ich lachte. Mike lachte auch ... erwartete nicht wirklich, daß ich mein Liebesleben vor ihm ausbreitete.

»Sag mal, alter Freund«, sagte ich, »hältst du mich für naiv? Ich meine, glaubst du, ich gehöre zu den Menschen, die alles glauben, was man ihnen vorsetzt?«

Mike paffte an seiner Pfeife, plötzlich sehr ernst geworden, als verstünde er (wie er es immer getan hatte), was ich meinte.

»Nein«, antwortete er, »ich würde nicht sagen, du bist naiv. Du hast einen kritischen, neugierigen Verstand. Aber ich denke, manchmal interpretierst du Dinge nicht richtig.«

»Was meinst du damit?«

»Als du beispielsweise nach China gingst, wünschtest du so sehr, daß die Kulturrevolution ein Erfolg wird, daß du gewisse Aspekte einfach nicht wahrhaben wolltest. Ich weiß natürlich, daß du nur Dinge gesehen hast, von denen die Funktionäre wollten, daß man sie sieht, und ich verstehe auch deine positive Beurteilung dessen, was in China vor sich ging. *Das* meine ich.«

»Und was hast du gemeint, als du mich mystisch nanntest?«

»Shirley, du hattest immer etwas an dir, was mir wie östliche Philosophie erschien. Ich weiß nicht. Eine Weile nannte ich diesen Zug abstrakt, du schienst dich von Ideen angezogen zu fühlen, die weder Fisch noch Fleisch sind. Ich wollte immer nur wissen, wer den Müll abholt, und du wolltest wissen, was im Kopf des Mannes vorgeht, der den Müll abholt.«

»Ja«, sagte ich, dachte an andere Beziehungen in meinem Leben. »Ist das ein Vorwurf, Mike?«

»Nein«, antwortete er. »Keineswegs. So bist du eben. Du wolltest immer hinter alles sehen, suchtest nach einer tieferen Bedeutung. Das bewundere ich. Es kann einen Mann zum Wahnsinn treiben, aber dadurch lernte ich auch, tiefer zu blicken.«

Ich lächelte. Er lächelte. Ein ehemaliges Liebespaar lächelte im gegenseitigen Einverständnis. Mike beugte sich über mich und nahm das Buch zur Hand.

»Was ist das?« fragte er.

»Ach, nur ein Buch.«

»Über Reinkarnation?«

»Ja.«

»Oh.«

»Ja.«

»Warum?«

»Ich weiß nicht.« Ich schluckte, wußte nicht, ob ich mit ihm darüber reden sollte. »Ich denke einfach, es könnte wahr sein. Und ich lese gerade viel darüber.«

Mike schaute mir in die Augen.

»Eine Menge Leute beschäftigen sich damit.«

»Ja? Wo?«

»Ach Mike. In der ganzen Welt.«

»Wo zum Beispiel?«

Wenn Mike Fragen stellte, fühlte man sich wie bei einem Verhör.

»Na ja, auf meiner Tournee sprach ich mit einer Menge Menschen in Europa, Australien, Kanada. Überall.«

»Ja? Und was sagten sie?«

»Sie erzählten Geschichten. Manche erinnerten sich an wirkliche Erlebnisse aus früheren Leben. Manche hatten nur bestimmte Gefühle – so eine Art déjà-vu-Erlebnisse.«

»Ja«, sagte er, »ich habe den Beweis, daß es ein Leben *nach* dem Tod gibt.«

»Was meinst du?« fragte ich angenehm überrascht, vielleicht einen Dialog mit ihm zu finden. »Welchen Beweis?«

»Den Kongreß der Vereinigten Staaten«, sagte Mike.

Ich lachte, aber eigentlich drehte sich mir der Magen um. O Gott, dachte ich. Ich hab' es wohl nicht anders verdient. »Wie witzig!« sagte ich.

»Ich finde, wir haben genug Schwierigkeiten auf Erden. Ich bin nicht besonders daran interessiert, zu wissen, ob ich vor fünftausend Jahren ein ägyptischer Sklave war oder nicht.«

Natürlich hätte ich gern gewußt, warum er sich gerade dieses Beispiel ausgesucht hatte, aber ich schwieg lieber. »Hast du schon mal was von Trance-Vermittlung gehört?« fragte ich.

»Du meinst das Zeug, worüber Oliver Lodge um die Jahrhundertwende in England geschrieben hat? Hat er sich nicht mit seinem toten Sohn in Verbindung gesetzt oder so was ähnliches?«

Mike verblüffte mich. Ich wußte, daß er beinahe alles, was ihm unter die Finger kam, gelesen hatte, konnte mir aber nicht vorstellen, daß er Bücherregale mit okkulter Literatur durchstöberte.

»Ja«, antwortete ich. »Lodge hat eine Menge parapsychologische Experimente durchgeführt, die nie erklärt werden konnten, außer, daß sie einfach geschehen sind.«

»Und was hast du damit zu tun? Setzt du dich mit Tschou En-lai über ein Medium in Verbindung?« Mike wußte, daß ich Tschou En-lai verehrte und daß ich beinahe alles getan hätte, um ihn kennenzulernen.

»Nein«, antwortete ich. »Nicht Tschou. Aber vielleicht ist es möglich, sich mit körperlosen spirituellen Lehrmeistern in Verbindung zu setzen, die einmal verkörperlicht waren, es jetzt aber nicht mehr sind.«

Mike stützte sich auf den Ellbogen und kaute an seiner Pfeife herum. »Willst du mir etwas darüber sagen?« fragte er.

Ich zündete mir eine Zigarette an. Sehr vorsichtig skizzierte ich, was geschehen war. Ich erzählte von Ambres in Schweden, von John und McPherson und Kevin in Kalifornien. Ich erzählte ihm, daß viele Leute durch Trance-Vermittlung auf der ganzen Welt lernten. Und daß mir klar war, daß einige Medien Schwindler waren, aber eben nicht alle. Ich erzählte ihm über die Vergangenheitsinformation, die ich über mich selbst erfahren hatte, zusammen mit den Lehren der geistigen Liebe und Gott und den Außerirdischen, die vermutlich die gleiche Botschaft gebracht hatten. Ich erzählte ihm, wie ich gelesen hatte über Menschen durch alle Jahrhunderte, die auch das Gefühl hatten, schon einmal gelebt zu haben. Ich erwähnte all die berühmten, intelligenten, künstlerischen, philosophischen, wissenschaftlichen, ja sogar religiösen Führer, die mir einfielen, für die Reinkarnation ein selbstverständlicher Aspekt ihres Lebens war – und verteidigte mich am Schluß meiner Ausführungen damit, daß ich mich in ziemlich guter Gesellschaft befand.

Er nahm die Pfeife aus den Zähnen und beugte sich zu mir rüber.

»Shirl«, sagte er, »ich bin Mike. Erkennst du mich? Ich bin *hier* auf der Erde, klar?«

Ich erwiderte nichts, schaute ihn nur an.

»Heißt das, ein Mensch versetzt sich in Trance, eine fremde Stimme kommt aus seinem Mund, und du sitzt da und glaubst, was du hörst?«

Ich schwieg.

»Hör mal, die Leute werden sich fragen, was ist denn mit unserer Shirley los? Und du läßt dir etwas erzählen über frühere Leben, über Außerirdische. Du liebe Güte! Das ist doch absurd! Du klingst leichtgläubig und lächerlich. Ich sehe nicht gern, daß du dich lächerlich machst.«

Ich saugte an meinem Strohhalm, das verursachte ein gurgelndes Geräusch in meinem leeren Becher. »Wer sind denn ›Leute‹?« fragte ich. »Deshalb will ich von *dir* wissen, ob du mich für naiv hältst, verstehst du, Mike. Ich halte mich nicht für naiv oder leichtgläubig. Ich halte mich für neugierig. Ich will wissen. Ich habe das Gefühl, alles ist möglich – und warum zum Teufel eigentlich nicht?«

»*Glaubst* du denn daran?«

»Ich weiß nicht. Über die Sache mit früheren Leben bin ich mir ziemlich sicher und folglich über Reinkarnation – nur aufgrund von empirischem Beweismaterial. Ich bin dabei, eine Menge anderer neuer Dinge herauszufinden. Es ist ein Prozeß, unbekannte Dimensionen in Erwägung zu ziehen. Es ist eine ganz verdammt faszinierende Welt, die ich nicht einfach aus dem Fenster werfen möchte, und ich sehe nichts Naives darin. Ich war immer aufgeschlossen, stimmt's?«

»Stimmt.«

»Siehst du, und das werde ich auch weiterhin bleiben. Ich bin momentan nur etwas konfus, ob so etwas wie Realität überhaupt existiert. Realität scheint so relativ zu sein.«

»Aha«, warf Mike ein. »Das ist ein interessanter Punkt. Wenn ein Hollywood-Produzent einen Drehbuchschreiber feuert – das ist real.«

»Sicher. Für *ihn* ist es real. Vielleicht wird es real für seine Kinder, weil sie sich zum ersten Mal in ihrem Leben unerfüllter Wünsche und Entbehrungen bewußt werden. Aber auf ein Haus, ein Auto, einen Fernsehapparat, Kleidung, Wärme, Nahrung, verzichten zu müssen, das alles ist absolut bedeutungslos, also *nicht real*, verstehst du, für Millionen von Menschen, die diese Dinge niemals kennengelernt haben. Und ebenso *irreal* ist es für eine Handvoll Leute auf der anderen extremen Seite, die immer alles gehabt haben. Also ist vielleicht die Geldseite nicht das Wichtigste. Vielleicht liegt darin eine Lehre. Vielleicht ist das Leben eine *Lehre*, und *das* ist die Realität.«

»Und was soll die Lehre einem Mann, der nicht in der Lage ist, seine Kinder zu ernähren?«

»Das weiß ich nicht genau, Mike«, antwortete ich. »Es ist mir nicht passiert. Aber wäre es mir passiert, würde ich versuchen zu verstehen, anstatt es dabei zu belassen, daß ich gefeuert worden bin. Ich würde versuchen, herauszufinden, *warum*, und nicht die Sache vollkommen demjenigen anlasten, der mich gefeuert hat.«

»O Scheiße«, sagte er. »Du würdest dich also hinsetzen mit all diesem Zeug von Gott und Liebe und es hinnehmen, daß du angepißt worden bist?«

Mikes Eloquenz war manchmal erhebend.

»Nein, das will ich damit nicht sagen. Ich sage, daß ich vielleicht gar nicht angepißt worden bin. Vielleicht ist das, was aussieht, als sei ich angepißt worden, in Wirklichkeit etwas, das ich erfahren mußte, um mich selbst besser zu verstehen. Außerdem passieren diese Dinge ständig, ob man sie zuläßt oder nicht. Wenn ich mich aber dafür entscheide, es nicht zuzulassen, dann entscheide ich mich für Krieg, stimmt's?«

»Krieg?«

»Sicher. Dieses Beispiel kannst du weltweit auf die Situation der Besitzenden und Unterprivilegierten anwenden. Es ist das gleiche Problem. Aber wenn wir nie wirklich sterben, dann wird das Leben eine Frage, wie wir eine Situation der Ungerechtigkeit bewältigen, und nicht eine Frage, wie wir sie durch Mittel der Gewalt verhindern.«

Mike lehnte sich gegen den Baum. Eine Wolke schob sich vor die Sonne und ein Schwarm Seemöven flog auf, als hätten sie die gemeinsame Entscheidung getroffen. »Ist dir eigentlich klar«, sagte Mike, »daß die Despoten in dieser Welt sich diese Denkungsart zunutze gemacht und dadurch unglaubliches Leid verursacht haben? Diese Philosophie zu unterstützen ist verachtungswürdig und selbstgerecht. Die Lehre, auch die andere Wange hinzuhalten, ist ein offener Aufruf zur Tyrannei. Ich glaube an Selbstbestimmung und Revolution, wenn irgendein Schwein mich ungerecht behandelt.«

»Du hältst also Töten für richtig, wenn du entscheidest, es sei notwendig?«

»Wenn ein Kerl versucht mich umzubringen, ja.«

»Okay«, sagte ich. »Das verstehe ich. Das ist sicherlich die gängige Lösung. Aber ich frage mich, ob wir unsere Feinde überhaupt töten. Egal aus welchen Motiven ein Mensch einen anderen tötet, ob es eine persönliche Sache ist, oder weil eine Regierung oder eine religiöse Autorität es befiehlt – wenn das Gesetz von Ursache und Wirkung in Kraft tritt – und das geht an die Wurzel der Reinkarnation –, was hast du damit erreicht, außer, dir eine Menge schlechtes Karma angehäuft zu haben? Wenn Tod, das heißt die Vergessenheit, kein endgültiges Ende, das heißt, keine Realität ist, worin liegt dann der Sinn des Tötens? Wenn wir ›beweisen‹ könnten, daß Töten nicht die Antwort ist, dann ist Selbstverteidigung im weitesten Sinn ebenfalls nicht die Antwort, dann würden vielleicht mehr als nur ein paar bedeutende Menschen sich Gedanken über andere Antworten machen.«

»Das ist mir zu esoterisch«, sagte Mike. »Ich begreife, daß du dir darüber Gedanken machst, weil das einfach deine Art von Verstand ist. Und vermutlich mußt du versuchen, den Knoten zu lösen, bis du zu einer zufriedenstellenden Lösung gekommen bist. Aber Shirl, welche Wirkung hat das auf dich?«

»Was soll das heißen?«

»Na ja, Scheiße«, sagte er, »die Leute fragen sich doch, was mit dir los ist. Sie kennen dich nicht so wie ich, die denken, du hast dich auf eine absurde Spinnerei eingelassen.«

Mike machte sich echte Sorgen um mich, ebenso wie Bella und Gerry. Aber warum Mike solche Gedankengänge so bedrohlich fand, war wieder eine andere Sache. Daß er diesen Fragen nicht aufgeschlossen, sondern besorgt begegnen konnte, das machte mir wieder Sorgen, und nicht nur bei Mike.

»Aber Mike«, sagte ich. »findest du nicht, daß beinahe jeder sich auf irgendeine Weise über diese Dinge Gedanken gemacht hat? Glaubst du nicht, jedem ist schon etwas passiert, was er nicht erklären kann?«

»Sicher. Aber man läßt es dabei, keine Erklärungen dafür zu haben. Warum mußt du Erklärungen suchen, von denen man vielleicht lieber die Finger läßt?«

Ich fühlte mich soweit in die Defensive gedrängt, daß ich verärgert reagierte. »Wer *sagt* denn, es sei besser, die Finger davon zu lassen? Was ist denn so gut am gegenwärtigen Status, daß die Welt ihn nicht verändern möchte? Ich suche nach *besseren* Antworten, Mike. Teilweise aus purer, verdammter Neugier – ich wollte immer schon wissen, warum eine Rose rot ist oder ein Gedanke stark. Oberflächliche Erklärungen waren mir nie genug, also erscheint es mir unausweichlich, daß ich mit meinen Fragen bis zum Ende gehe – wohin mich das auch bringen mag.«

Mike tätschelte meine Hand. »Na ja, es hat eine Menge Leute gegeben, die haben die Finger auch nicht von manchen Dingen lassen können, wie z. B. Louis Pasteur oder Madame Curie. Und dabei ist ja auch allerhand rausgekommen. Also wer weiß? Aber irgendwann gaben sie sich mit dem, was sie erreicht hatten, zufrieden. Sie mußten nicht an spiritistischen Sitzungen teilnehmen, die sie vom Diesseits entfremdeten. Ich möchte nicht, daß das mit dir geschieht.«

»Diese Gefahr besteht, glaube ich, nicht, Mike. Trotzdem ist es im Augenblick das Wichtigste in meinem Leben – bescheiden ausgedrückt. Ich kann es nicht lassen. Und wenn ich in meine Identität eingedrungen bin oder in die Identität anderer Leute, gewinne ich vielleicht Einblick in das, was vor diesem Leben geschehen ist. Dann kann ich sehen, ob du und ich vielleicht eine karmische Beziehung in einem Leben vor diesem gehabt haben. Dann werde ich vielleicht sehen, daß wir dieses Mal zusammen waren, weil es Dinge von früher gab, die wir bewältigen müssen.«

»Du meinst, dieses Gespräch könnte ein Teil dieser Bewältigung sein?«

»Möglich.«

»Okay. Aber ich schaffe es höchstens, mit diesem Leben fertigzuwerden. Darüber muß ich mir genug Gedanken machen. Und ich sehe nicht, wie mir das Verständnis dessen, was du sagst, hilft, die Kaution für einen Freund zusammenzukratzen, der wegen Koks im Knast sitzt.«

Mike stand auf und streckte sich. »Sei vorsichtig, Shirl. Das ist alles, okay?«

»Okay.«

»Gehen wir ein paar Schritte?«

»Warum nicht?«

Wir legten die Arme umeinander und spazierten auf die Berge zu. Mike flüsterte mir ins Ohr: »Also ehrlich. Hast du in unserem letzten gemeinsamen Leben heimliche Reisen nach Europa unternommen, um mich zu sehen?«

Ich fühlte mich sehr müde an diesem Abend und hatte mir vorgenommen, gar nichts zu tun, auch nicht zu schreiben. Ich setzte mich auf den Balkon und sah dem Wind zu, der in der untergehenden Sonne Sandwolken vor sich her trieb. Der Ozean war glatt wie ein Spiegel und reflektierte ein rosa-oranges Glühen. Ich hätte gerne gewußt, ob Fische auch Seelen haben.

Weit entfernt ging ein einsamer Mensch in den seichten Wellen der Dünung. Ich beobachtete ihn. Ich wollte immer wissen, woran Leute dachten, wenn sie spazierengingen. Einige marschierten entschlossen, andere schlenderten und andere gingen, als würden sie überhaupt nicht gehen – vielleicht waren sie ganz woanders. Dieser einsame Mensch ging, als suche er jemand. Er schaute selten aufs Wasser hinaus, mehr in Richtung der Häuser über den Holzpfählen. Er aß etwas. Einen Apfel. In der anderen Hand trug er ein Paar Sandalen. Eine Schulter ließ er etwas hängen. Ich schaute genauer, als er näher kam. Er sah, daß ich ihn von oben beobachtete und winkte. Es war David.

O mein Gott, dachte ich. Was jetzt? Er blieb vor meinem Haus stehen, lächelte, winkte wieder und schrie zu mir herauf.

17. Kapitel

»Ich behaupte, daß die kosmische Religiosität die stärkste
und edelste Triebfeder wissenschaftlicher Forschung ist.«

Albert Einstein
Die Welt, wie ich sie sehe

»Hallo«, sagte er. »Es ist schön hier unten.«

Ich beugte mich über die Balkonbrüstung. David trug einen Pullover über dem Hemd, und aus den hinteren Taschen seiner Hose hingen ihm weiße Sportsocken.

»Wie geht's dir?« rief ich.

Er warf seine Zigarette in die Wellen. »Komm runter, wir gehen ein bißchen spazieren«, brüllte er herauf. »Hinüber zum Felsen. Und wenn du Lust hast, essen wir im Holiday House.«

Ich streckte mich.

»Nimm einen Pullover mit«, brüllte er, »es wird kühl.«

Ich holte den Pullover, der mich um die ganze Welt begleitet hatte, den grünen, den Gerry liebte, und ging die Holzstufen hinunter, die in den Sand führten, mit einem Gefühl, als sehe ich David zum ersten Mal – in gewisser Hinsicht wünschte ich, ihm nie begegnet zu sein. Ich war immer noch angeschlagen von dem Gespräch mit Mike, das ich nicht verdaut hatte.

David sah mich scharf an. »Geht's dir gut?«

»Klar. Mir geht's gut.«

»Verstehe«, sagte er, als wir auf die Sonne zugingen. »Du hast viel nachgedacht, hm?«

»Ich hab' nicht wirklich Zeit dafür gehabt«, wich ich seiner Frage aus.

Er zündete sich eine Zigarette an.

»Du rauchst ziemlich viel«, bvemerkte ich. »Für einen, der sich mit geistigen Dingen beschäftigt und mit sich so gut im Einklang steht...«

»Vermutlich hilft mir das, den Boden unter den Füßen zu

behalten«, war seine Antwort. »Sonst würde ich ständig in den Wolken schweben. Würdest du nicht rauchen, wenn du dich richtig in die Sache reinknien würdest?«

»Rauchen?« Meine Stimme klang etwas schrill. »Ich würde ganze Baumstämme inhalieren, wenn ich das alles glaubte, was mir zu Ohren kommt.«

»Tja, anfangs ist es ein wenig beängstigend, wie alles Neue, aber nach einer Weile nimmt man die Dinge etwas selbstverständlicher. Rauchen hilft dabei. Außerdem bin ich süchtig.«

Wir gingen eine Weile durch den kühlen Sand. Die Strandläufer tanzten ihr Abendmenuett. Mir war, als tanzte ich mein eigenes Menuett mit David. Lange Zeit sagte ich gar nichts. Dann dachte ich, warum eigentlich nicht darüber sprechen!

»Vermutlich weißt du«, sagte ich, »daß wir alte Freunde sind und schon einmal verheiratet waren?«

»Ja«, lachte er, »ich weiß.«

»Von wem?«

»Ach, einfach so. Wir sind Lebenspartner oder ähnliches, stimmt's?«

»Hmmm.«

Er paffte an seiner Zigarette und schaute in den Sonnenuntergang. Er trug eine Selbstsicherheit zur Schau, die beinahe aufgeblasen wirkte.

»Wie ist das eigentlich, wenn die Astronauten da draußen im Weltraum herumgondeln, ist ihr Raumschiff dann von Geistern umgeben?«

David lachte und hüstelte. »Na ja«, sagte er, »das könnte man sagen, da die geistige Welt überall ist, auch jetzt um uns. Die geistige Ebene ist für uns die meiste Zeit unsichtbar, da unser Bewußtsein zu begrenzt ist, sie zu sehen, aber wir sind nicht unsichtbar für sie. Manchmal spürt man sie. Fragst du dich nicht auch hin und wieder, woher gewisse Ideen und Inspirationen kommen? Spürst du nicht manchmal, daß du tatsächlich von einer unsichtbaren Kraft geleitet wirst? Du weißt, wie viele große Menschen davon sprachen, eine unsichtbare Kraft der Inspiration zu spüren? Ich denke, es handelte sich dabei wahrscheinlich um ihre geistigen Meister und um eine Art Erinnerung an eine Begabung, die sie in einem vergangenen Leben hatten. Ein gutes Beispiel dafür sind Wunderkinder. Mozart konnte wahrscheinlich schon deshalb mit vier Jahren Klavierspielen, weil er sich daran *erinnerte.*«

»David«, unterbrach ich seinen gelehrten Vortrag, »wo ist der Beweis, daß diese Dinge wahr sind? Du spuckst diese Theorien einfach so aus, als wären sie Tatsachen und der Weihnachtsmann eine Realität.«

»Für mich besteht darin kein Zweifel. Ich fühle es einfach. Ich glaube es. Ich weiß es. Das ist alles. Natürlich gibt es keinen Beweis. Warum auch? In der Welt von heute fehlt die Verbindung zwischen der geistigen und physischen Ebene. Für mich ist die Seele die Zwischenstufe zum Leben. Wenn jeder begreifen würde, daß seine Seele nie wirklich stirbt, dann hätten die Menschen weniger Angst, und sie würden auch wissen, *warum* sie am Leben sind.«

Jedesmal, wenn David den Mund aufmachte, lieferte er einen geistigen Sermon.

»Du unterstellst also, mit der Reinkarnation ist es wie im Show-Geschäft. Du übst einfach solange, bis es sitzt.«

»Ja«, er bewies soviel Humor, um darüber lachen zu können. »So ähnlich. Weißt du«, fuhr er fort, »meiner Überzeugung nach hat auch Christus die Lehre der Reinkarnation vertreten.«

Ich zog meinen Rollkragen etwas höher. In letzter Zeit fröstelte ich ständig. David stellte seine Behauptungen immer ohne Vorwarnung auf.

»Wie kommst du darauf?« Ich dachte an das, was »John« mir über die Bibel erzählt hatte.

David spritzte mit dem Fuß Wasser hoch, brach die Spiegelung des roten Himmels. »Ich habe viele Auslegungen der Lehren Christi gelesen, die mit denen in der Bibel nicht übereinstimmen.« Er schaute mir ins Gesicht und zögerte. »Du weißt, die Bibel berichtet nichts von Christus zwischen seinem zwölften Lebensjahr und seinem dreißigsten etwa, als er wirklich anfing zu lehren.«

»Ja«, sagte ich. »Ich dachte, in dieser Zeit habe er nicht viel zu sagen gehabt.«

»Nein. Viele Menschen sind der Überzeugung, daß er diese achtzehn Jahre damit verbracht hat, in Indien, Tibet und Persien zu reisen. Es gibt viele Legenden und Überlieferungen über einen

Mann, der wie Christus klingt. Es ist immer dieselbe Beschreibung eines Mannes, der sagte, er sei der Sohn Gottes, und er bekräftigte den Glauben der Hindus, daß die Reinkarnation tatsächlich wahr sei. Man sagt, er sei selbst ein Meister-Yogi geworden und habe vollständige Beherrschung über seinen Körper und die physische Welt, die ihn umgab, gehabt. Und es ist bewiesen, daß er all die Wunder vollbrachte, die später in der Bibel niedergeschrieben wurden, und er versuchte, die Menschen zu lehren, daß sie das gleiche vollbringen könnten, wenn sie mit ihrem geistigen Selbst und ihrer eigenen potentiellen Kraft mehr Berührung hätten.«

David wußte nichts über meine Sitzung mit Kevin und »John«, auch nicht, daß ich eine Frau im Ashram getroffen hatte, eine Art Schützling von Sai Baba (einem indischen Avatar). Sie und ihr Mann hatten ein Buch geschrieben und einen Dokumentarfilm gedreht über die Jahre in Christis Leben, von denen wir nichts wissen. Sie hießen Janet und Richard Bock. Sie hatten ausführlich über diese Zeit im Leben Christi auf Erden recherchiert, viel Beweismaterial von angesehenen Archäologen, Theologen, Sanskrit-Gelehrten und aus Hebräischen Schriften, etc. zusammengetragen. Das Beweismaterial sagte übereinstimmend aus, daß Christus sich tatsächlich lange Zeit in Indien aufgehalten hatte.

Im Weitergehen erzählte ich David über Janet und Richard, und er sagte, er habe nie etwas von ihnen gehört, würde jedoch gerne seine Aufzeichnungen, die er während der zwei Jahre, die er in Indien verbracht hatte, mit ihren Berichten vergleichen. Er sagte, als Christus nach Palästina zurückkehrte, lehrte er, was er von den indischen Meistern gelernt hatte, unter anderem die Theorie der Reinkarnation.

»Aber David«, wunderte ich mich, »warum sind diese Lehren nicht in der Bibel aufgezeichnet?«

»Das sind sie«, sagte er. »Die Lehre der Wiedergeburt steht in der Bibel. Doch die ursprünglichen Auslegungen wurden während des Ökumenischen Konzils der Katholischen Kirche in Konstantinopel um 553 n. Chr., dem Konzil von Nicäa, gestrichen. Die Kirchenväter verbannten diese Lehren aus der Bibel, um dadurch die Macht der Kirche zu festigen. Die Kirche verlangte die alleinige Autorität hinsichtlich des Schicksals der Menschen. Christus dagegen lehrte, jedes menschliche Wesen ist für sein eigenes Schicksal verantwortlich – jetzt und in Zukunft. Christus sagte, es gäbe nur einen Richter – Gott –, er lehnte die Bildung jeder dogmatischen Kirche ab, die den freien Willen der Menschen oder ihren Kampf nach Wahrheit unterdrücken könnte.«

Das bestätigte Kevins Thesen, aber schließlich hatte wohl jeder, der sich intensiv mit Reinkarnation auseinandersetzte, über das berühmte Konzil gelesen.

Die Sonne senkte sich hinter dem Meer und färbte die Wolken über dem Pazifik purpurrot und rosa.

»Jedenfalls«, meinte David, »glaube ich, daß Christus das wirklich gesagt hat, und die Kirche, die diese Lehren vernichtete, hat die Menschheit seither in die Irre geleitet.«

Ich antwortete nicht. Ich überlegte: Wenn die Kirche gelehrt *hätte*, unsere Seelen vollziehen einen kontinuierlichen Zyklus der Wiedergeburt, um die karmische Gerechtigkeit zu bewältigen, hätte ich mich schon als Kind dafür interessiert. *Das* hätte einen Sinn für mich ergeben. Es hätte mir einen *Grund* gegeben, an die geistige Dimension des Menschen zu glauben, denn *ich* wäre für mein eigenes Schicksal verantwortlich (wie jeder andere Mensch auch). Es wäre unserem eigenen Gewissen überlassen – nicht der Kirche –, unsere Verhaltensweisen zu beurteilen. Damit wäre auch alles Leid und aller Schrecken in der Welt erklärt, Dinge, die mich mein ganzes Leben lang hilflos und unfähig gemacht hatten, sie zu verstehen oder zu verändern. »Was der Mensch sät, das wird er ernten« würde eine andere Bedeutung bekommen. Und ich hätte einen tief verwurzelten Trost empfunden, daß wir tatsächlich ewig leben und immerwährend, entsprechend unseren Taten und Verhaltensweisen auf unserem Wege. »Wende ihm die andere Wange zu« hätte ebenfalls eine andere Bedeutung. Diese Mahnung würde leichter fallen, da wir unsere ewigen Prioritäten höher bewerten würden als unsere Probleme auf Erden.

Das Gesetz von Ursache und Wirkung wird von der Naturwissenschaft als Grundsatz anerkannt. Warum findet dieses Gesetz keine Anwendung auf Belange des menschlichen Lebens? Gesetze basieren nicht ausschließlich auf dem, was sich sichtbar manifestiert, und folglich beweisbar ist. Moral, Ethik, Liebe – alles unsichtbare, nicht greifbare Realitäten, und doch bedeutet dies nicht, daß sie nicht vorhanden sind.

Ich bin keine Wissenschaftlerin, kein Experte in Bereichen beweisbarer Tatsachen. Aber allmählich fragte ich mich, warum diesen Bereichen so viel Bedeutung beigemessen wurde. Ich sah keinen großen Sinn in physischen Beweisen, wenn es sich um das Streben nach dem Verstehen handelt, warum wir am Leben sind. Dieses Streben war im tiefsten Sinne eine persönliche Angelegenheit jedes einzelnen und gehörte nicht unbedingt in Fachgebiete irgendwelcher »Experten«. Vielleicht war das gemeint mit »die Mildgesinnten werden die Erde ererben«. Vielleicht waren es die Mildgesinnten, die keinen Anlaß sahen, »Stärke« zu beweisen, die sich auf Gott und das Gute im Leben und der *Menschheit* bezogen, und die Goldene Sittenregel *war* der oberste und wichtigste Grundsatz, nach dem es zu leben galt. Vielleicht trugen jene, die dazu neigen, das Leben aus Angst zu erschweren, nicht nur zu karmischen Schwierigkeiten auf der Erde selbst bei, sondern auch zu karmischen Schwierigkeiten ihres eigenen Lebens.

David und ich gingen lange schweigend nebeneinander her, bis wir nach etwa drei Meilen zu seinem Wagen kamen.

Auf dem Rücksitz des alten, grünen Dodge lag ein Stapel Bücher mit einer Schnur zusammengebunden. »Ich habe dir ein paar Bücher und eine Bibel mitgebracht. Lies sie einfach. Mal sehen, was du darüber denkst. Hast du Lust zum Essen zu gehen?«

Bücher? Brauchte ich noch mehr Bücher?

Wir saßen zusammen in dem Restaurant überm Meer. Wenn wir uns unterhielten, gab es nie Sätze wie: »Wie war dein Tag heute?« Oder: »Magst du Brahms?« Wir sprachen immer über grundsätzliche Themen, als sei eine simple Unterhaltung Zeitverschwendung. Solche Gespräche waren für mich ungewöhnlich, wenn es sich bei dem Gesprächspartner um einen Mann handelte, denn das »persönliche Gespräch« führte in der Regel dahin, was einer vom anderen wollte...

Nein, in dieser Hinsicht war ich an David nicht interessiert. Ich war an dem, was er zu sagen hatte, interessiert. Ich nehme an, alle Menschen legen sich ein Raster unausgesprochener Kommunikationsregeln zurecht, wenn sie miteinander unter vier Augen sprechen. Dieses Raster ist etwas, worüber man nicht nachdenkt, es ist einfach da, gilt so lange, bis einer von beiden es durchbricht und versucht, eine andere Ebene zu erreichen.

David schien nicht daran interessiert, diese Regeln zu durchbrechen. Das gab mir Sicherheit. Paradoxerweise schuf dies eine Atmosphäre, in der jedes Treffen mit diesem Mann, der mitverantwortlich war für mein tiefgründiges Infragestellen unserer Definition von Realität, für mich eine neue Erfahrung darstellte.

Und obwohl wir wunderbaren, roten Bordeaux tranken und ein ausgezeichnetes Beef Wellington aßen und obwohl Kerzen auf dem Tisch brannten und wir fasziniert zuhörten, was der andere zu sagen hatte, und obwohl einige der Stammgäste sich flüsternd fragten, mit wem ich da wohl saß, fühlte ich mich nicht zu ihm hingezogen auf einer Mann-Frau-Ebene. Es war mir auch nicht besonders wichtig zu wissen, wie er dazu kam, das zu glauben, was er glaubte. Es handelte sich ohnehin um einen Prozeß abstrakter Evolution des Denkens. Zumindest war es in meinem Fall so, von einigen spezifischen Momenten abgesehen, die mich motivierten, weiterzugehen. Wir sprachen über den *Drang* zum Glauben und einem Gefühl der Sinnerfüllung, darüber, ob die menschliche Rasse aus sich selbst Fortschritte mache oder unter einer Art geistiger »Leitung« stehe und schließlich über die Weisheit, allen neuen Gedankenkonzepten gegenüber aufgeschlossen zu sein.

David sagte, wirkliche Intelligenz sei für ihn Aufgeschlossenheit, weil »nur ein aufgeschlossener Mensch neue Ideen erfassen und daran wachsen kann«.

»Ich war sehr verwirrt«, sagte er, »als ich meine ersten spirituellen Kontakte hatte. Aber immer, wenn ich mir irgendwie ›absurd‹ in der ›realen‹ Welt um mich herum vorkam, hörte ich auf das, was meiner Intuition nach real war. Früher war ich darauf ausgerichtet, an das zu glauben, was ich beweisen konnte, nicht an das, was ich fühlte. Aber je mehr ich auf meine innere Stimme hörte, desto mehr nahm ich Fühlung mit mir selbst auf. Schließlich wurde alles ganz einfach. Und jetzt beschäftigen sich so viele Menschen mit den gleichen Dingen, daß *das* meine Realität geworden ist.«

David berichtete über seine Glaubenskämpfe nicht, daß ich mir eine erkennbare Vorstellung davon machen konnte. Er vermittelte mir nur einen schwachen Eindruck davon, wodurch er gegangen war. Und er sprach mit derselben ruhigen Würde wie sonst auch.

Dann gegen Ende unseres Dinners fragte er: »Hast du je ein UFO gesehen?«

Es erstaunte mich etwas, eine solche Frage von ihm zu hören. Es war etwas anderes, »John« zuzuhören, der Gott, spirituelle Wahrheit und Außerirdische in einem Atemzug nannte, und ein Unterschied, ob ein persönlicher Freund sich darüber Gedanken machte.

»Nein«, sagte ich so sachlich wie möglich, »aber ich kenne ein paar Leute, die welche gesehen haben, einschließlich Jimmy Carter, als er Gouverneur von Georgia war. Carter hat nie mit mir darüber gesprochen, aber ich habe seinen Bericht gelesen, den er in der Presse veröffentlichte; er wirkte auf mich professionell und ohne Gefühlsduselei wie die meisten Berichte, die Jimmy Carter veröffentlichte.«

»Richtig«, sagte David. »Wofür hältst du sie?«

»Mein Gott«, sagte ich, »ich weiß nicht. Vielleicht geheime militärische Waffen, über die niemand sprechen will, oder irgendwelche Instrumente zur Wetterbeobachtung. Vielleicht sind es Zeitungsenten, oder vielleicht kommen sie aus dem Weltraum. Ich weiß es nicht. Was meinst du?«

Er nippte an seinem Kaffee und an seinem Cognac, wischte sich die Mundwinkel mit der Serviette ab. »Meiner Meinung nach kommen sie aus dem Weltraum. Ich meine, die Außerirdischen, die sie steuern, sind geistig hochentwickelt. Und ich glaube, es gibt sie schon seit langem.«

»Um Himmels willen!« sagte ich. »Wie kommst du darauf?« Ich sah ihm zu, wie er noch einen Schluck Kaffee nahm, sah, wie seine Augen ruhig im Kerzenschimmer leuchteten. Ich suchte nach irgendeinem Ausdruck darin, der andeutete, worauf er hinaus wollte...

»Viele Leute haben darüber geschrieben.«

»Ja, viele Verrückte.«

»Und im Alten Testament sind sie erwähnt. Es gibt viele Beschreibungen, die für mich auf Raumschiffe zutreffen und für andere natürlich auch.« Wieder dachte ich an »John« und an das, was ich gelesen hatte. Doch David fuhr fort: »Ich halte von Däniken zwar für ein bißchen verrückt, aber ich glaube, er ist auf dem richtigen Weg.«

»Sprichst du von seinem Buch *Waren die Götter Astronauten?*«

»Ja.«

Ich spürte förmlich, wie meine »Aufgeschlossenheit« zuklappte.

»Saß er nicht eine Zeitlang in einem Schweizer Gefängnis wegen Scheckfälschung?«

»Stimmt. Aber was hat das mit dem, was er aufgedeckt hat, zu tun? Die Menschen stecken voller Widersprüche, und was er getan hat, war falsch. Er hätte einen anderen Weg finden müssen, um seine Probleme zu lösen. Denn am Ende hat er sich selbst damit diskreditiert. Aber nicht unbedingt seine Arbeit.«

Nach der Sitzung mit »John« hatte ich alle Bücher von Däniken gelesen – Material, um seine Hypothese zu erhärten, daß viele antike Monumente von hochentwickelten Zivilisationen mit Hilfe Außerirdischer gebaut worden waren: die Große Pyramide, Stonehenge, Machu Picchu in Peru, die Landestreifen in der Ebene von Nazca in Peru, etc.

Er behauptete auch, daß beispielsweise Hesekiels Beschreibung der Feuerräder sich auf Raumschiffe bezog, ebenso wie die Feuersäule, die Moses und die Israeliten vierzig Jahre lang durch die Wüste führte, eine Wanderschaft, die ihren Höhepunkt in der Teilung des Roten Meeres fand.

Ich hatte mir den Film *Waren die Götter Astronauten?* angesehen, der davon handelt, daß Außerirdische die gesamte Menschheitsgeschichte hindurch auf der Erde anwesend waren. Als Beweise dieser Behauptung dienten Höhlenzeichnungen und Monumente. Am interessantesten fand ich die Reaktion des Publikums. Die Leute starrten gebannt auf die Leinwand, und am Ende der Vorstellung wollte kein Mensch aufstehen. Sie schienen von den unwahrscheinlichen Spekulationen so gefesselt, daß sie nicht wußten, wie sie reagieren sollten. Beim Verlassen des Kinos spitzte ich die Ohren, um mitzukriegen, was die Leute sagten. Niemand ließ spöttische Bemerkungen fallen oder machte sich über den Film lustig. Sie wirkten aber auch nicht erschrocken oder eingeschüchtert. Schweigend und nachdenklich verließen die Zuschauer das Kino, bis irgendeiner von einem »Hamburger« sprach. Ich war mehr an der Reaktion des Publikums interessiert, als an meiner eigenen.

Und nun brachte David ebenso wie »John« UFOs mit geistiger Intelligenz in Verbindung. Ich hörte zu und stellte weitere Fragen.

»Das würde also bedeuten, daß die Engel und feuerspeienden Streitwagen und alles, was in diesem Zusammenhang in der Bibel erwähnt wird, tatsächlich Wesen aus einer anderen Welt waren.«

»Ja. Warum sollten uns nicht fremde, höherstehende Wesen höhere geistige Wahrheiten lehren? Vielleicht ist die Gotteskraft durchaus wissenschaftlich. Christus und Moses und einige andere dieser Menschen waren in der Lage, physische Wunder zu vollbringen, wie wir sie nennen, die unsere Wissenschaft nicht erklären kann. Und es ist von zu vielen Menschen die Rede, die diese ›Wunder‹ erlebt haben, als daß man sie einfach als erfundene Mythen abtun könnte. Es muß so gewesen sein, daß begnadete Menschen etwas wußten, was wir nicht wissen.«

Ich nahm einen Schluck von Davids Cognac.

»Wie kamst du darauf, einen Zusammenhang zwischen spirituellen Möglichkeiten der Menschen und dem Weltraum herzustellen?«

»Weil es sinnvoll erscheint, findest du nicht? In der Antike ist viel von ungeklärter, höherer Intelligenz die Rede, und vieles davon bezieht sich auf Religion und Spiritualität oder zumindest auf die Frage nach Gott.«

»Na ja«, sagte ich, »aber diese Intelligenz kann doch von extrem hochentwickelten menschlichen Zivilisationen gekommen sein, die verschwunden und ausgelöscht sind. Warum muß höhere Intelligenz von einer anderen Welt kommen?«

»Diese Frage habe ich mir auch gestellt. Es hat jedoch nicht nur ein Beispiel höherer Intelligenz gegeben. Es geschah auf der ganzen Welt und zu verschiedenen Zeiten. Plato und Aristoteles und viele andere große Denker sagen, Atlantis habe *tatsächlich* existiert, als extrem fortgeschrittene Zivilisation. Die Inkas und Mayas hatten ebenso großes astronomisches und astrologisches Wissen wie wir heute und vielleicht sogar mehr. Die Sumerer, die zweitausend Jahre vor Christus lebten, kannten hochentwickelte Mathematik und Astronomie ... Ich gebe dir auch darüber zu lesen. Für mich steht jedoch fest, daß die Erde immer von Wesen, die mehr wissen als wir, beobachtet wurde, daß sie den Menschen geholfen und sie belehrt haben; Wesen, die spirituelle, ebenso wie wissenschaftliche, astronomische, mathematische und physikalische Wahrheiten kannten, die wir erst anfangen zu ergründen.«

Mir schwirrte der Kopf.

»Und warum konnten die Menschen nicht selbst lernen?«

David leerte das Glas Eiswasser, das ich übriggelassen hatte und fuhr fort. »Weil es zu viele Hinweise gibt, die darauf schließen lassen, daß die Menschen Hilfe von ›Göttern‹ hatten, von Wesen, die im kosmischen Sinn weiter fortgeschritten waren. Zu viele der Schriften der alten Kulturen sprechen von ›Göttern‹, die von den Sternen kamen in feurigen Flugobjekten, die ›Hilfe und Wissen und Versprechungen der Unsterblichkeit‹ brachten. Also sagte ich mir – warum nicht? Kein vernünftiger moderner Wissenschaftler glaubt, daß wir die einzige Lebensform im Kosmos sind, stimmt's?«

»Ja.«

»Also lohnt es sich doch, darüber nachzudenken. Warum soll man es nicht ernst nehmen? Es ergibt einen Sinn. Ein wahnsinniger Gedanke, einigen bewiesenen Standpunkten zufolge, aber er ist sinnvoll. Da du dich schon mit diesen Dingen beschäftigst, solltest du noch weiter in die Materie eindringen. Tut mir leid, daß ich so schonungslos bin.«

Wir bezahlten die Rechnung, getrennte Kasse, und gingen. Ich war erschöpft. Mittlerweile erschien mir meine Frustration mit Gerry eine Lappalie. »Schonungslos« hatte David sich selbst genannt? Mit *dieser* Bezeichnung wurde ich normalerweise bedacht. Sonst war *ich* immer die Schonungslose, wenn ich einer Sache auf den Grund gehen wollte. Nun gab es jemanden, der noch schonungsloser war als ich. David reichte mir den Stapel Bücher und setzte mich an meiner Strandwohnung ab. Wir hatten über das Leben nach dem Tod gesprochen, über Leben vor der Geburt, und jetzt waren wir beim Leben über dem Leben!

Ich bedankte mich und wünschte ihm eine gute Nacht.

18. Kapitel

»Wahre Stärke des Verstehens besteht darin, daß wir das, was wir wissen, nicht von dem, was wir nicht wissen, erschüttern lassen.«

Ralph Waldo Emerson
Der Skeptiker

Ich hatte intensiv im Bereich der Trance-Vermittlung gelesen und dann über das Thema der Reinkarnation und immer für meine eigene, geistige Führung. Jetzt konzentrierte ich mich auf einen neuen Aspekt – die Möglichkeit außerirdischen Lebens und seiner Beziehung auf menschliches Leben.

Ich las tagelang, bis meine Augen schmerzten.

Es folgt eine sehr kurze Zusammenfassung dessen, was ich las. Viele dieser Recherchen waren für mich wichtig in bezug auf das, was später geschah. Wenn ich mich auf die Bibel beziehe, verwende ich die darin auftauchende Terminologie – das heißt, Engel, Feuersäulen und so weiter – denn diese Wörter wurden von den Alten benutzt, um alle Phänomene anschaulich zu beschreiben.

Im Buch Hesekiel im Alten Testament beschreibt Hesekiel, wie die Erde aus großer Höhe aussieht. Er sprach davon, welches Gefühl es war, in ein fliegendes Schiff gehoben zu werden, beinahe wie von einem Magneten angezogen. Er beschrieb die Vor- und Rückwärtsbewegungen des Fahrzeugs als etwas so Schnelles wie ein Blitz. Er spricht vom Befehlshaber des Fahrzeugs als »Der Herr«.

Hesekiel begegnete solchen Menschen und Schiffen vier verschiedene Male über eine Zeitspanne von neunzehn Jahren. Er sprach davon, wie friedvoll die Leute von diesen Schiffen waren, als *sie sich den Menschen näherten*, daß sie große Vorsicht walten ließen, um sie nicht zu ängstigen. Es gab kein Anzeichen von »feindlichem oder verwegenem Verhalten«. Er sagte, »Der Herr« bewies Vorsicht und Achtung für ihn.

Im 2. Buch Mose (Exodus) bewegte sich ein Gefährt vor den Hebräern her, als sie aus Ägypten zum Roten Meer auszogen. Es wurde beschrieben als »Wolkensäule bei Tage und Feuersäule bei Nacht«. Und die Wolkensäule schwebte über den Wassern, teilte sie und ermöglichte den Söhnen Israels, in die Wüste zu entkommen. Die Säule, die die Israeliten vierzig Jahre lang während ihrer Wanderschaft durch die Wüste führte, gab ihnen religiöses Geleit während dieser Zeit, und »ein Engel darin« übergab Moses die Zehn Gebote. »Engel« erschienen ständig in der Bibel –, und die Bibel bringt den Gedanken nahe, daß »Engel« Missionare aus einer anderen Welt waren. In diesen vierzig Jahren waren die Israeliten ohne Nahrungsquellen. Aber die »Wolkensäule« sorgte für sie. Der Herr sagte zu Moses: »Siehe, ich will euch Brot vom Himmel regnen lassen.« (Exodus 16:4)

Die »Wolkensäule« war für die Israeliten ein Leuchtturm auf ihrer Wanderschaft durch die Wüste. »Denn die Wolke des Herrn war des Tages über der Wohnung, und des Nachts war sie feurig vor den Augen des ganzen Hauses Israel, so lange sie reisten.« (Exodus 40:38)

Das 4. Buch Mose (Numeri) ist ausführlicher. Die Wolkensäule bestimmte jeden Schritt, den die Israeliten machten. Bewegte sich die Wolke, so gingen die Söhne Israels hinter ihr her. Blieb die Wolke stehen, rasteten sie und schlugen ihr Lager auf. (Numeri 9:15–23).

Moses stand in täglichem Kontakt mit einem Wesen in der »Wolkensäule«. Der Herr sprach eines Tages zum Volke Israel und sagte: »Höret meine Worte. Ist jemand unter euch, ein Prophet des Herrn, dem will ich mich kundmachen in einem Gesicht, oder will mit ihm reden in einem Traum. Aber nicht als mein Knecht Mose, der in meinem ganzen Hause treu ist. Mündlich rede ich mit ihm, und er siehet den Herrn in seiner Gestalt, nicht durch dunkle Worte oder Gleichnisse.« (Numeri 12:6–8)

Bis zum Auszug aus Ägypten hatten die Israeliten keine wirkliche Religion. Sie glaubten an eine Art Versprechen, doch während ihrer vierzig Jahre andauernden Wanderung durch die Wüste, prägten ihnen Engel das Evangelium und die Religion aus einer anderen Welt ein – das Königreich des Himmels.

Eine Gruppe Ausersehener wurde Lebensformen und Ethik

und Anbetung gelehrt ... Moses, Abraham, Petrus, Lukas, Jakob und wie sie alle heißen. Jakob begegnete zu vielen Gelegenheiten Engel (1. Buch Mose, Genesis 32:2). Die Lehren waren sehr darauf bedacht, daß die Menschen auf Erden die Werte der Liebe, der Goldenen Regel und den Glauben an ewiges Leben erfuhren.

In der Apostelgeschichte befahl Christus seinen Jüngern, die Botschaft seiner Welt in ihre Welt zu tragen.

Im Neuen Testament sagte Christus: »Ihr seid von unten her; Ich bin von oben her; ihr seid von dieser Welt; Ich bin nicht von dieser Welt.« (Johannes 8:23). Er sagte, er stehe in ständiger Verbindung mit Wesen seiner Welt, und er nannte sie »Engel«. Er sagte, die Engel seien sehr interessiert an der Verbreitung ihrer Botschaft auf Erden.

Als ich die Bibelzitate durchgelesen hatte, wandte ich mich Davids anderen Büchern zu.

In der Ebene von Nazca in Peru befindet sich etwas, das aussieht wie abertausendjährige Landebahnen. In der Nähe befinden sich auch Erdzeichnungen von Tieren, Vögeln und einer Menschengestalt, die einen Helm trägt, ähnlich dem, den unsere modernen Astronauten tragen. Die Landebahnen und Zeichnungen können nur vom Flugzeug aus erheblicher Höhe gesehen werden.

Der astrologische Kalender von Tiahuanaco in der Ausgrabungsstätte von Tiahuanaco in Bolivien in 3900 Metern Höhe zeigt symbolisch aufgezeichnet astrologisches Wissen, das von der Voraussetzung ausgeht, daß die Erde rund ist. Dieses Wissen ist 27000 Jahre alt. Die Umlaufbahnen der Erde im Zusammenhang mit der Sonne, dem Mond und anderen Planeten sind alle korrekt.

Die Sage von Tiahuanaco spricht von einem goldenen Raumschiff, das von den Sternen kam.

In Sacsayhuaman liegt ein monumentaler Felsen von 20000 Tonnen Gewicht, der an einem anderen Ort abgeschlagen und bearbeitet, eine große Entfernung transportiert und dann auch noch umgedreht worden war.

Sand-Sinterungen in der Wüste Gobi und an alten archäologischen Ausgrabungsstätten im Irak sind mit den Sand-Sinterungen, die durch Atomexplosionen in der Wüste Nevada in unserer Zeit entstanden sind, zu vergleichen.

Keilschrifttexte und Schrifttafeln aus Ur, der schon in vorgeschichtlicher Zeit besiedelten Stadt in Babylonien im dritten Jahrtausend vor Christus, also die ältesten Inschriften, die die Menschheit kennt, erwähnen Götter, die in den Himmel in »Schiffen« fuhren, sowie Götter, die von den Sternen kamen, die schreckliche und mächtige Waffen besaßen und wieder zu ihren Sternen gefahren waren.

Die Eskimos sagen, die ersten Stämme seien von Göttern mit Metallschwingen in den Norden gebracht worden.

Die ältesten Weisen der amerikanischen Indianer sprachen von einem Donnervogel, der ihnen das Feuer und die Früchte brachte.

Die Maya-Legenden sprechen davon, wie die »Götter« in der Lage waren, alles zu erkennen: das Universum, die vier Himmelsrichtungen des Kompasses und die Kugelform der Erde. Der Maya-Kalender war so hoch entwickelt, daß seine Berechnungen vierundsechzig Millionen Jahre in die Zukunft reichen.

Die religiösen Legenden der Vor-Inka-Kulturen besagen, daß die Sterne bewohnt seien, und daß »Götter« zu ihnen von den Plejaden, dem Siebengestirn, herunterkamen. Sumerische, assyrische, babylonische und ägyptische Keilinschriften zeigen das gleiche Bild: »Götter« kamen von den Sternen und gingen wieder zu ihnen zurück; sie fuhren auf Feuerschiffen oder Booten in der Luft, besaßen schreckliche und machtvolle Waffen und versprachen den Menschen Unsterblichkeit.

In dem alten indischen Epos Mahabharata, das etwa 5000 Jahre alt ist, wird von fliegenden Maschinen gesprochen, die in großen Höhen über weite Entfernungen gesteuert wurden, die sich vorwärts, rückwärts, nach oben und nach unten in unglaublichen Geschwindigkeiten bewegten.

Die Tibetanischen Bücher *Tantyua* und *Kantyua* erwähnen ständig fliegende Maschinen in der Vorgeschichte. Sie wurden »Perlen im Himmel« genannt. Beide Bücher heben hervor, daß diese Kenntnis geheim und nicht für die Massen bestimmt sei. Ganze Kapitel im Samarangava Sutradhara waren der Beschreibung von Luftschiffen gewidmet, deren Schwänze »Feuer« und »Quecksilber« spuckten.

Alte Völker waren also in der Lage, Hunderte von Tonnen schwerer Felsbrocken von einem Ort zum anderen zu befördern. Die Ägypter brachten ihren Obelisken von Aswan, die Erbauer von Stonehenge holten ihre Steinquader aus dem Südwesten von Wales und Marlborough; die Steinmetze der polynesischen Osterinsel (die von den Eingeborenen Insel des Vogelmannes genannt wird), transportierten ihre riesigen Steinfiguren aus Steinbrüchen, die Meilen entfernt waren.

Und die Große Pyramide von Gizeh stellt ein ungeklärtes Rätsel dar.

Laut neueren wissenschaftlichen und geologischen Untersuchungen ist die Große Pyramide auf dem exakten geophysikalischen Landeszentrum der Erde gebaut, in anderen Worten, würde man die Landmassen der Erde flach ausbreiten, stünde die Pyramide im exakten Epizentrum. Ihre Abmessungen entsprechen dem Polardurchmesser und dem Erdradius, gleichzeitig entsprechen sie den Abmessungen von Zeit und Bewegung der Tag-und-Nacht-Gleichen und dem Sonnenjahr. Und das ist erst der Anfang der mathematischen Wunder, die in die Cheops-Pyramide *eingebaut* sind. Innerhalb ihrer Hallen, Galerien und Durchgänge entsprechen die Abmessungen, umgerechnet in Zeiteinheiten, großen Ereignissen, die der Menschheit auf Erden widerfuhren, behaupten Wissenschaftler, die das Rätsel der Großen Pyramide zu ergründen suchen. Ihren Hypothesen zufolge soll sie bereits vor der Sintflut entstanden sein und Prophezeiungen enthalten über Aufstieg und Zerfall geistiger und weltlicher Strömungen im Menschheitsdenken; die Geburt Christi und seine Kreuzigung, die Herrschaft großer Königreiche, große Kriege und die Entwicklung religiöser und philosophischer Lehren. Sogar die beiden Weltkriege sollen zeitlich genau vorhergesehen und in den Steinquadern manifestiert sein.

Und wieder las ich, daß die Lehren Christi über die Reinkarnation während des Fünften Ökumenischen Konzils in Konstantinopel im Jahre 553 n. Chr. gestrichen worden waren. Die Katholische Enzyklopädie selbst schreibt über das Konzil, daß »jeder, der den Glauben an eine Vorexistenz der Seele aufstellt« unter den Kirchenbann fällt.

Als ich mit dem, was David mir zu lesen gegeben hatte, fertig war, kam die Erschöpfung. Natürlich hatte ich vieles bruchstückweise vorher schon gehört, doch dieses Material in einer Zusammenfassung, unterstützt und bekräftigt von angesehenen Forschern, Wissenschaftlern, Archäologen und Theologen zu studieren, das war etwas anderes. Das Beweismaterial war zu stark, um beiläufig hingenommen, geschweige denn ignoriert zu werden. Mir war es jedenfalls nicht möglich, diese Dinge gelassen hinzunehmen.

Wieso war das alles eigentlich so neu für mich? Hin und wieder befaßte sich ein Wissenschaftler mit diesem Themenkreis, oder jemand wie Carl Sagan sprach in einer Fernsehsendung von der »Zwangsläufigkeit außerirdischen Lebens im Kosmos«. Aber noch niemand hatte all das überwältigende Material in einer Gesamtheit präsentiert, um darauf hinzuweisen, daß wir unsere außerirdische Vergangenheit ernster nehmen sollten – besonders hinsichtlich des geistigen Verständnisses und der Geburt des Monotheismus.

Welchen Standpunkt ein Wissenschaftler auch bezog, es gab immer einen anderen, der ihn widerlegte. Die »Experten« waren sich nie über irgend etwas einig. Aus diesem Grund gab es vielleicht keine einstimmige Darstellung, geschweige denn eine Übereinkunft aller Wissenschaftler, den Versuch zu wagen, diese Fragen zu klären.

Und das traf auch auf die Kirche zu. Vor meinem inneren Auge entstand das Bild eines bibelgläubigen Priesters, der am Sonntagmorgen von der Kanzel herunterpredigte, daß Moses von einem Raumschiff durch die Wüste geleitet wurde.

Ich mußte lachen. Ich saß auf meinem Balkon, schaute dem Tanz der Strandläufer zu und lachte einfach laut hinaus. Es war absurd. Alles war auf den Kopf gestellt.

Eines war sicher. Da ich als Kind und Heranwachsende und jetzt als Erwachsene, im freien Land der amerikanischen Demokratie lebend, *nicht aufgeklärt worden war, über das Wissen meiner traditionsgebundenen Lehrer hinauszudenken, mußte ich jetzt lernen, selbständig zu denken.* Vielleicht war das alles verrückt, doch Kolumbus war nicht der erste Mensch, der gesagt hatte, die Erde ist nicht flach. Und wie hochmütig von uns, den Anspruch zu erheben, die einzigen rational denkenden Wesen im Universum zu sein.

Schließlich rief David an.

»Na, wie geht's?«

»Ach, ich sitz' rum und zerbreche mir den Kopf.«

»Hättest du Lust zu verreisen?«

Ohne nachzudenken sagte ich: »Sicher, wohin?«

»Peru.«

»In die Anden?«

»Warum nicht?«

»Warum nicht! Ich habe ein paar Wochen frei. Es ist mir egal, wohin. Ich möchte nur irgendwohin.«

»Dann treffen wir uns in zwei Tagen am Flughafen in Lima.«

»Abgemacht.«

19. Kapitel

»Ich bin gewiß, so wie Sie mich hier sehen, schon tausendmal dagewesen, und ich hoffe, noch tausendmal wiederzukehren... Der Mensch ist der Dialog zwischen der Natur und Gott. Auf anderen Planeten wird dieser Dialog zweifellos von höherem und profunderem Wesen sein. Was fehlt, ist die Selbsterkenntnis. Danach wird der Rest folgen.«

J. W. von Goethe
zu Johannes Falk

Während des Nachtflugs nach Peru fühlte ich mich wie in früheren Tagen, als ich loszog, wann immer mir danach war – frei und ungebunden. Aus Abenteuerlust, der Laune des Augenblicks folgend – allein und unbeschwert. Damit schlief ich zufrieden ein.

Als ich aufwachte, kreiste die Maschine über Lima. Irgendwo unter der Smogsuppe lag eine Küstenstadt. Die Luftverschmutzung war noch schlimmer als in Los Angeles. Ich füllte das Einreiseformular aus, deklarierte, wieviel Geld ich mitgebracht hatte, und war gespannt darauf, wie eine südamerikanische Militärdiktatur aussah.

Ich landete am Jorge Chavez Flughafen an einem kühlen Morgen. Ich hatte niemandem gesagt, wohin ich fliege, lediglich, daß ich eine Weile verreise. Die meisten meiner Freunde und mein Agent waren daran gewöhnt. An Bord befanden sich viele internationale Reisende, nicht nur heimkehrende Peruaner. Lima war internationales Geschäftszentrum... dunkle, illegale Geschäfte, die nichts damit zu tun hatten, die Not der Armen zu lindern, dachte ich. Das war wieder typisch für mich: die reiche Liberale, die ihr Herzblut vergoß. Niemand erkannte mich, und als ich meine Formulare und meinen Paß vorzeigte, machte das keinerlei Eindruck. Die Leute vom Zoll, die Polizisten, die Kofferträger, alle Flughafenangestellten... alle... trugen Uniform und sahen aus wie Filmbullen. Und die Leute agierten entsprechend. Ich erwartete nichts anderes als gestapoähnliches, militärisches Gebaren, obwohl die Regierung aus einer sogenannten linksgerichteten Militärgruppe bestand. Von Peru wußte ich so gut wie nichts, lediglich von den Inkas, der Nazca-Ebene, und daß das Land vorwiegend aus Gebirge bestand.

Ich hatte einen mittelgroßen Koffer gepackt mit Kleidung für warmes und kaltes Wetter... ein Paar Wanderstiefel, eine Menge Tonbandkassetten, einen Recorder und Schreibpapier. Was immer ich erlebte, ich wollte es aufschreiben.

Außer, daß ich ein Formular nicht den Vorschriften entsprechend in dreifacher Ausführung ausgefüllt hatte, gab es keine Unannehmlichkeiten beim Zoll und ich wartete auf der anderen Seite auf meinen Koffer. Die Sonne war herausgekommen, es wurde etwas wärmer. Ich schaute hinüber, wo hinter einer Absperrung Leute auf die Ankunft der Passagiere warteten. Kein bekanntes Gesicht, das Gepäckkarussell drehte sich, und mein Koffer purzelte herunter. Mit Koffer und Handgepäck begab ich mich zum Haupteingang, und gerade als ich ein verwahrlostes Taxi erspähte, das mich ins Sheraton bringen könnte, spürte ich, wie jemand mir den Koffer aus der Hand nahm. Ich drehte mich rasch um und blickte in Davids Gesicht.

»Hallo«, sagte er. Er trug einen Wollschal und einen Anorak, war braungebrannt und lächelte.

»Hallo«, antwortete ich. »Mr. Livingstone, nehme ich an.«

»Was immer Sie sagen, Madame. Hattest du einen guten Flug?«

»Ja, nicht schlecht.«

»Willkommen in den Bergen, die ich so sehr liebe. Sie haben mir schon ein paarmal das Leben gerettet. Sie sind sehr friedlich.«

Ich schaute ihm in die Augen, mehr mußte ich nicht wissen.

»Komm«, sagte er, »ich hoffe, du machst dir nichts aus der alten Kiste. Aber ein Landrover war nicht aufzutreiben. Das ist noch die beste Art, ins Gebirge zu fahren.«

»Fahren wir gleich in die Anden?«

»Klar. Es wäre schwierig, sie zu vermeiden. Peru *ist* die Anden. Aber warte, bis du sie siehst. Sie sind anders als der Himalaja, aber ebenso schön.«

Er führte mich zu einem alten roten Plymouth, den er an der Kiesstraße neben dem Flughafen geparkt hatte.

»Hast du in der Maschine gefrühstückt?«

»Ja.«

»Gut. Dann besorgen wir uns Proviant, bevor wir uns nach Llocllapampa aufmachen.«

Die Luftverschmutzung und der Nebel verursachten Hustenreiz. Ich hatte mir Lima als sonnigen Erholungsort am Meer vorgestellt mit wunderschönem Klima, in dem die Menschen in südamerikanischen Muu-muus herumlaufen. Diese Stadt war feucht, dumpf, schmutzig und deprimierend.

David erzählte mir eine Geschichte, die wahr sein soll. Als Pizarro das Großreich der Inkas überfiel und einen Friedensvertrag anbot, führten die Inkas Pizarros Heere hierher, wo später Lima entstand, um ihr Basislager aufzuschlagen. Stolz zeigten sie ihren Eroberern dieses Gebiet während der Monate Januar und Februar, in denen das Wetter ausgezeichnet ist. Aber damit hatte es sich auch. Für den Rest des Jahres blieb es feucht und trüb. Sobald die Armeen sich niedergelassen hatten, wechselte das Wetter. Die Inkas erklärten, das sei ein dummer Zufall. Aber es wurde natürlich nie besser, und es dauerte nicht lange, bis die meisten Soldaten von Pizarros Armeen Lungenentzündung bekamen.

»Wie kommt es eigentlich, daß die Inkas eine so hochentwickelte Kultur hatten?« fragte ich.

»Vielleicht erhoben sie keine Einwände dagegen, sich helfen zu lassen«, sagte David. »Primitive Menschen haben nichts gegen Wunder, sie lassen sie einfach geschehen und vertrauen denjenigen, die es besser wissen als sie.«

»Wem zum Beispiel?«

Er blinzelte nur.

»Ach«, meinte ich, »das hab' ich ganz vergessen«, und wies mit dem Finger nach oben.

David zündete sich eine Camel an und fragte, ob ich etwas Besonderes brauchte, denn dort, wo wir hinfuhren, mußten wir froh sein, wenn es Petroleumlicht gab.

»Ich weiß, du kennst primitive Lebensumstände, aber diesmal gibt es nicht einmal Scherpas oder sonst einen Menschen, der etwas für dich tut.« Er schlug vor, Toilettenpapier, Konserven, eine Wärmflasche und warme Kleidung zu kaufen, da es dort, wo wir hinfuhren, auch keine Heizung gäbe.

Ich dachte an die Zeit, die ich in einer Hütte im Himalaja verbracht hatte und sicher war, zu Tode zu frieren. Ich konnte mir Wärme nur suggerieren. Also konzentrierte ich mich auf das Heißeste, was ich mir vorstellen konnte – die Sonne. Zitternd und zähneklappernd legte ich mich auf die Pritsche, schloß die Augen, und irgendwo im Mittelpunkt meines Kopfes fand ich meine eigene, gelbe Sonne. Ich konzentrierte mich, so stark ich konnte, und es dauerte nicht lange, bis Schweißperlen meine Bauchdecke entlangliefen. Schließlich hatte ich den Eindruck, das Sonnenlicht sei in meinen Kopf eingedrungen. Zwei Wochen, die ich im ewigen Schnee des Himalaja verbrachte, wandte ich jeden Abend diese Suggestionstechnik an. Nun sah es so aus, als würde ich sie wieder brauchen, und ich hatte Bedenken, aus der Übung zu sein.

Die Teerstraße nach Lima war mit Auspuffgasen, spuckenden Lastern und verdreckten Autos überfüllt. Männer in abgetragenen, grauen Geschäftsanzügen schlenderten gemächlich die Straße entlang, und ich hätte gern gewußt, in welche Büros sie so früh am Morgen arbeiten gingen.

»Lima befindet sich am Rande der Revolution«, sagte David. »Die Inflationsrate steigt rapide. Und wie üblich leiden die Armen am meisten darunter. Ihre Löhne bleiben gleich –, die Preise steigen unaufhörlich. Ich möchte nicht wissen, wie korrupt die Regierung wirklich ist. Aber es ist sowieso nur eine Frage der Zeit. Eigentlich sind die Zustände hier nur symptomatisch für alle Regierungen, stimmt's?« Ich nickte. »Und jetzt zu einem peruanischen Supermarkt für unsere Vorräte.«

Es war ein seltsames Gefühl, ein fremdes Land kennenzulernen und gleichzeitig zu wissen, daß das nicht der eigentliche Grund für meine Anwesenheit war.

Der sogenannte Supermarkt wirkte fast wie ein kleiner New Yorker Lebensmittelladen –, nicht gerade ein Delikatessengeschäft an der First Avenue. Und mir schien, der Besitzer erhöhte seine Preise, wann immer es ihm paßte. Fleisch, Käse und Brot und Kuchen lagen unter Glasvitrinen. Davids Lieblingsgetränk schien eine Limonade namens Inca-Cola zu sein. Er kaufte einen ganzen Kasten davon und einen Flaschenöffner, machte noch im Laden eine Flasche auf, schüttelte die Kohlensäure raus und trank sie in langen Zügen.

»Zigaretten und diese wunderbare Zuckerbrühe sind nicht gerade ernährungsbewußt«, lachte er.

Wegen meines niedrigen Blutzuckers kaufte ich Nüsse in Dosen, Thunfisch, Käse und ein Dutzend Eier, die mir unterwegs hoffentlich jemand hart kochen würde. Das lecker aussehende peruanische, süße Gebäck durfte ich nicht essen, und ich dachte etwas bange daran, was wohl passieren würde, wenn ich im Gebirge einen Unterzucker-Anfall bekäme.

David sprach fließend Spanisch, unterhielt sich mit der Kassiererin, und ich stellte mit Erstaunen fest, daß sein Gesicht sich mit den peruanischen Worten zu verändern schien. Er hatte die Gabe, seine Gesten und Mimik der fremden Nationalität anzupassen.

Als wir den Laden verließen, sagte er: »Die Welt *ist* eine Bühne, nicht wahr, und wir sind lediglich Darsteller, die ein Stück nachspielen.«

»Nur hast du einen Vorteil«, sagte ich. »Du scheinst das Stück zu kennen.«

»In etwa«, antwortete er und bugsierte den Kasten Inca-Cola auf den Rücksitz. »Aber man weiß ja noch nicht, was mit den Darstellern geschieht, die das Stück nicht kennen.« Er zwinkerte und öffnete die Tür der alten Karre.

Wir fuhren nicht ins Zentrum von Lima, ich bekam also davon keinen Eindruck. Ich wußte nur, daß es irgendwo ein Sheraton-Hotel gab und das Museum für Naturgeschichte mit Schätzen der Inkas und der Prä-Inka-Kulturen.

Vor uns im Nordwesten lagen die Ausläufer der Anden. David sagte, er sei oft in Peru gewesen. Peru ist dreimal so groß wie Kalifornien, und wegen der verschiedenen Höhenlagen gibt es drei Klimazonen. Unser Ziel war die Stadt Huancayo mit etwa 100 000 Einwohnern, hoch oben in den Anden. Wir wollten jedoch nicht in Huancayo bleiben, es war zu schmutzig und zu voll. Wir wollten weiter hinauf in einen kleinen Ort, wo es nichts außer Mineralquellen gab, etwas zum Essen, einen Platz zum Schlafen und den unglaublichsten Blick in den Himmel, wie man ihn sonst nirgendwo hat. Wieder blinzelte er bei seiner Beschreibung. Ich fing an, mich wohl zu fühlen, trotz des grauen Himmels über den trostlosen Vororten von Lima. Bis nach Huancayo waren es 225 Meilen – immer bergan...

Wir hielten an einem Bazar außerhalb der Stadt, da David meinte, ich solle mir einen Poncho aus Alpakawolle kaufen. Ein Poncho sei sehr praktisch, weil er gleichzeitig als Decke und Mantel diente. David sagte nichts über meinen Ralph-Lauren-Ledermantel, und ich hatte nichts dagegen, ihn mit dem Poncho zu vertauschen. Er war wunderbar weich und beige-braun, eine Farbe, die ich liebe. Ich kaufte mir noch einen passenden Schal und bezahlte für beides achtzehn Dollar. Im Augenblick kam ich in meinen Jeans vor Hitze zwar beinahe um, aber ich war oft genug im Hochgebirge gewesen, um zu wissen, daß man sich nicht warm genug anziehen konnte, sobald die Sonne unterging.

Die Straße, auf der die Indios in ihren Ponchos zu Fuß gingen, begann kurvig anzusteigen. Etwa dreiundvierzig Kilometer hinter Lima fuhren wir durch eine Ansiedlung namens Chosica.

»Die Menschen kommen in die Niederungen, um Geld zu verdienen und enden in Slum-Orten wie diesem hier«, sagte David kopfschüttelnd.

Es gab kein Gras, keine Bäume, nur ein paar Kakteen, unfruchtbares Land: ausgewaschenes Gestein, Sand und Staub.

Riesige Anschlagbretter warben für Inca-Cola.

Ein Lastwagen, mit alten Sprungfedermatratzen beladen, überholte uns; an den Gummiklappen der Reifen klebte ein Bild von Che Guevara. »Er wird hier als Held verehrt«, sagte David, »weil er für seine Überzeugung gestorben ist.«

Die Menschen, die am Straßenrand gingen, sahen tibetanisch aus.

Über unseren Köpfen liefen Telefondrähte im Zickzackmuster hinauf in die Anden. Winzige Buden verkauften Obst, Eiscreme und Inca-Cola.

Ein mit Kohle beladener Güterzug kam uns entgegen, die Schienen liefen direkt neben der Straße her.

Wir hatten Lima seit etwa 45 Minuten hinter uns gelassen, als die Sonne durch die blauschwarzen Smogwolken brach und der Himmel sich in ein lichtes Türkis aufklärte. Die Luft roch frischer, die Bäume wurden grün, und wieder einmal kam mir ins Bewußtsein, wie vergiftet unser Leben in allen Großstädten der Erde wurde. Sogar das Lächeln auf den Gesichtern der Menschen wurde

Ich fühlte mich glücklich und dachte daran, daß ich keine Ahnung hatte, was mich erwartete.

Wir fuhren an kleinen Siedlungen vorbei, an Indios, die auf den umliegenden steinigen Feldern arbeiteten. Je höher wir hinaufkamen, desto grüner wurde es. Hinter Cocachacra folgte die Straße einem Flußlauf.

»Das ist der Mantaro«, sagte David. »Wir werden ihm weiter oben wieder begegnen.«

Eisenbahnschienen, durch zahlreiche Felstunnel führend, wanden sich um die Berghänge, die jetzt steiler anstiegen. Wir fuhren an einem Schmelzwerk vorbei.

»Hier verarbeitet man die Kohle, die in den Bergen gefördert wird«, sagte David. »Alle Siedlungen in der Gegend sind Bergwerksdörfer. Das Leben der Menschen dreht sich tagaus, tagein um das Bergwerk.«

Die Siedlung hieß Rio Seco, dahinter wurde die Erde reicher und dunkler. Die Flußufer waren grün bewachsen. Unterhalb der Vulkanhügel wurden Teefelder sichtbar.

Bald sprang der Fluß über Felsbrocken.

Vereinzelt am Straßenrand ragten kleine Steinquader aus der Erde, vor ihnen lagen Blumensträuße. »Das sind Grabsteine«, sagte David. »Hier in den Anden werden die Toten, die bei einem Autounfall ums Leben kommen, an Ort und Stelle begraben.«

Wir waren jetzt 1600 Meter hoch; ich fing an, schläfrig zu werden. Eine Frau im rosagestreiften Serape, der südamerikanischen Wolldecke, schleppte Wasser in Richtung Rio Seco, das etwa drei Kilometer hinter uns lag.

Die Straße stieg weiter an.

Schmale Hochtäler mit weidendem Vieh schmiegten sich zwischen die Berghänge. Die staubige Straße war jetzt nicht mehr befestigt, Schlaglöcher, tiefe Reifenspuren und vereinzelte Gesteinsbrocken behinderten unsere Fahrt. David schlug vor, an einem Rasthaus haltzumachen. Wir waren nun eine Stunde unterwegs und hatten noch fünf bis sechs weitere vor uns.

Das Lokal ähnelte einer mexikanischen Imbißbude. David bestellte Wasser in Flaschen; wir bekamen Reis und Bohnen, Eier mit einer scharfen Soße und gekochte, kalte Kartoffeln, mit einer Art Erdnußmayonnaise übergossen. Es schmeckte köstlich. Ich fing an, etwas schneller zu atmen. David bemerkte es und führte mich in ein Hinterzimmer, wo ein Atemgerät mit voller Ausrüstung stand, um Touristen, die unter Höhenkrankheit litten, zu helfen. Wir waren nun etwa 3000 Meter hoch, und da ich in einer Höhe von 2500 Metern ohne Schwierigkeiten aufgetreten war, machte ich mir keine allzugroßen Gedanken. Trotzdem atmete ich etwas von dem Sauerstoff und verließ die Maschine mit dem Gefühl zu schweben.

Während des Essens sprachen wir über peruanische Volksbräuche, ob die linke Militärregierung sich noch lange halten würde, darüber, daß Peru beinahe seinen gesamten Bedarf an Erdgas und Erdöl aus dem Mittleren Osten importierte, obwohl im Land selbst reiche Erdölvorkommen unter dem Gebirge lagerten. David wirkte locker, froh darüber, daß ich auch heiter war; er schien weniger angespannt zu sein als in Los Angeles. Den vom Wirt angebotenen Schnaps lehnte er ab, sagte, wegen der Höhe und weil er noch eine lange, beschwerliche Strecke vor sich habe. Als wir das Lokal verließen, bemerkte ich auf der Theke neben der Tür zwei Behälter. Einer trug die Inschrift »Para Llorar«, der andere »Para Reir«. Darunter stand in englisch: »Liebt dich dein Mädchen?«

Der Plymouth quälte sich wieder die Straße bergan; wir fuhren an einem kleinen Grubendorf vorbei. Ein Schild zeigte an, daß wir uns in einer Höhe von 3746 Meter über dem Meeresspiegel befanden, und ich hatte noch keine nennenswerten Beschwerden. Wenn ich höhenkrank würde, sagte David, könne ich wieder Sauerstoff in einem nahegelegenen Ort, namens Casapalca, bekommen. Aber es war nicht notwendig. Das Grün der Berge wich orangeroter Lehmerde. Neben der Straße klopften Männer Gesteinsbrocken zurecht. Ähnliches hatte ich im Himalaja gesehen. David sagte, fast 70% der peruanischen Bevölkerung sind Indios, in meinen Augen hätten sie ebensogut Orientalen oder Mongolen sein können: das blauschwarze Haar, die Augen, die wie schwarze Weintrauben in ihren sonnengebräunten Ledergesichtern schwammen. Die Frauen trugen dicke, lange, schwarze Zöpfe und steife, weiße Hüte mit schwarzen Bändern an den Krempen. Ihre Kleider waren aus dicken, bunt gemusterten Baumwollstoffen.

Pyramidenförmig aufgehäufte Mineralerde markierte die Stellen in den Hochtälern, wo die Indios arbeiteten. Mit Schaufeln warfen sie die Erde auf klapprige Lastwagen.

»Es gibt einen immensen Mineralreichtum in diesen Bergen«, sagte David, »Mineralien, die sonst nirgendwo auf der Erde vorkommen.«

Er sprach über geologische Erdverschiebungen unter den Anden und sagte, daß in Peru Kulturen begraben seien, die Tausende von Jahren alt sind und nur darauf warteten, gehoben zu werden, wenn die peruanische Regierung Geld dafür zur Verfügung stellen würde. »Aber es besteht kein Interesse daran«, sagte er, »die Menschen haben keine Achtung vor ihrer Vergangenheit.«

Wir kamen an einem Kalkbergwerk vorbei. Die Kirche weiß, alle anderen Häuser türkis gestrichen. Sogar die Busse, die uns begegneten, waren türkisfarben. Vielleicht malten die Leute die Farbe des Himmels nach.

Wieder klopften peruanische Indios Felsbrocken neben der Straße. Gerade als wir in einen Tunnel einfahren wollten, spuckte der Wagen, ruckelte und blieb stehen.

»Sauerstoffmangel«, sagte David. »Der Motor bekommt nicht genug Gas zum Verbrennen. Mach dir keine Sorgen, er springt gleich wieder an.« Und das tat er auch, als eine Herde Lamas durch den Tunnel getrieben wurde, ein Bild wie auf einer Ferienpostkarte, auf deren Rückseite man schreibt: »Schade, daß du nicht hier sein kannst!«

Der Rauch kam jetzt ganz blau aus unserem Auspuff. Die Umrisse des Gebirges hatten sich verändert, schienen eher waagrecht, weniger aufstrebend. Die Gipfel waren schneebedeckt. Gebirgsblumen blühten, und je höher wir kamen, desto bunter wurden ihre Farben.

Wieder waren am Wegrand Grabsteine mit roten Bergblumen geschmückt. Nachdem wir den Ort San Mateo hinter uns gelassen hatten, sahen wir Eukalyptusbäume und Bergkiefern. Peruanische Bauern trieben Ziegenherden vor sich her. Die landesüblichen Umhänge der Frauen schillerten rot und orange.

In jeder Ansiedlung gab es eine katholische Kirche.

Die Erde war jetzt tief rot. Wäsche hing an Leinen in der Sonne, die immer sengender wurde, je höher wir kamen. Zwei Frauen mit weißen Hüten und Strohkrempen saßen da und strickten an langen Strängen Lamawolle.

Die Straße bestand jetzt aus reinem Felsen und wurde gefährlich schmal. Ein borstiges Schwein spazierte zwischen zwei Häusern, an einem war ein Mobil-Oil-Schild, am anderen ein Coca-Cola-Schild angebracht. David sagte, es komme oft vor, daß ein Bus in den Abgrund stürze.

Trotz der brennenden Sonne trugen die Männer Wollpullover und Wollmützen. Wir blickten hinunter auf die Serpentinen der Bergstraße. Und über uns in etwa 6000 Metern Höhe auf einem Berggipfel wehte die peruanische Flagge.

Die Temperatur kühlte etwas ab. Die Sonne war gleißend, die Luft rein und dünn. Dann, in 4500 Metern über dem Meeresspiegel, kamen wir an ein Schild.

Ein Schild neben einem Eisenbahn-Übergang, Abra Anticona. Darauf stand: »PUNTO FERROVIARO MAS ALTO DEL MUNDO«. Übersetzt: »Höchster Eisenbahnpunkt der Welt«. Neben diesem Schild war ein zweites, auf dem stand: »EXISTEN LOS PLATILLOS VOLADORES CONTACTO CON OVNIS.« Übersetzt: Fliegende Untertassen existieren: UFO-Kontaktstelle.«

Ich schaute David mit hochgezogenen Augenbrauen an. Er lächelte. »Du siehst, ich bin nicht der einzige Spinner.«

»Was heißt das?« fragte ich.

»Das heißt, daß die Leute hier oft UFOs sehen, es ist ihnen nichts Neues, und niemand regt sich besonders darüber auf.«

Ich holte tief Luft.

»Sind wir hierhergekommen, um UFOs zu sehen? Bin ich deshalb hier?«

»Vielleicht.«

»O mein Gott.«

»Ja«, sagte er, »genau.«

Wir fuhren weiter. Die Straße wurde sandiger, ging leicht bergab. Es wurde wieder ein wenig grün, und parallel zur Straße rauschte ein herrlich kupferfarbener Fluß.

»Das ist wieder der Mantaro«, sagte David, »so wie ich ihn dir zeigen will. Hast du je etwas Schöneres gesehen? Vor uns liegt das Mantaro-Tal.«

Das Gebirge war wie ein welliges Hochplateau, die Farben eine

Mischung aus Gelbtönen und Ocker, über die rote Schatten fielen, als die Nachmittagssonne tiefer sank und die ›Magic Hour‹, wie wir Filmleute sie nennen, begann.

Duftige, weiße Wölkchen hingen reglos im klaren Himmel, als ich den ersten Blick auf ein Paradies in den Anden warf.

David fuhr den Plymouth an den Straßenrand, wo zwei Männer neben einem Haus aus Lehm mit den Händen viereckige Lehmkuchen formten.

»Da sind wir«, sagte er. »Llocllapampa. Hier bleiben wir.«

»Wo?«

»Da drüben«, er deutete auf eine zweite Lehmhütte auf der anderen Straßenseite. Außer einer dritten, etwa dreißig Meter entfernt, war kein Haus zu sehen.

»Das ist unser Hotel«, sagte David. »Komm, laß uns aussteigen.«

Ich konnte nicht glauben, was er sagte. Es gab kein Hotel. Neben der Straße schlugen drei Frauen mit Strohbesen auf einen Haufen Körner ein; ein Hahn rannte gackernd um sie herum.

Sie lächelten und winkten David zu. Er sprach spanisch mit ihnen und deutete auf mich. Ich nickte. Er nahm unser Gepäck aus dem Wagen und sagte, ich solle ihm folgen.

Eine Holztür, in der Mitte geteilt, so daß nur die obere oder die untere Hälfte zugemacht werden konnte, führte in einen gepflasterten Innenhof. Über dem Hauseingang hing an einer Schnur ein Stück Baumwollstoff. Wir betraten zwei nebeneinander liegende Räume, die jedoch nicht durch eine Tür getrennt waren. Auf dem Lehmboden stand ein durchgelegenes Feldbett, daneben eine umgedrehte Holzkiste als Nachttisch. Es gab kein elektrisches Licht, kein Klo, kein Fenster. Auf dem Bett lag eine Decke und ein graues Kissen... kein Bettuch... kein Kissenbezug...

Ich wandte mich an David.

»Du hast ziemlich viel Phantasie.«

Er lächelte: »Ja.«

»Ist das wirklich alles?«

»Ja. Klein, aber mein«, sagte er. »Ich wohne gleich nebenan.«

In die Lehmwand waren ein paar Nägel geschlagen.

»Dein Kleiderschrank«, sagte er. »Am besten, du packst gleich aus, denn wenn die Sonne untergegangen ist, siehst du die Hand vor Augen nicht.«

»Verstehe«, sagte ich zögernd.

»Ich bin gleich wieder zurück«, verschwand er mit den Worten in seinem Zimmer, das die gleiche Einrichtung aufwies wie meines.

Er pochte gegen die dünne Wand und sagte, der Mantaro sei unser Badezimmer und er würde ihn mir gleich zeigen. Ich solle was Wärmeres anziehen, wenn wir unser erstes Mineralbad nehmen.

Dies war keine Szene aus einem Science-fiction-Roman. Es mußte etwas aus einem meiner früheren Leben sein.

20. Kapitel

> »Es ist unmittelbar einleuchtend, daß diese Sinnenwelt, diese scheinbar wirkliche Außenwelt, so nützlich und gültig sie auch in anderer Beziehung sein mag, nicht *die* Außenwelt sein kann, sondern nur ihr auf das Selbst projizierte Bild... Das Zeugnis der Sinne kann nicht als Zeugnis von dem Wesen der endgültigen Wirklichkeit akzeptiert werden.«
>
> E. Underhill
> *Mystik*

Ich öffnete meinen Koffer, der mit mir um die ganze Welt gereist war und hängte einen Pullover, meinen neuen Poncho und einen Sonnenhut auf. Den Sonnenhut nahm ich immer mit, denn mein Gesicht verwandelte sich nach zwei Stunden Höhensonne in eine Tomate. Die Unterwäsche ließ ich im Koffer. Ich schaute auf meinen Ring, in den eine winzige Uhr eingearbeitet war, ein Schmuckstück, das mir immer so etwas wie Sicherheit einflößte. Dann holte ich meine Tonbänder, den Recorder und das Papier heraus. Skizzenhaft schrieb ich auf, wie es hier aussah, und wie mir zumute war. Mit jedem Augenblick der sinkenden Sonne wurde mir klarer, wie furchtbar kalt die Nacht werden würde.

David kam mit einem Handtuch, riet mir, Poncho und Stiefel anzuziehen für meinen ersten Besuch unseres Mineralbades.

Ein Bad in dieser Kälte? »Sicher«, meinte er, »anfangs ist es mörderisch, aber dann...«

Wir gingen durch den gepflasterten Innenhof auf die Straße hinaus. Lange, rote Schatten fielen über die umliegenden Berge. Irgendwelche Stalltiere gaben glucksende, wiederkäuende Geräusche von sich. Eine struppige Hündin watschelte schwanzwedelnd auf uns zu, mit drei Jungen im Schlepptau. Die Männer, die die Lehmziegel geformt hatten, machten jetzt Feierabend. Über dem Eingang der Lehmhütte gegenüber unserem »Hotel« stand die Inschrift »Food«. Dort würde man also für uns kochen. Durch die offene Tür drang plärrend die Radioübertragung eines Fußballspiels. Die Indianer lachten und jubelten einander zu. Auf einem Gaskocher dampfte Suppe, und eine alte Frau ohne Zähne fragte, ob wir essen wollen. »Nein«, sagte David zu mir. »Später. Wenn wir jetzt essen, bekommen wir vom Mineralbad Sodbrennen.«

Ich war ohnehin nicht besonders hungrig, fragte, ob mir jemand die Eier hartkochen könne. David bat die Indiofrau, die Eier aus dem Plymouth zu holen. Sie nickte lächelnd.

David ging voran, um das Haus herum, leuchtete mit einer Taschenlampe dämmrige steile Felsstufen hinunter. Ich ging vorsichtig, um nicht auszurutschen. Das hier mochte das Paradies sein, aber irgendwann mußte ich wieder auf der Bühne stehen und tanzen. Von unten hörte ich Wasserrauschen. Dann lag der wunderbare Mantaro-Fluß vor mir im Abendlicht. Er sprang über Felsen, und die Gischt spritzte hoch auf die überhängenden Bäume am Ufer. Sattgrünes Gras wuchs bis zum Wasser. Dort hockten ein paar Indios in ihre Ponchos gehüllt und blickten hinauf, wo die Sonne hinter die Berge versank. Sogar im schwindenden Licht hatte das Wasser diese seltsame orange Farbe.

»Komm«, sagte David und führte mich zu einem Lehmgemäuer mit einem Blechdach. »Es sieht nach nichts Besonderem aus, aber warte nur, wie du dich fühlst, wenn du erst mal drin bist.« Er machte den Riegel eines rohen Bretterverschlages auf, holte aus der Hosentasche eine Kerze, zündete sie an und stellte sie auf eine Holzbank im Innern der Lehmkabine. Neben der Bank im Felsboden befand sich ein sprudelndes, glitzerndes Wasserloch.

»Das ist eines der berühmten Mineralbäder der Anden«, sagte er.

Ich schaute hinunter. Es war nicht nur der Kerzenschein, der so glitzerte. Es schien das Wasser selbst zu sein. Ein dünner Dampfhauch schwebte über der Oberfläche. Ich kniete mich auf den Lehmboden und hielt meine Hand ins Wasser. Zu meiner Überraschung fühlte es sich warm und prickelnd an... sprudelnd... wie Champagner.

»Der Mineralgehalt macht es so sprudelnd«, sagte David. »Und es ist wunderbar für die Knochen und Muskeln. Du wirst sehen.«

Ich zog meine Hand aus dem Wasser, sie war eiskalt.

»Ich soll ein Bad in diesem Wasser nehmen und nicht zu Tode frieren?« fragte ich lachend.

»Anfangs ist es verdammt kalt, aber dann fühlst du dich plötzlich wunderbar warm.«

Ich stand auf; mir war nicht sonderlich wohl zumute. Am liebsten wäre ich mit den Kleidern hineingestiegen, nur um mich in der Kälte nicht ausziehen zu müssen. Wie sollte das überhaupt vor sich gehen? Wollte er, daß ich mich vor ihm aus meinen Kleidern schälte?

»Ich warte draußen«, sagte David, »rufe, wenn du im Wasser bist.«

Zögernd schlüpfte ich aus meinem Poncho und hängte ihn an einen der fünf Nägel, die aus der Wand ragten. Wie viele Leute wohl hier schon beim Kerzenschein gebadet hatten? Dann zog ich Pullover und Hose aus. Und was hatten sie hinterher getan, nachdem sie aus dem Wasser gestiegen waren? Sollte ich meine Kleider der Reihe nach aufhängen, damit ich mich möglichst schnell wieder anziehen konnte? Rasch zog ich Socken und Unterhöschen aus, bereits vor Kälte schnatternd. Zum Teufel damit! Ich legte alles auf einen kleinen Haufen.

Der Kerzenschein flackerte an den kalten Wänden. Vorsichtig stieg ich mit dem rechten Bein ins sprudelnde Wasser, fand glitschigen, aber festen Grund. Luftbläschen setzten sich fühlbar an meiner Haut ab. Ich ließ mich bis zum Hals ins Wasser gleiten. Mir war, als würde ich in ein riesiges Glas mit warmem Sodawasser eintauchen. Ein wunderbares Gefühl.

Das Wasser hatte soviel Auftrieb, daß ich glaubte zu schweben. Es war richtig schwierig, die Füße fest auf dem Felsengrund zu halten. In der gegenüberliegenden Beckenwand befand sich ein Loch, durch dieses lief das Wasser in den Fluß ab. Das Becken wurde offenbar unterirdisch gespeist.

»Ich bin drin«, rief ich, »du kannst reinkommen. Es ist himmlisch.«

David kam herein. »Warte, bis du spürst, wie es durch die Haut dringt.«

Er drehte sich um, zog sich in Sekundenschnelle bis aufs Hemd aus und sagte: »Jetzt drehst du dich um.« Ich tat, wie mir geheißen.

»Okay«, sagte er.

Ich drehte mich wieder um. Er stand im Wasser auf der anderen Seite des Beckens.

Ich atmete tief und versuchte mich zu entspannen. »Du mußt etwas Geduld mit mir haben«, sagte ich. »Es kommt alles so plötzlich; ich habe zwar schon viele Dinge in meinem Leben getan, aber so ein Gefühl habe ich noch nie gehabt.« Ich kam mir lächerlich vor.

»Ja, du hast recht.«

»Ja«, ich atmete wieder tief, wollte nicht einmal fragen, wie er das meinte.

»Rudere mit den Armen im Wasser auf und ab und fühle, wie die Luftblasen an deiner Haut kleben.«

Ich schwang die Arme im Kreis, und es war als würde ich sie durch Champagner bewegen. Die sprudelnden Bläschen schienen Wärme zu erzeugen. Anders als die Schwefelbäder in Japan. Sie waren milder und still. Dieses Wasser prickelte mit stechender Kraft.

David stand still, der Kerzenschein flackerte über die Wand. Seine blauen Augen schienen von innen zu leuchten, und an seinem Kinn hingen Wassertropfen. Die Situation war etwas merkwürdig, ich wußte nicht recht, was ich sagen sollte, also fragte ich: »Kommst du oft hierher?«

David lachte. »Ja.« Er starrte in die Kerze. »Möchtest du etwas ausprobieren?« fragte er.

Ich dachte, o Scheiße, jetzt geht's los. »Was meinst du?« fragte ich harmlos.

»Siehst du das Kerzenlicht?« fragte er.

»Klar«, antwortete ich.

»Also konzentriere dich ganz stark auf die Flamme und hole tief Luft.«

»Tief Luft holen?« fragte ich.

»Ja, hole tief Luft.«

Also holte ich tief Luft, verschluckte mich beinahe an meiner Spucke. Ich hatte den ganzen Tag tief Luft geholt. »Kann ich meine Arme einfach im Wasser treiben lassen?« fragte ich, gab mir Mühe, den Eindruck zu erwecken, als mache ich alles mit.

»Sicher. Das Wasser trägt sie nach oben. Es wäre ziemlich schwer, in diesem Wasser zu tauchen.«

Wie gut, dachte ich. Dann würde ich wenigstens nicht ertrinken, wenn es zum Schlimmsten käme. Ich ließ meine Arme locker, sie trieben im Wasser, als gehörten sie nicht zu mir, und ich lächelte in die Kerze.

Mein Gott, dachte ich. Jetzt wirft er sich gleich auf mich und packt mich unter den Armen und wegen dieses verdammten Auftriebs im Wasser krieg' ich sie nie wieder runter.

»Und jetzt konzentriere dich auf die Kerze, bis du fühlst, du bist das Kerzenlicht.«

Du liebe Zeit, dachte ich. Das soll wohl ein Witz sein. Bis ich das Kerzenlicht bin? Im Augenblick bin ich nicht mal ich selbst, wer immer das auch sein mag.

Ich starrte in das flackernde Licht, versuchte, nicht zu blinzeln. Ich atmete tief. Mein Herz schlug hart. Ich war sicher, er hörte seinen Widerhall durchs Wasser. Ich stand da und starrte in die Kerze.

David sagte ruhig: »He, Shirl. Wovor hast du Angst?«

»Ich?« fragte ich.

»Nein«, sagte er schnippisch, »die Frau hinter dir.«

Jetzt kam ich mir wirklich lächerlich vor. Ich mußte an all die Kerle denken, die gesagt hatten: »Nun komm schon, ich möchte mich nur neben dich legen und entspannen. Ich tu' dir wirklich nichts.«

»He«, sagte David, »wenn ich das vorhätte, dann müßte ich es doch nur sagen, oder?«

Mein Gott, wie direkt er war!

Ich hüstelte. »Na ja«, sagte ich. »Hm, ich weiß nicht recht.«

»Du solltest dich nicht abblocken. Ich möchte nur, daß du etwas ausprobierst; und es ist nicht das, was du denkst. Außerdem habe ich gar keine Lust dazu.«

Ich war indigniert. Er hatte keine Lust?

»Warum?« fragte ich. »Warum nicht?«

»Wie meinst du, warum nicht?« fragte er. »Deshalb sind wir nicht hierher gekommen. Wenn du das angenommen hast, dann mußt du Geduld haben und mir Zeit lassen.«

Ich lachte auf, daß es von den Wänden widerhallte.

»Also komm jetzt, konzentriere dich auf die Kerze.«

»Gut, ich versuch's. Wir haben ja schließlich schon ein paar gemeinsame Lebenszeiten hinter uns, stimmt's?«

Er lachte. »Richtig.«

Mir wurde klar, daß er mich für zickig halten mußte.

Ich versuchte, wieder in die Kerze zu schauen.

»Jetzt hole wieder tief Luft«, lenkte er mich sanft.

Ich versuchte es.

»Gut«, sagte er. »Und nun konzentriere dich auf die Kerzenflamme, als sei sie die Mitte deines eigenen Seins. Mach, daß du die Kerze bist. Denke nur an die Kerze – an nichts sonst.«

Ich konzentrierte mich und atmete tiefer. Vermutlich mußte ich das wirklich tun, dachte ich. Außerdem hat er recht. Ich bin eine Ziege, und er ist wirklich nett. Ich spürte, wie mein Kopf leichter wurde. Ich konzentrierte mich mit größerer Entspannung. Meine Augen schlossen sich halb, aber die Kerze sah ich immer noch.

Davids Stimme klang entfernt aus dem Hintergrund meines Kopfes.

»So ist es gut. Sehr gut. Du machst das fabelhaft.«

Seine angenehme Stimme glitt über das Wasser wie die Luftblasen. Mein Atem wurde langsamer. Mein Herzschlag paßte sich dem Rhythmus meines Atems an. Zeit verging, bis sie keine Rolle mehr spielte. Die Kerze flackerte, doch nun begann sie im Zentrum meines Kopfes zu sein. Mein Körper schien zu schweben, nicht nur meine Arme, sondern alles an mir. Allmählich *wurde* ich das Wasser und jede prickelnde Perle wurde eins mit dem Wasser und mir. Es war ein wundervolles Doppelgefühl. Ich war bei vollem Bewußtsein und doch ein Teil von allem, was mich umgab. Ich spürte die kühlen Wände des Wasserbeckens, obwohl ich irgendwo in der Mitte verloren war. Ich spürte Schatten und Flakkern und einen leichten Lufthauch. Aber vor allem fühlte ich das Innere meines Selbst. Ich spürte den leisen Widerhall meines Atems. Dann spürte ich die Verbindung meines Atems mit der pulsierenden Energie um mich her. Selbst die Luft schien zu pulsieren. Tatsächlich war ich die Luft. Ich war die Luft, das Wasser, die Dunkelheit, die Wände, die Luftbläschen, die Kerze, die glitschigen Felsen unter mir und sogar das Rauschen des Flusses im Freien. Dann fühlte ich meine Energie zu David hinschwingen. Da ich Teil von allem um mich herum war, war ich auch Teil von David. In diesem Augenblick zwang ich mich aufzuhören. Ich spürte, wie ich den bewußten Entschluß faßte, nicht zu weit zu gehen. Wieder blockierte mich mein Zögern, meine Angst, oder wie man es nennen mag, und brachte den Fluß der Entspannung und damit den Versuch, »eins« mit allem zu werden, zum Stillstand.

»Gut«, hörte ich David sagen, »das war sehr gut. Wie fühlst du dich, nach deinem ersten Versuch einer Atmungsmeditation?«

Ich streckte meine Arme aus dem Wasser und fragte, wie spät es sei.

»Zeit spielt keine Rolle«, sagte er. »Wichtig ist, daß du sie eine Weile vergißt. Du hast *geatmet*. Du hast wirklich geatmet. Atmen ist Leben. Fühlst du dich ausgeruht?«

Ja, ich fühlte mich tatsächlich ausgeruht. Ich fragte ihn, ob ich mich in Hypnose befunden habe.

»Nein, nur auf einer Art selbstentspannender, erweiterter Bewußtseinsebene«, sagte er. »Du kannst lernen, dich auf diese Weise sofort zu regenerieren. Atmen ist ein unbewußter Akt und wenn du lernst, deine Atmung zu regulieren, dann bleibst du länger jung.«

Zu dumm, dachte ich in einer Art Wachtraum, Elizabeth Arden sollte das in ihren Schönheitskursen einführen. Ich hörte, wie David mit mir redete, war aber immer noch von meinem Atmen benebelt. Er sprach über Tiere, und daß diejenigen am längsten lebten, die am langsamsten atmeten. Riesenschildkröten holen etwa viermal in der Minute Luft und werden dreihundert Jahre alt. Wenn ich ein Kaltblütler wäre, dachte ich, dann würde ich auch nur viermal in der Minute atmen. Aber ich war Warmblütler und fing an zu frösteln.

»Möchtest du lange leben?« fragte er.

Ich schüttelte den Kopf. Ich spürte die prickelnden Champagnerperlen im Innern meines Kopfes. »Lange leben? Ich weiß nicht. Du?«

»Ich?« sagte er.

»Nein, der Mann, der hinter dir steht.«

Er lächelte. »Ob ich mir ein langes Leben wünsche?«

»Jaah.«

»Ja«, antwortete er. »Ich denke schon. Aber ich glaube, ich lebe nicht sehr lange.«

Die Art, wie er das sagte, ließ mich schaudern.

»In dieser Kälte kann niemand lange leben. Ich friere. Was meinst du dazu?«

»Ich meine, wir sollten rausgehen.«

Er drehte sein Gesicht zur flackernden Wand. Langsam stieg ich aus dem Wasser. Meine Zähne klapperten wie ein falsches Gebiß aufeinander. Und meine Hände und Arme zitterten so sehr, daß ich es kaum schaffte, das Handtuch vom Nagel zu nehmen. Ich rubbelte meine Arme, Beine, Füße und meinen Körper, bis ich spürte, wie meine Haut tatsächlich mit einem wohligen Glühen reagierte. Die Kleider fühlten sich im ersten Moment kalt auf der Haut an.

»Ich fühle mich phantastisch«, sagte ich. »Dieses Wasser hat wirklich was.«

»Nimm die Taschenlampe und warte draußen auf mich«, sagte David. »Ich beeile mich.«

Die Temperatur mußte etwa bei minus fünf Grad Celsius liegen. Die Nacht war frisch und klar. Ich ging um die Badekabine herum und blickte über den Fluß auf die dunkel aufragenden Berge über mir. Das Leben ist ein Roman, dachte ich. Noch vor zwei Monaten hätte ich mir nicht in meinen wildesten Träumen vorstellen können, daß ich heute hier sein würde. Und ich war begeistert. Es hatte echte Vorteile, sich auf seine Instinkte zu verlassen.

Plötzlich verspürte ich Hunger und mußte sofort essen, sonst sank mein Blutzucker rapide ab.

»Okay«, sagte David neben mir und rieb sich die Hände, »jetzt gehen wir nach oben und essen etwas. Es gibt heiße Milch und indianischen Eintopf mit Fleisch und Gemüse.«

Er blies die Kerze aus, steckte sie in die Tasche. Er sagte, ich soll hier aufs Klo gehen, denn später würde es viel zu kalt sein.

Ich hockte mich hinter einen Felsen und wischte mich mit Kleenex ab, die ich eingesteckt hatte. Während wir die Steinstufen hinaufgingen, dachte ich daran, wie ich bei dieser Kälte schlafen sollte.

»Mach dir keine Gedanken übers Einschlafen«, sagte David, als habe er schon wieder meine Gedanken gelesen, »es kommt alles zu seiner Zeit.«

Hätte er das vor einer Stunde gesagt, hätte ich gedacht, er meinte etwas anderes.

Die Fußballübertragung im Radio war noch in vollem Gange, als wir das »Food«-Haus oben an der Straße betraten. Rotznasige Kinder tollten um die Tische; sie waren für Touristen aufgestellt, die gelegentlich die Gegend erforschten und hier essen wollten. Eine jüngere Frau stand am Herd, ein Kind hing ihr an den Röcken, ein zweites hatte sie auf den Rücken gebunden. Auch jetzt, abends, trug sie den üblichen weißen Hut mit dem schwarzen Band an der Krempe. Sie lächelte uns zu, und ich sah, daß auch sie kaum noch Zähne im Mund hatte.

David bestellte heiße Milch und Eintopf, und wir sprachen übers Essen, z. B. wie wichtig es sei, auf seinen Körper zu achten, denn damit achte man auf seinen Geist. Es sei alles ein chemischer Prozeß. Ich meinte, davon verstünde ich nicht viel. Er gab mir einen kurzen Abriß über gesunde Ernährung. Ich sagte, ja, das meiste wisse ich schon. Er mußte mir immer alles erklären. Er empfahl mir, ich solle entspannen, doch selbst wirkte er irgendwie getrieben. Er kritisierte meine Vorliebe für »ganz gewöhnliches Essen«, hatte sie aber ebensosehr. Manchmal wirkte er fast arrogant und überheblich, schien das Leben nicht wirklich zu genießen, sagte aber, ich solle entspannen, und das Leben mehr genießen. Es war seltsam. Ich drängte Gerry, sich mehr gehenzulassen, um sich besser kennenzulernen, und David tat das gleiche mit mir. Was Gerry wohl sagen würde, wenn er mich jetzt sehen könnte. Ich dachte an meinen Titelsong »If they could see me now«. Wie würde das Publikum in Las Vegas wohl reagieren, wenn ich auf die Bühne käme und in ein paar witzigen Sätzen über meine geistige Entdeckungsreise in die Anden erzählte? Irgendwie war ich zwei Menschen gleichzeitig, oder vielleicht zehn? Ich wußte es nicht. War ich Schauspielerin, weil ich einigen Rollen, die ich in früheren Leben gespielt hatte, näher war? Die Frau mit den Kindern brachte uns heiße Milch und Eintopf. Ich schlang das Essen in mich hinein, als würde ich nie wieder etwas bekommen. Es schmeckte köstlich, gewürzt mit Gebirgskräutern, von denen ich noch nie gehört hatte. Ich tunkte die natürlichen Säfte mit dem selbstgebackenen Brot auf, dachte an eine meiner glücklichsten Kindheitserinnerungen, als ich in ein Ferienlager durfte, und die Welt und das Leben noch in Ordnung waren.

»Morgen«, sagte David, »machen wir einen langen Spaziergang.

Ich zeige dir die Umgebung, und du wirst verstehen, warum ich das hier alles so liebe.«

Wir gingen über die Straße zu unserem »Hotel«. Die Sterne waren so nah, daß ich das Gefühl hatte, ich müsse nur die Hand ausstrecken, um sie wie Pflaumen zu pflücken. Ich konnte beinahe spüren, wie die Berge sich vor ihnen verneigten. Die Anden waren nicht wie der Himalaja in Bhutan. Sie waren flacher, breiter ausgestreckt. Ich empfand nicht diese ungeheure Einsamkeit, fühlte mich nicht so unbedeutend wie damals hoch oben auf dem Dach der Welt bei den bhutanesischen Lamapriestern.

Unsere Räume rochen dumpf und staubig, wer mochte sonst wohl hier schlafen?

Innen war es gute zwei Grad kälter als draußen. David gab mir die Kerze, sagte, er habe noch eine, und wünschte mir eine gute Nacht.

»Übrigens«, meinte er, »ein kleiner Tip zum Schlafen in der Kälte – wenn du nackt unter deinem Poncho schläfst, wirst du es viel wärmer haben.«

Das begriff ich nicht. Ich hatte vorgehabt, alles, was ich mitgebracht hatte, anzuziehen.

»Nein«, sagte er, »dein Körper produziert seinen eigenen Wärmemantel. Probier's, und du wirst verstehen, was ich meine.«

Ich sagte »gute Nacht«. Ich wollte nichts mehr von ihm hören. Gehorsam zog ich meine Kleider unter dem Poncho aus, kroch unter die Wolldecke auf das Feldbett und betete (sozusagen), daß mir warm würde. Meine Füße waren wie Eiszapfen. Ich wartete. Die Alpakawolle war weich und fühlte sich angenehm an. Ich wartete noch ein wenig. Ich sah mir förmlich zu, wie es in mir brodelte. Ich versuchte, meine Gedanken und meine schnatternden Zähne zu beruhigen. Ich dachte an meine Heizdecke und daran, wie sehr ich es liebte, bei kaltem Sturmregen mit weit offenem Fenster zu schlafen, die Heizdecke auf höchste Stufe gestellt. Hier in der Wildnis der Anden wurde diese Heizdecke zum Inbegriff hochstehender Kultur. Ich dachte wieder an Gerry, fühlte mich ohne ihn wohl. Ich dachte daran, wie unmöglich es für mich sein würde, ihm zu beschreiben, was ich hier erlebte. Wo er sein mochte? Ich dachte an meine Show. Wo waren meine Zigeuner wohl heute abend? – meine Tänzer... vielleicht aßen sie bei Joe

Allen »Cheeseburgers« und klatschten darüber, daß große Stars nicht halb so viel Allround-Talent hatten wie sie. Ich dachte daran, was es bedeutete, ein Star zu sein, wenn man gar nicht so sicher war, es verdient zu haben.

Bald stellte ich fest, daß meine Muskeln durch die Wärme des Luftraums zwischen meinem Körper und den Decken entspannten. Es war der Zwischenraum, nicht die Decken. Plötzlich begriff ich, daß das meiste, was wir nicht verstehen, das ist, was wir nicht sehen können. Die unsichtbare Wahrheit ist die Wahrheit, die am schwierigsten herauszufinden ist. *Sehen* hieß nicht glauben – keineswegs. *Hinschauen* war viel wichtiger.

Mit einer Art entspanntem Schauder schlief ich ein, nur mit dem Geräusch der Stille. Und dann, irgendwo hinter dem Haus, hörte ich die Schweine grunzen.

21. Kapitel

»Keine physikalische Theorie, die sich ausschließlich mit Physik beschäftigt, wird je Physik erklären. Ich glaube, daß wir in dem Maß, in dem wir versuchen, das Universum zu ergründen, versuchen den Menschen zu ergründen. Heute denke ich, wir beginnen zu ahnen, daß der Mensch nicht nur ein kleines Zahnrad ist, das nicht wirklich viel zum Funktionieren der riesigen Maschine beiträgt, sondern daß engere Bindungen zwischen Mensch und Universum bestehen, als wir bisher angenommen haben... Die physikalische Welt ist in einem tiefen Sinn an das menschliche Wesen gebunden.«

Dr. John A. Wheeler

Die Sonne ging gegen halb sechs über den Bergen auf. Sie drang nicht in mein fensterloses Zimmer, doch der Unterschied zur Nachtkälte war so deutlich, daß ich die Wärme der ersten Sonnenstrahlen sogar durch die Wände spürte. Ich erwachte, in meinen Poncho gehüllt, hatte die ganze Nacht nicht gefroren.

Mit nackten Füßen stand ich auf dem kalten Lehmboden und zog mich an. Welch widersprüchliche Logik, sich, wenn die Sonne aufging, anzuziehen, und sich während der kalten Nacht auszuziehen. Ich setzte meinen kalifornischen Sonnenhut auf und ging ins Freie. Morgenrauch zog mir in die Nase, und als ich um den Plymouth herumging, sah ich David auf einer Lehmmauer sitzen und den Männern vom Tag vorher zusehen, wie sie ihre Lehmziegel formten, aus denen später ein neues Haus entstehen würde.

»Guten Morgen«, sagte er. »wie war die Nacht?«

»Genau wie du sagtest. Nacktheit bedeutete Wärme. Ich hätte es nicht geglaubt, aber es war so.«

»Das wird dir allmählich zur Gewohnheit, stimmt's?«

»Was?«

»Daß du schließlich doch glaubst, weil es so *ist*.«

»Ja, gut. Was gibt's zum Frühtück?«

»Deine Eier sind gekocht. Du brauchst nur noch eine Tüte und etwas Salz. Jetzt trinken wir heiße Milch und essen frisches Brot.«

Wir betraten den Eßraum, und die Frau mit dem Baby auf dem Rücken lächelte in einer Art stillem Verstehen, daß die Liebesgeschichte zwischen David und mir, die sich in getrennten Zimmern abspielte, nur eine sonderbare nordamerikanische Laune ist.

»Hier in der Gegend stellt man keine persönlichen Fragen«, sagte er. »Sie nehmen das, was wir tun, einfach hin.«

Wir setzten uns ans Fenster und schauten den Frauen vom Abend vorher zu, wie sie das Korn droschen.

»Sie trennen den Weizen vom Spreu«, sagte David blinzelnd. Er blinzelte ziemlich häufig. »In zwei Tagen essen wir Brot aus diesen Weizenkörnern.«

Im Morgenlicht leuchtete das Ziegeldach unseres Lehmhotels ebenso rot wie das Gefieder der Hühner, die um die Frauen herumpickten und gackerten.

David lehnte sich im Stuhl zurück und beobachtete mich. Er hatte sich nicht rasiert, ließ sich offenbar einen Bart wachsen. Sein Gesicht war wirklich gut geschnitten.

»Hast du gut geschlafen, hast du geträumt?« fragte er.

»Ich erinnere mich nicht. Hauptsächlich war ich froh, nicht zu frieren.« Ich hatte keine Lust analysiert zu werden.

Wir aßen unser Brot mit heißer Milch, ich schälte ein Ei. An einem Ort wie diesem braucht der Mensch nicht viel.

»Gehen wir spazieren?« fragte ich.

»Klar.«

Wir traten ins Sonnenlicht. Mein Herz schlug schnell wegen der Höhe. Ich breitete die Arme aus und sog die dünne, scharfe Luft tief in meine Lungen.

Ich liebe Berge mehr als jede andere Landschaft. Sie hatten soviel erlebt, wirkten so geduldig und weise in ihrem Schweigen. Sie stellten alle Extreme dar – Höhe, Tiefe, Erhabenheit, Bedeutungslosigkeit, Kampf, Anpassung. Und was einem Berg auch widerfährt, er steht es mit unverwüstlicher Kraft und Festigkeit durch, selbst wenn er aus sich selbst Feuer speit.

»Gehen wir zum Fluß hinunter«, sagte David. »Willst du dir die Zähne putzen?«

Ich hatte die Zahnbürste in meine Hosentasche gesteckt, und

als wir die Steinstufen hinunterstiegen und an dem Mineralbadehaus vorbeigingen, rannte David vor mir her, hüpfte mit ausgestreckten Armen wie ein übermütiges Kind. Er sprang über das grasbewachsene Ufer, warf den Kopf von einer Seite zur anderen in purem kindlichen Übermut.

»Ich liebe es, hier zu sein!« brüllte er über das Wasser. »Du, Fluß – du läufst so schnell – warum hast du es denn so eilig?«

Ich lachte leicht erstaunt und rannte hinter ihm her. »Ich liebe dieses Wasser«, sagte er. »Da drüben ist noch ein Mineralbecken zum Trinken, Zähneputzen oder zum Waschen.« Mit großen Sprüngen rannte er zum Wasser, kniete hin, tauchte den Kopf unter und kam lachend und prustend wieder hoch. Sein graumeliertes Haar hing ihm tropfnaß ins Gesicht, er war so ausgelassen, daß ich mir auch wie ein Kind vorkam.

Ich kniete mich neben das Wasserloch. Weißflockiger Schwefel schwamm an der Oberfläche. Eine sanfte, unterirdische Strömung trieb sprudelnde Perlen nach oben.

David trank aus der gewölbten Hand. »An den Geschmack muß man sich erst gewöhnen, aber es ist sensationell für den Organismus, reinigt, schwemmt Giftstoffe ab und regt die Verdauung an.«

Ich tauchte meine Zahnbürste ins Wasser und probierte mit der Zunge. Es schmeckte wie medizinisches Salz.

»Du bist recht guter Laune heute«, sagte ich.

»In der Natur bin ich immer guter Laune. Sie ist einfach zu schön, um traurig zu sein. Mich machen Städte traurig, weil die Menschen sich so viele Sorgen um die falschen Dinge machen. Wenn du zu dieser Umgebung hier eine Beziehung hast, dann hast du auch eine Beziehung zu Menschen.« Er schüttelte sein nasses Haar und legte sich auf den Rücken, die Hände hinter dem Kopf verschränkt und schaute hinauf in den Himmel.

Ich putzte mir die Zähne, und wir wanderten los.

Ich blinzelte in den wolkenlos blauen Himmel. Gott, war das schön. Schönheit existierte nur um ihrer selbst willen. Schönheit brauchte keinen Grund, keine Erklärung. Sie war einfach da. Sie hatte nichts mit etwas anderem zu tun. Sie mußte von niemandem geteilt werden. Schönheit war Schönheit. Und sie war so notwendig wie Nahrung und Wasser.

David ging neben mir, entspannt und zufrieden.

»Geht's dir besser?« fragte er.

»Ja, mir geht's gut«, sagte ich und dachte, wie es wäre, wenn ich mich völlig wohl fühlte, wenn ich total mich selbst fühlte... wenn ich fühlte, ich kenne mich vollständig. War daran etwas Neues? Suchte nicht jeder nach dem gleichen Gefühl –, sich selbst zu kennen? Drei Vögel auf einem Zweig schauten frech zu uns herunter, als wir vorbeigingen. Über ihre Unverfrorenheit mußte ich laut lachen.

Neben uns gurgelte und rauschte der Mantaro. Ich hob einen Ast auf und zog ihn hinter mir her. Es gefiel mir, nichts im Sinn zu haben, als nur diesen Ast hinter mir herzuschleifen.

»David?« fragte ich in seine Träumereien hinein. »Glaubst du, es gibt so etwas wie die menschliche Natur?«

Er blickte hoch. »Ich glaube nicht. Nein. Ich denke, uns Menschen wird beinahe alles, was wir fühlen, beigebracht. Ich denke, Menschen können alles tun, sein und denken... es hängt davon ab, was wir lernen.«

Ich schleifte den Ast hinter mir her, dachte an die Zeit, die ich in China verbracht hatte. Auf dieser Reise war ich zur selben Überzeugung gekommen. Die Chinesen waren brutal und grausam miteinander umgegangen in ihrer bitteren Vergangenheit, denn das war das zeitgemäße Verhalten, das erforderte die Hackordnung des Klassensystems.

Doch Mao hatte gesagt, das chinesische Volk sei ein unbeschriebenes Blatt Papier, auf dem etwas Schönes geschrieben werden konnte. Er war der Ansicht, menschliche Natur sei grundsätzlich eine Frage der Erziehung... man könne Menschen dazu erziehen, Verhaltensmuster zu befolgen, die demokratischer, gerechter, gütiger sind. Er hatte zwar eine militante Holzhammermethode für die Erziehung zu mehr Gerechtigkeit angewandt, die Menschen wurden durch Erziehung und Umerziehung zu Fairneß gezwungen. Jeder war verpflichtet, an selbstkritischen Lehrgängen aller Art teilzunehmen. Keiner durfte die Teilnahme verweigern. Es war ein gigantischer, monumentaler Kraftakt in Gruppentherapie, um die Muster der Vergangenheit zu verändern. Und es schien zu klappen. Das Recht auf Persönlichkeit und das Recht, sich abzusondern wurde ihnen verweigert, aber das Land befand sich in so großen Schwierigkeiten, daß alle begriffen, daß sie zusammenhalten mußten. Für mich war die überwältigendste Erkenntnis des Neuen China die, daß die Menschen zusammenarbeiteten, um das zu verändern, was sie für ihre Grundnatur hielten.

Das moderne China sagte, eine Handvoll Eßstäbchen brechen weniger leicht als ein einzelnes Paar. Und indem sie zusammenhielten, zwangen sie sich, das Wertsystem, das sie jahrhundertelang heilig gehalten hatten, völlig neu zu gestalten. Sie schienen zu begreifen, daß sie die Prioritäten, die sie für unabänderlich hielten, revolutionieren mußten. Und die große Lehre für sie schien die Lehre zu sein, die sie aus sich selbst zogen.

Waren Interessenkämpfe, Territorialansprüche, Habgier oder Materialismus wirklich wichtig? Vielleicht drehte sich der wirkliche menschliche Konflikt nicht um das, was wir sind oder nicht sind, sondern darum, was wir sein könnten, wenn wir uns auf die Möglichkeiten unseres eigenen, geistigen Potentials verlassen. Und wenn unser eigenes Potential in tieferer Geistigkeit lag, wie paßte das Neue China in dieses Bild? Ich sah nichts Geistiges im Neuen China. Im Gegenteil, man schien über geistige Konzeptionen zu spotten, hatte beinahe Angst, eine solche Haltung würde der Revolution entgegenarbeiten.

Meiner Ansicht nach würde die chinesische Kulturrevolution den Weg aller modernen Revolutionen gehen, wenn sie die Wichtigkeit für die geistige Erkenntnis des Menschen außer acht ließ. Ich fing an zu glauben, daß das, was mit uns allen nicht stimmte, unsere Weigerung war, mit der Kenntnis zu leben, daß Gott – das Wort, das wir für eine Konzeption unglaublich komplexer geistiger Energien gebrauchten – die fehlende Dimension ist, die Teil unseres täglichen Lebens sein sollte.

Und Buckminster Fullers Theorie, das meiste von dem, was innerhalb menschlicher Handlungsweisen die *Realität* durchdringt, sei völlig unsichtbar, könne man nicht riechen, nicht anfassen, fing an, einen Sinn zu ergeben. Er sagte, 99% der Wirklichkeit kann nur durch den metaphysischen Geist des Menschen verstanden werden, geleitet von etwas, das er nur als Wahrheit empfinden könne. Er sagte, der Mensch *ist* metaphysischer Verstand. Und das Gehirn ist nur der Platz, um Informationen zu speichern. Er sagt, nur der metaphysische Verstand des Menschen ist in der Lage zu kommunizieren. Das *Gehirn* kann es nicht. Er sagt, der Mensch ist ein eigenständiges mikrokommunizierendes System, und die Menschheit das makrokommunizierende System. Und *alle Information von allen Dingen, einschließlich Gott,* wird ständig durch elektromagnetische Wellen gesendet und empfangen, bloß seien wir uns dessen nicht bewußt, weil wir nur 1% unserer Kapazität ausnutzten, um die Wahrheit zu empfangen.

Aber was würde den Menschen helfen zu verstehen, nicht nur, woher sie kamen, sondern wohin sie wirklich gingen? Wie konnte ein Staat diesen tiefen, nagenden, sehnsüchtigen Fragen nach unserem Ursprung, unserem Sinn beantworten? Wie konnte ein Staat helfen, eine engere Beziehung zur Frage zu bekommen, warum wir am Leben sind, wenn er fürchtet, daß dadurch seine Machtposition untergraben wird?

Ich begriff, warum die Kommunisten sich nie an Indien herangewagt hatten. Es wäre unmöglich, die tiefe Geistigkeit des indischen Volkes auszumerzen. Die Menschen würden dem Staat nie verzeihen, wenn er sie zwänge, ihre geistige Philosophie zu verleugnen, auch wenn es bedeutete, mehr Nahrung zu bekommen. Ihre Glaubensformen waren die ältesten dieser Welt. Die Inder wurden, seit Krishna die Erde betreten hatte, dazu erzogen und ausgerichtet, mit ihrer geistigen Natur in Verbindung zu stehen. Sie war Teil von allem, was sie taten beziehungsweise nicht taten. Ein kommunistisches Regime würde es schwer haben, das indische Volk dazu zu bewegen, den revolutionären, marxistischen Materialismus zu leben. Nicht einmal Mahatma Gandhi konnte die Kühe aus den Häusern und von den Straßen verbannen, weil die Inder immer noch an Seelenwanderung glauben (der tierische Vorläufer der Reinkarnation in Menschengestalt). Vielleicht haben sie recht nach allem, was wir wissen.

Ich stellte mit Erstaunen fest, wie die Enthüllung des Geheimnisses vor sich ging. Solange es einen losen Faden gab, war es möglich, den ganzen Knäuel zu entwirren. Solange die menschliche Rasse weiterhin grundsätzlich unglücklich war in ihrem Kampf, das Große Mysterium zu ergründen, war der Antrieb gegeben, aller Autorität, die ihr im Wege stand, entgegenzuarbeiten ... ob es sich dabei um die Kirche, den Staat oder die revolutionäre Gesellschaft selbst handelte. Egal wohin wir blickten, die Antwort schien in einer Macht zu liegen, die weiser, verständnisvoller und gütiger war als wir selbst. Und bevor wir diese Macht verstehen konnten, mußten wir uns selbst verstehen. Daraus folgert, daß *wir* das Große Mysterium sind. Es muß nicht heißen, wer ist Gott? Es muß heißen, wer sind *wir*?

David und ich wanderten flußaufwärts am felsigen Ufer des orangefarbenen Flusses entlang. Die Vormittagssonne war heiß und gleißend. Ich schwitzte in meinem Poncho, zog ihn aus, und David trug ihn für mich. Der Sonnenhut war plötzlich mein kostbarster Besitz geworden. Die dicken Gummisohlen meiner Stiefel hafteten fest auf den gezackten Felsen. Meine Füße fühlten sich wohl, und solange es meinen Füßen gut ging, ging es auch mir gut.

Ich setzte mich auf einen Felsen und machte ein paar Notizen. David watete im Fluß.

Vereinzelt saßen peruanische Bergbewohner am Ufer, wuschen entweder Wäsche oder lagen einfach in der Sonne. Ihr Zeitgefühl war träge und ohne Eile – beinahe sorglos –, und ihre Bewegungen paßten sich ihrer Einstellung an. Manchmal lächelten sie uns zu, wenn sie an uns vorbeischlenderten, meist nickten sie nur. David grüßte sie freundlich auf Spanisch.

»Etwas weiter flußaufwärts ist eine Schwefelquelle«, rief er zu mir herüber. »Hast du Lust, dir die Haare zu waschen? Es ist toll, in der Sonne zu baden.«

Ein verlockender Gedanke. Ich stand auf, fragte mich, ob es mir gelingen würde, diese Freiheit der Gefühle, die ich hier in den Anden verspürte, zu bewahren. Ob ich mich daran erinnerte, wie nahe das hier dem höchsten Frieden ist, wenn ich das nächste Mal in einem Verkehrsstau in New York steckte? Oder wenn während eines dramatischen Höhepunkts meiner Show das Bühnenlicht nicht klappte oder wenn mein neuester Film ein Kassenflop wurde? Oder wenn Gerry ... Würde das menschliche Hindernisrennen, zu dem unsere Beziehung geworden war, wieder an mir nagen und mich frustrieren, wie bisher? Würde ich seine Fehler besser verstehen, würde ich meine eigenen erkennen, würde ich alles aus einer objektiveren Perspektive sehen, wenn ich mir in einer Momentaufnahme die Atmosphäre am Ufer des Mantaro ins Gedächtnis zurückriefe, als die Sonne herniederbrannte, und meine Gedanken in großen Höhen schwebten?

Ich schleifte immer noch meinen Ast hinter mir her, als wir weiter stromaufwärts zu der Schwefelquelle wanderten. Scharfe, kristallklare Vogelschreie durchschnitten die dünne Bergluft. Ich hätte gern gewußt, ob es je möglich sei, Musik zu sehen und die Farben eines Regenbogens zu hören.

»Woran denkst du?« fragte David.

»Ach, ich weiß nicht«, sagte ich. »Ich überlege nur gerade, ob der Mensch eine Technik anwenden kann, um inneren Frieden und Glück zu spüren, wenn um ihn herum in seiner kleinen Welt der Teufel los ist.«

David zog die Augenbrauen hoch. »Ich weiß nicht, jemand hat einmal eine Technik beschrieben, die man den ›Goldenen Traum‹ nennt. Wenn ich zum Beispiel versuche einzuschlafen und mir schwirrt der Kopf von allen möglichen sogenannten unlösbaren Problemen – dann tu' ich folgendes. Ich male mir aus, was mich *in diesem Moment* zum glücklichsten Menschen auf Erden machen würde. Ich stelle mir alle Einzelheiten vor – was ich anhabe, mit wem ich zusammen bin, welche Geräusche ich höre, welches Wetter, was ich essen würde, was ich berühre... alle Dinge, die mich glücklich machen würden in allen Einzelheiten. Dann warte ich. Ich habe das Gesamtbild in meinem Kopf – erschaffen durch meinen eigenen Willen und meine Phantasie, und es wird so Wirklichkeit, daß ich glücklich *bin*. Ich spüre, wie ich mich entspanne und meine Wellen in einer gleichmäßigen Frequenz schwingen, und es dauert nicht lange, bis ich einschlafe oder mich auf ›die astrale Ebene‹ begebe, wie ich mich ausdrücke.«

»Das ist also der ›Goldene Traum‹? sagte ich.

»Ja. Guter Titel für einen Song.«

»Ja. Viel besser, als ›Der unmögliche Traum‹.«

»Also«, fuhr er fort, »wenn du dich darauf konzentrierst, was dich glücklich macht, dann stellst du tatsächlich eine innerlich wirkende elektromagnetische Frequenz her, die dich buchstäblich in ein Gefühl des inneren Friedens wiegt.«

»Das bedeutet also die Macht des Geistes über die Materie.«

»Richtig«, sagte er. »Aber es geht noch tiefer. Für mich heißt es auch, den Glauben an mich und in mich selbst zu entfalten. Mit anderen Worten, wenn ich soviel Glauben durch Konzentration oder Meditation, oder wie immer du es nennen willst, aufbringe, dann gebe ich unbewußt soviel positive Energie ab, daß schließlich Wirklichkeit daraus werden könnte.«

»Auch wenn das, was du willst, unwirklich ist?«

»Wer weiß, ob es unwirklich ist?«

»Du meinst, der Glaube versetzt Berge?«

»Ja, wahrscheinlich. Ich denke, positiver Geist ist grenzenlos. Also denke ich, daß dabei auch die Berge betroffen sind. Das ist etwas, das Christus zuwege gebracht hat. Bei ihm war es jedoch mehr als Glaube oder Meditation oder Konzentration. Er hatte das *Wissen*, es zu tun.«

»Und woher hatte der Kerl eigentlich dieses Wissen?«

»Er sagte, von Gott. Aber Er sagte auch, Er sei der Sohn Gottes. Also denke ich, Er lehrte uns, daß er durch Gott gelernt hat. Das sagen auch die indischen Avatar-Meister. Sie sagen nicht, *sie* können Brot aus Stein materialisieren, oder Krankheiten heilen. Sie sagen, *Gott* gibt ihnen die Kraft und das Wissen, Seine Werke auszuführen.«

»Du bist ein tief gläubiger Mensch, David, nicht wahr?«

»Ich glaube«, sagte David, »daß die meisten von uns sich nicht wirklich gut genug kennen, um zu wissen, was sie wollen. Und um uns selbst besser zu kennen, müßten wir eine bessere Verbindung zu Gott oder der Schöpfer-Quelle haben.«

Ich schnaufte und ächzte, als wir in der Mittagshitze weiter anstiegen. Die Höhe machte mir zu schaffen. David ging ein paar Schritte vor mir her, suchte den Fußweg, der zum Schwefelbad führte. Ich freute mich auf das prickelnde Wasser, wollte mich hineinsetzen und an meinen Traum denken, von dem ich plötzlich wußte, daß er mir nicht bewußt war. Ich hatte keinen Traum. Ich konnte mir nicht vorstellen, was mich *besonders* glücklich machen würde. Ich konnte nicht über Einzelheiten von Gerüchen, Anblikken, Berührungen oder Geräuschen eines solchen Traumes meditieren, weil ich nicht wußte, was mein Traum war.

David führte mich einen Berghang hinauf zu einem Weg, der parallel zum Fluß lief. Etwa eine halbe Meile weiter oben kamen wir zu einer Holzhütte, in der sich die ersten Steinstufen befanden, die in eine Nische in den Berg hinunterführen. Um uns ragten Felswände hoch auf, als wir die schmalen Steinstufen hinunterstiegen. Unten befand sich ein sprudelndes Schwefelbecken. Drei alte

Frauen in ihren steifen Hüten und bunten Kleidern wateten im Wasser. Sie verbargen ihre Gesichter, als sie unserer ansichtig wurden.

»Die alten Bergbewohner sind sehr reserviert«, sagte David. »Sie scheuen Nacktheit, wollen allein sein. Wenn wir unten angekommen sind, drehen wir uns um, dann gehen sie bald.«

Auf der anderen Seite des Beckens lag ein junger Mann im Wasser, die Beine über einen Felsen gelegt. Er hatte Jeans und Hemd an.

»Ist er wegen der Alten angezogen?« fragte ich.

»Ja, sonst müßte er auch warten, bis sie weg sind.«

David holte ein hartgekochtes Ei heraus, schälte es und reichte es mir. »Es ist zwar besser, vor einem Schwefelbad nichts zu essen, aber trotzdem.«

Die alten Frauen wateten aus dem Wasser und stiegen die Stufen hinauf, nickten stumm, als sie an uns vorbeigingen. Der Junge blieb. Wir traten an den Rand des Wassers. Weiße Schwefelflocken glänzten in der Sonne, und ein weicher Dampf waberte an der Oberfläche. David legte meinen Poncho und die Tüte mit den Eiern ab.

Der Junge machte keine Anstalten zu gehen, starrte nur ins Wasser.

»Und was sollen wir tun?« fragte ich. »Uns ausziehen, oder was?«

»Hmm. Mal sehen«, sagte David. »Wir lassen einfach unsere Unterwäsche an. Das macht es für uns alle einfacher.«

Ich behielt zunächst die Bluse an, da ich keinen Büstenhalter trug. Mit etwas verschämter Hast zog ich sie dann aus und ging ins Wasser. Der junge Mann starrte immer noch vor sich hin, David war damit beschäftigt, sich auszuziehen. Es interessierte wirklich keinen Menschen, ob ich halbnackt war oder nicht.

Das Wasser war warm und prickelte wie am Abend vorher, aber in der Sonne fühlte es sich glühend heiß an. Die Wasseroberfläche mit den weißen Schwefelflocken sah aus wie tanzendes Silber. Der felsige Grund war glitschig, mit Moos und Algen bewachsen, doch der starke Auftrieb des Wassers ließ mich aufrecht stehen. Irgendwo in der Mitte fand ich einen Felsen, auf den ich mich setzte, das Wasser reichte mir bis zum Hals. Die gleißende Reflektion des flüssigen Silbers blendete stark, jetzt da sich das Wasser beinahe in Augenhöhe befand. Ich war froh, meine Sonnenbrille und meinen Hut dabeizuhaben. Wie lächerlich, da saß ich in dieser unglaublichen Naturschönheit und mußte mich gegen schädliche Einwirkungen schützen. Ich pumpte mit den Armen, bis mein Körper mit Mineral-Schwefelperlen bedeckt war. Sie hafteten an meiner Haut mit einem brennenden Prickeln, ließen mein Blut schneller pulsieren. Ich spürte die Strömung, von der das Felsbekken gespeist wurde. Sanft drängte die warme Strömung nach oben, an der Oberfläche wurde das Wasser von der Sonne erwärmt. Meine Körpertemperatur lag irgendwo dazwischen. David ging ins Wasser. Er trug Jockey-Shorts, hatte muskulöse Beine, doch das linke sah aus, als wäre es einmal gebrochen und etwas schief zusammengesetzt. In normalen Hosen sah man das nicht. Sein Oberkörper war nicht besonders muskulös und seine Schultern eher schmal; er sah nicht aus wie ein Mann, der sich mit Hanteln seine gute Figur erhalten möchte. Er grinste ein wenig, als ich ihn musterte, sagte aber nichts.

Der junge Mann rührte sich nicht. Er schien in Trance. Das flüssige Silber konnte einen Menschen wahrscheinlich in Trance versetzen. Ich fragte David.

»Ja, kann sein«, sagte er. »Es wirkt sehr entspannend. Die Bergbewohner schätzen diese Wasser für den Geist ebenso wie für den Körper. Eigentlich schade, daß sie die Kleider dabei anbehalten.«

Als ich eine Weile im Wasser saß, spürte ich, wie ich Sodbrennen bekam. Es begann als kleiner Knoten irgendwo in der Brustgegend und breitete sich aus.

»Deshalb soll man vorher nicht essen. Aber es ist nicht schlimm. Der Schwefel und die Mineralien zeigen dir nur, daß deine Verdauung etwas durcheinander ist.«

Er zog sich an die gegenüberliegende Seite des Schwefelbeckens zurück, um zu denken und zu meditieren. Ruhig saß er auf einem Felsen und schaute heiter aufs Wasser. Ich hob meine geschlossenen Augen zur Sonne. Mein Gott, ist das himmlisch, dachte ich. Dann schaute ich wieder zu David hinüber. Seine Augen blinzelten nicht und sein Gesicht war vollkommen leer. Eine Fliege krabbelte über seinen Nasenrücken. Er wirkte so friedlich, als sei er gar nicht da. Ich schaute ihm lange zu. Irgendwann ging der Indio-Junge. Die drei alten Frauen warteten oben an der Treppe. Ich legte meinen Hut auf einen trockenen Felsen, tauchte mein Haar ins Wasser und wusch es. Ich spürte, wie der Schwefel es weich machte, ich schwenkte den zurückgelegten Kopf hin und her. Mir war so froh ums Herz, ganz unbeschwert. Frei von Widerständen ... das war es, was ich sein wollte ... frei von Widerständen ... Ich wollte völlig offen sein, alles in mich aufnehmen, als gäbe es nichts, dem man mißtrauen mußte. Das spiegelte sich in Davids Gesicht ... völlige Selbstvergessenheit, nichts Negatives ... heitere Gelassenheit. Er sah aus, als könne er Teil des Wassers sein ... er *war* das Wasser – nur seine Gestalt war menschlich.

David bewegte sich lange nicht. Kohlensäurebläschen hingen an seinen reglosen Armen. Ich wollte, ich könnte ebenso wie er eintauchen. Was ging wohl in ihm vor, wenn er so friedlich und reglos dasaß?

Ich hätte gern gewußt, ob seine Seele den Körper verlassen konnte, wenn er es wollte. Ich hätte gern gewußt, ob er seine Seele war oder sein Körper. Nein ... der Körper stirbt ... die Energie der Seele lebt ewig. Das mußte es bedeuten, wir sind unsere Seele –, der Körper ist nur die Behausung der Seele.

David öffnete träge die Augen, blinzelte und wischte sich das Kinn.

»O Gott«, sagte er, »ich habe meditiert! Wie lange war ich weg?«

Ich sagte, ich wisse es nicht, vielleicht länger als eine Stunde. Zeit spiele keine Rolle, wahrscheinlich existiere sie gar nicht.

David lachte und nickte. »Was geht in deinem Kopf vor?«

Wie konnte ich das alles nur in Worte fassen? »Ich weiß nicht. Ich habe nur nachgedacht und geträumt. Und mich gefragt, ob ein Baby bei der Geburt alles weiß und allmählich alles wieder vergißt.«

»Ja«, sagte David. »Im Körper eingesperrt sein kann ziemlich lästig werden. Da draußen geht es mir viel besser.« Er streckte den Arm in den blauen Himmel. »Laß uns wieder ein bißchen wandern. Ich möchte dir etwas sagen, aber ich weiß nicht, wie. Manchmal ist es leichter zu denken, wenn man in Bewegung ist.«

Er stieg aus dem Wasser.

Oben an den Felsenstufen wartete eine alte Frau darauf, daß wir gingen.

Schnell zogen wir uns in der warmen Sonne an. David gab mir noch ein geschältes Ei und sagte: »Mach es dir mit dir selbst nicht zu schwer. Hab Geduld. Es wird alles gut.«

Wir stiegen die Stufen hinauf, grüßten die Frau, entschuldigten uns dafür, daß wir so lange im Wasser geblieben sind, und machten uns auf den Heimweg, den orangefarbenen Fluten des Mantaro-Flusses entlang.

David ging vor mir her und breitete die Arme aus. Er hob sein Gesicht der Sonne entgegen und seufzte. »Ich hoffe«, sagte er, »du beginnst etwas von dem Glück und dem inneren Frieden zu spüren, die nur darauf warten, in deinem Inneren berührt zu werden.«

Der persönliche Bezug dessen, was er sagte, verblüffte mich wieder einmal.

»All diese Dinge *sind* persönlich«, sagte er. »Denn wonach wir uns sehnen, das sind wir selbst. Du beginnst die Teile deines Selbst zusammenzufügen.«

Ich dachte an die seltenen Male, von denen ich aufrichtig sagen konnte, daß ich ein totales Glücksgefühl empfunden hatte. Meist hatte ich dieses Gefühl unterdrückt, mir selbst die negativen Dinge vorgehalten, die in diesem Moment oder im Leben allgemein weiterbestanden. Wie jetzt in diesem Augenblick. Die heiße Sonne auf meinem Gesicht bereitete mir ungetrübtes Vergnügen, bis mir einfiel, daß ich davon Sonnenbrand bekomme. Ich mußte über mich selbst lachen. Was machte es denn eigentlich. Dann bekam ich eben eine rote Nase, die sich später schälen würde. Na und?

David fing wieder an zu springen, und ich hopste mit ihm. Unsere Knie sackten ein, als wir über die Geröllhänge rutschten. Ich lachte mit ihm. Ich lachte und lachte. Und immer, wenn ich einen negativen Gedanken hatte, fegte ich ihn mit einem geistigen Besen weg. Schnelle Gedanken an Gerry, die Filme, die ich gemacht hatte... Hollywood, Hawaii, New York... die Welt... Tänzer, die ich kannte; Menschen, die ich lieber nicht kennen würde... und wenn die Gedankenblitze negativ wurden, bezwang ich sie mit dem gleichen inneren Licht, das ich aus dem Himalaja kannte. Was hatte ich gelesen? Zuerst sind wir im Licht, dann ist das Licht in uns und schließlich sind wir und das Licht eine Einheit.

Vorbei an kleinen Bächen, die sich in den Mantaro ergossen, sprangen, gingen und hüpften wir. Singvögel und Sperlinge flogen über uns durch die Bäume. Eine handgeflochtene Hängebrücke schwankte unter uns hin und her, als wir den Fluß mehrmals überquerten. Zeit verging, aber die Zeit blieb stehen. Ich war richtig glücklich. Zeit war kein Gefühl. Zeit war keine Aktion. Zeit war einfach Zeit. Wenn ich nur die negativen Gedanken meiner anderen Welt – meiner realen Welt – aus meinem Kopf verbannen könnte.

Wir erreichten Llocllapampa, verschwitzt und erschöpft, setzten uns im Spätnachmittagslicht in unser »Food-Haus«, tranken warme Milch und aßen Brot dazu. Draußen schlug die Frau mit dem Kind auf dem Rücken die Weizenkörner. Die drei Männer kauten Kokablätter und packten Lehm und Stroh in viereckige Klumpen, um später ein Haus daraus zu bauen.

22. Kapitel

»Ich kann keine Sekunde lang glauben, daß Leben ursprünglich auf dieser bedeutungslosen, kleinen Kugel, die wir Erde nennen, entstanden sein soll ... Die Partikel, die sich vereinigten, um lebende Wesen auf diesem unserem Planeten entstehen zu lassen, kamen wahrscheinlich von irgendeinem anderen Körper irgendwo im Universum.«

Thomas A. Edison
The Diary and Sundry Observations (Tagebuch und diverse andere Beobachtungen)

Der nächste Morgen war kalt und irgendwie hoffnungsvoll und neu. Ich schaute auf meinen Uhrenring, mein Lieblingsschmuckstück, das mit mir um die ganze Welt gereist war: 10. Juli, 9.00 Uhr. Ich fragte mich, wie das Wetter in London sei, und stellte es mir vor. Ich sah verregnete, graue Straßen, Menschen mit tropfenden Regenschirmen. Ich sah Gerry aus der Untergrundbahn kommen und aufs Parlamentsgebäude zugehen. Ich fragte mich, ob meine Vorstellung Wirklichkeit oder Phantasie war.

Ich zog meine Stiefel an, Hose, Bluse und Pullover und ging nach draußen. Drüben saß David auf der Steinmauer.

»Wir könnten nach Ataura fahren«, sagte er, »aber vorher bekommst du noch ein paar Eier. Keine sehr abwechslungsreiche Speisekarte hier oben, nicht wahr?« Er blinzelte und betrat vor mir das Haus.

Die Frau mit den Zahnstummeln und dem Baby auf dem Rücken trug einen Korb mit Gemüse zu unserem Wagen.

»Wir nehmen sie mit«, sagte David, reichte mir heiße Milch und zwei geschälte Eier. »Sie muß ihr Gemüse auf dem Markt verkaufen und hat selten Gelegenheit, in die Stadt mitgenommen zu werden.«

Sie lächelte mit zahnlosem Entzücken und setzte sich auf den Rücksitz. Ich wünschte, ich könnte ihr zu einem künstlichen Gebiß verhelfen.

Das Morgenlicht in den Anden ist anders als im Himalaja. Die Schatten fallen in breiteren Streifen und horizontaler, da die Berge abgeflachter sind.

Goldene Weizenfelder wogten leise im Morgenwind. Schafe, Kühe und Lamas trotteten gemächlich am Straßenrand entlang, dazwischen watschelten Kinder, deren Mütter kleinere Kinder in orange-rosa Beuteln auf dem Rücken trugen.

Ich aß meine Eier. David sprach mit der Frau Spanisch und übersetzte für mich. Sie erzählte von Bergblumen, die man zu einer Paste verrieb und erhitzte. Das half gegen Schmerzen in der Stirnhöhle. Sie sagte, alle Gebirgskräuter könnten zu Medizin verarbeitet werden, und man könnte sie alle in Ataura kaufen. Ihr Baby in ihrem Schoß schlief so fest, daß es beinahe wie tot aussah.

Ich legte meinen Arm über die Sitzlehne. Die Frau bemerkte meinen Uhrenring. Sie faßte ihn an und ihre Hände waren warm. Sie sagte etwas in Spanisch. David sagte: »Sie will deinen Ring. Sie findet ihn schön und möchte ihn haben.«

Sofort spürte ich, wie etwas in mir zumachte. Würde ich mein Lieblingsschmuckstück und meine einzige Verbindung zur wirklichen Welt (wegen der Uhr) dieser Frau geben, die ich nicht kannte? Ich beobachtete David, der mich beobachtete.

Die Frau nahm meinen Finger und zog den Ring ab. Ich ließ es geschehen. Sie umklammerte ihn und blickte zum Himmel.

»Was würde sie glücklich machen?« fragte ich David. »Frag sie mal. Was würde sie wirklich glücklich machen?«

Er fragte sie. Sie antwortete: »Ringe und so.«

Ich sagte: »Das würde sie glücklicher machen als Glück?«

»O ja«, sagte sie voller Überzeugung. »Das würde bedeuten, meiner Familie geht es gut.« Sie spielte mit dem Ring an ihrem Finger, streckte die Hand aus und betrachtete sie lächelnd. »Was ist das?« fragte sie als nächstes, auf die Kleenex-Box deutend. »So was wie Klopapier?«

Ich reichte ihr die Schachtel, zeigte ihr, wie sie funktionierte. Sie drehte die Schachtel herum und noch einmal herum, untersuchte alle Ecken. Dann zog sie langsam am Tuch. Als das nächste darunter sichtbar wurde, schien sie verblüfft. Aber sie machte kein Spiel daraus, wollte die Tücher nicht verschwenden. Sie faltete die Hände über ihrem Baby und schaute auf den Ring. Ich sagte nichts. Ich betrachtete das Bild, schämte mich zu befürchten, sie würde ihn behalten. Warum konnte ich nicht einfach sagen: »Behalten Sie ihn. Ich besorge mir einen neuen.« Das brachte ich nicht übers Herz. Es hingen so viele persönliche Beziehungen und Erinnerungen daran. Aber es ging nicht allein um den Uhrenring. Zu jeder »Sache«, die ich besaß, hatte ich eine persönliche Beziehung. Der Geldwert der »Sache« hatte nichts damit zu tun. Es war die Gefühlsbindung. Beinahe, als wären »die Sachen« eine Erweiterung des Liebeseinsatzes. Diese »Sachen« waren immer da, wenn ich sie wollte. Sie gingen nie weg, waren permanent. Ich mußte nur die Hand ausstrecken, sie berühren, und sie waren da. Ich konnte mich auf sie verlassen. Sie gaben mir ein Gefühl der Sicherheit, weil hinter ihnen die Menschen standen, deren Liebe ich haben wollte. War das das Grundprinzip von Habgier? War Gier hauptsächlich eine Manifestation des Bedürfnisses nach menschlicher Liebe, wovon wir irgendwie nie genug bekamen? Waren die Schmusedecke und der Teddybär die Anfänge einer Anhäufung von Liebesersatz? Ich starrte hinaus in den Morgen, fühlte, daß David meine Gedanken spürte. Weit vor uns ragten hohe Berge mit Eis und Schnee bedeckt in die weißen Wolken.

»Das sind die Huaytapallana Gletscher«, sagte David.

Sie schienen über der wirklichen Welt zu sein – weiß und würdevoll und abweisend. Ich fragte mich, wie kalt es dort oben sein mochte. Ich fragte mich, ob dahinter das wirkliche Paradies lag. Ich fragte mich, ob ich es schaffen würde, zu Fuß dort hinaufzugelangen.

»Waren Sie schon einmal auf den Gletschern?« fragte die Frau.

»Nein«, antwortete ich. »Sie?«

»O nein«, sagte sie. »Aber viele Leute haben die fliegenden Scheiben gesehen hinter den Gletschern. Haben Sie in Ihren Bergen in den Vereinigten Staaten auch fliegende Scheiben?«

Ich drehte mich um und sah ihr in die Augen. Sie waren unschuldig und neutral.

»Ja«, sagte ich, »ich denke schon. Aber ich habe noch keine gesehen.«

»Sie hinterlassen Spuren, wenn sie landen«, sagte sie. »Und wenn man ihnen zu nahe kommt, kriegen sie Angst und verschwinden. Sie kommen nur in der Nacht, wenn es für uns zu kalt ist, ihnen zuzusehen. Viele von ihnen fliegen im Himmel hin und her.«

Ich nahm ein Kleenex aus der Box und putzte mir die Nase.

»Was sind sie, Ihrer Meinung nach?« fragte ich.

»Ich habe keine Meinung, ich höre nur zu«, sagte sie.

»Und was tun sie?«

»Wissenschaftler kommen hierher und beobachten sie. Und die sagen, wir sind nichts im Vergleich zu diesen Scheiben.«

»Und woher, glauben Sie, kommen diese Scheiben?«

»Sie kommen von der Venus.«

»Von der Venus?«

»Ja, das haben uns die Wissenschaftler gesagt. Sie sagten, daß sie unseren Planeten studieren.«

»Haben Sie Angst vor ihnen?« fragte ich.

»Nein. Ein Freund von mir hat eine landen gesehen und ist auf sie zugegangen. Aber als er näherkam, ist sie weggeflogen. Er meinte, die Leute hatten Angst vor ihm.«

»Warum?«

»Weil er größer ist als sie.«

Ich wartete, daß sie weitersprach. Aber sie schaute einfach aus dem Fenster. Das Thema schien sie nicht sonderlich zu interessieren und war für sie erledigt. Vielleicht hatte sie nur aus Höflichkeit die Neugier einer Fremden befriedigt. Jedenfalls hielt sie den Kopf ihres Babys und begann ein lebhaftes Gespräch über den Verkauf ihres Gemüses, und daß die Preise immer mehr stiegen. Sie sagte, sie habe gehört, daß wir irgendeine chemische Medizin nehmen, damit unser Gemüse größer wurde, und fragte, wie sie daran kommen könne.

Ich versuchte das, was die Frau gesagt hatte, zu verdauen. Die Sonne stand direkt über dem glänzenden Gletscher.

An einer Straßenkreuzung wurden wir von drei Polizisten angehalten, die David fragten, wohin wir fuhren und warum. Sie musterten uns scharf; als sie erkannten, daß wir Ausländer waren, warnten sie uns vor den Unruhen in Huancayo (wohin wir nicht fuhren) und winkten uns weiter.

Je mehr wir uns der Stadt näherten, desto mehr Menschen gingen am Rand der Straße. Hin und wieder fielen mir Männer in schwarzen Anzügen auf.

»Wenn sie in Trauer sind, tragen sie Anzüge«, sagte David.

Die Frau sprach über ihre Kinder. Sie sagte, sie habe fünf. Sie sagte, sie wolle keine mehr, deshalb hätten sie und ihr Mann mit dem Sex aufgehört. Als ich Methoden der Geburtenkontrolle erwähnte, hatte sie Schwierigkeiten zu verstehen. Sie hatte keine Ahnung über ihren Körper. Sie war jung, Anfang Dreißig, ebenso wie ihre Freundinnen, die die gleichen Probleme hatten. Auch sie lebten sexuell enthaltsam, um ihre Familien nicht zu vergrößern.

Viele Frauen mit rotgestreiften Beuteln auf dem Rücken gingen auf Ataura zu. Sie trugen ihre üblichen weißen, weitkrempigen Hüte und Röcke mit weißen Pikee-Unterröcken, sahen aus wie kostümierte Filmstatisten. Überall liefen Hunde herum, und als wir in die Stadt einfuhren, war das erste, was ich hörte, eine Neil-Sedaka-Platte, die aus einer Musikbox quäkte. Wir parkten den Wagen und gingen zu Fuß weiter. Die Frau ging weg mit meinem Ring und ihrem Baby. Ich starrte hinter ihr her. David beobachtete mich.

Die Straßenbazare verkauften alles von Bettwäsche über frisch gemahlenem Kaffee bis zu alten Schallplatten. Die Sonne war jetzt heiß, doch im Schatten der Häuser war es angenehm kühl. In jedem Laden hing ein Christusbild mit einer Kerze darunter. Hunde strichen um das Obst und Gemüse, das auf der Straße zum Verkauf ausgebreitet lag, daneben gab es Seile, Schuhe, Plastikeimer, Bohnen, Erbsen und bunte Stoffe. Kleine Buben betrieben einen Leihhandel von Comic-Heften. Eine Frau flocht ein Seil, das sie gerade gekauft hatte.

Neben einer Musikbox in der offenen Tür eines Lokals stand ein alter Mann in verbeulten Hosen, Turnschuhen, einem braunen Filzhut, einer Blume hinter dem linken Ohr und einem grauen, zerschlissenen Pullover. Er bewegte sich sanft, aber unrhythmisch zu einer Elvis-Presley-Platte. Aus seiner Hosentasche ragte der Hals einer leeren Inca-Cola-Flasche, als er zu einem Gast im Restaurant hinüberschlurfte und ihn um Essen anbettelte, das er geschwind unter seinem braunen Filzhut verschwinden ließ. Daneben saß ein Mann über einem Teller Suppe, offensichtlich betrunken, der wüste Beschimpfungen an die Wand schmetterte.

Weiter unten an der Straße warteten junge Leute, bis das Kino aufmachte. Es wurde *The Ten Commandments* gegeben. Vor der

Kinokasse war ein türkisfarbenes Gußeisen-Gitter heruntergelassen.

Unsere Frau gesellte sich wieder zu uns und führte uns zu einem Kräuterstand. Auf einer Decke lagen Häufchen von Kräutern, von denen sie sagte, sie würden beinahe jedes Leiden, das ein Mensch haben kann, heilen. *Tara* gegen Asthma, *Valeriana* für das Nervensystem, *Hircapuri* für die Leber, die Verdauung, Diabetes, Galle und Sodbrennen. Ich kaufte davon, um Tee zu kochen.

Auf dem Gehsteig saßen drei Frauen. Eine stillte ihr Baby, hatte die Hand auf dem Schoß ihrer Freundin, während die dritte einen Hund tätschelte, der zwischen ihnen an einem Knochen nagte. Ein Mann rieb Schwefelpuder in die Krempe seines weißen Hutes, um sie steif zu machen. Neben ihm lag Käse aus gekochter Milch, den man *quesillo* nannte.

Wir kamen zu einem märchenhaften Blumenmarkt mit Gladiolen, Margeriten, spanischen Nelken, Chrysanthemen und Narzissen. Kinder, die süßes peruanisches Popcorn naschten, spazierten durch das Blumenmeer.

Unsere Frau ging, um ihr Gemüse zu verkaufen. Sie trug immer noch meinen Ring. Ich versuchte, nicht darauf zu achten. Ich würde sie ja später wiedersehen. David und ich schlenderten durch die Stadt, bis wir hungrig waren. Wir setzten uns in ein überdachtes Straßenlokal, aßen Reis und Bohnen mit Zwiebeln, dazu gab es eine scharfe Soße, die sich *rocoto* nannte, das Schärfste, das sich je ein Koch hat einfallen lassen.

»Gefällt es dir hier?« fragte ich David.

»Ja«, sagte er. »Es ist so wirklich. Die Menschen sind ohne Vorurteile. Sie sind, wie sie sind.«

»Vielleicht verletzen die Menschen einander mehr, wenn es ihnen gut geht«, sagte ich. »Vielleicht sollten wir arm bleiben und kämpfen müssen.«

»Nein«, sagte er. »Das glaube ich nicht. Das würde Fortschritt und Streben nach besserem Leben verhindern. Nein, die Antwort ist so etwas wie mein Glaubensbekenntnis. Möchtest du es hören?«

»Sicher.«

Er räusperte sich, als müsse er einen Vortrag in der Schule halten. »Arbeite hart, lüge nicht und versuche, niemandem weh zu tun. Das ist es. Danach lebe ich. Diese dreigeteilte Philosophie rufe ich mir jeden Tag ins Gedächtnis...«

»Bist du manchmal deprimiert und einsam?«

»Sicher.«

»Und wie überwindest du das?«

»Ich denke, man kann sagen, Glück bedeutet zu wissen, woran man glaubt.«

»Aber der Mangel an Selbstzweifel ist es doch, was manche Menschen selbstgerecht und gefährlich macht.«

»Ja, ein selbstgerechter Mensch will, daß jeder andere so denkt wie er.«

Darüber dachte ich einen Moment nach.

»Glaubst du, ich bin so?«

»Wie?«

»Daß ich meinen Kopf durchsetzen will?«

David legte seine Gabel beiseite. »Wie ich dich kenne, muß ich sagen: ja.«

Es war, als hätte er mich geschlagen. Meine Augen füllten sich mit Tränen.

»Was ist los?« fragte er.

Ich versuchte, meine Tränen zurückzuhalten. Aber es ging nicht. Sie liefen mir übers Gesicht und Davids sanft-blaue Augen schauten in mein Inneres. Und gleichzeitig wurde ich mit Einsicht durchflutet.

David streckte die Hand aus und fing eine Träne an meinem Kinn auf. »Die ist einen langen Weg heruntergekommen«, sagte er. »Die gleiche Reise, die wir alle machen müssen, bevor wir erkennen, wer wir sind.« Er machte eine Pause. »Ist es das, was mit dir und deinem Freund nicht klappt?« fragte er.

Ich versuchte, deutlich zu sprechen. »Mein Freund?«

»Ja«, sagte David. »Es muß einen Mann geben, der dich so interessiert, daß du dich ständig an allen möglichen Orten mit ihm triffst.«

»Du meinst, so wie mit dir?«

»Hm, ja«, antwortete er.

»Ich glaube, was du über mich sagst, ist richtig. Und ich glaube, unsere Probleme sind unvermeidbar. Ich möchte, daß er sieht, was er tut. Und das tut er nicht. Nicht wirklich. Ich will vermutlich, daß er die Dinge so sieht wie ich. Wenn er nur *wirklich* hinsehen würde, würde er seinen eigenen Weg finden. Aber das tut er nicht; das macht mir Angst. Und ich glaube, das muß ich akzeptieren. Wenn er die Wahrheit über sich nicht wissen will, muß ich ihm dieses Privileg einräumen, nicht wahr? Er hat ein Recht darauf.«

David nahm meine Hand.

»Andererseits«, sagte er, »hast du einen Verstand wie ein Drillbohrer. Du gehörst zu den Leuten, die sich mit anderen herumstreiten, aber du findest auch zu dir selbst. Du hast den Mut, oder wie immer man es nennen will, ehrlich und genau hinzusehen, und du bist schonungslos streng mit dir selbst, wenn du siehst, was du tust. Sei nicht zu streng mit dir – ich hab' dir schon mal gesagt, du mußt Geduld mit dir selbst haben.«

Warum mußte ich bei menschlicher Wärme weinen?

»Nun komm«, sagte David. »Ich habe das gleiche durchgemacht, weißt du. Das muß man, um dort hinzukommen, wo du sein willst.«

»Wo will ich denn sein?« schluchzte ich.

»Dort wo du lebst, oder nicht? Wo du tief und grundsätzlich lebst. Das versuchst du zu erreichen. So empfindest du es doch?«

»Mir ist, als sei alles, was ich gelebt habe, eine einzige schillernde, glitzernde Täuschung. Und es stellt sich heraus, daß beinahe alles, was ich gelebt und geglaubt habe, ein Mythos ist.«

»Was zum Beispiel?«

»Na ja, ich glaubte, wenn ich sterbe, ist es das Ende. Ich glaubte, daß das, was ich sehe, alles ist. Ich glaubte, es gibt nicht mehr und nicht weniger als das Hier und Jetzt, und daß das alles ist, womit ich mich auseinandersetzen muß. Ich glaubte, das Leben der Menschen ist wirklich und physisch. Nun stelle ich fest, daß wir Rollen in irgendeinem spirituellen Stück spielen mit einem unendlichen Drehbuch. Wenn ich anfange, darüber nachzudenken, wie ich meine Rolle gespielt habe, bin ich nicht sehr glücklich darüber.«

»Nun, so ähnlich geht es uns doch allen. Und außerdem, worüber machst du dir Sorgen? Du wirst eine andere Rolle spielen nach dieser und danach wieder eine andere. Das heißt, du wirst immer Rollen spielen, bis du es schließlich richtig machst.«

Ich lachte und schluchzte und aß noch mehr von den Bohnen und der scharfen Soße.

»Am schlimmsten ist die Soße«, sagte ich, »deshalb muß ich weinen.«

»Das Leben ist wie scharfe Soße. Sobald es dir anfängt Spaß zu machen, mußt du darüber weinen. Die Kombination zu *akzeptieren*, das ist der Schlüssel. Und du kannst nichts von dem akzeptieren, bis du dich nicht selber akzeptierst. Um dich selber zu akzeptieren, mußt du dich selbst kennen. Dich selbst zu erkennen ist die tiefste Erkenntnis von allem.«

Ich lehnte mich zurück und seufzte. Meine Beine waren vom Sitzen steif. Ich mußte aufstehen, mich strecken, mich bewegen.

David bezahlte die Rechnung, und wir gingen. Die Leute packten ihre Habe zusammen, um bei Sonnenuntergang zu Hause zu sein. In den Bergen bestimmt die Sonne das Geschäftsleben und alle Aktivität.

Wir spazierten noch eine Weile herum. David trank ein Inca-Cola an einer Süßwarenbude, und ich aß eine Mandarine. Die Frau mit dem Gemüse und meinem Ring war verschwunden. Entweder hatte sie eine andere Fahrmöglichkeit gefunden, oder sie übernachtete in der Stadt.

Wir gingen zum Wagen zurück und machten uns auf die Rückfahrt nach Llocllapampa. Das frühe Abendlicht war klar und rötlich blau. Über die weite Hochebene hinter Ataura trotteten die Menschen heim. In der Ferne bellte ein Hund. David schwieg während der Fahrt. Ich dachte über die Wahrheit seiner Worte nach. Ich wollte das Leben auf meine Weise, in meinen Begriffen. Und jeder in meinem näheren Umkreis sollte ebenso in sich hineinschauen, wie ich versuchte in mich hineinzuschauen.

Tatsächlich hatte ich doch selbst Probleme, die Wahrheit zu sehen. Warum konnte ich die Tatsache, daß andere die gleichen Nöte durchgingen, nicht respektieren? Gerry mußte durch eine Hölle gegangen sein. Er liebte mich, zog meine Gedanken ernsthaft in Erwägung, doch gleichzeitig war es ihm unmöglich, sich selbst in einem Licht zu sehen, von dem er wußte, es würde mir gefallen. Er hatte mir oft gesagt, er fühle sich minderwertig, er fühle sich nicht in der Lage, meinen Erwartungen zu entsprechen. Jetzt verstand ich, was er damit meinte. Kein Mann konnte mit diesen Ansprüchen leben. Er mußte er selbst sein, nicht der Mann, den ich erwartete. Und wenn mir das nicht genug war, dann war es eben nicht genug.

Die Sonne war untergegangen. Ich spürte eine Art Beruhigung in der Magengegend. David schien von der Straße wie hypnotisiert, starrte geradeaus, dann drehte er sich zu mir.

»Shirl«, sagte er. »Ich muß dir etwas sagen über ein Mädchen, das Mayan heißt.«

»Sicher«, antwortete ich gelassen. »Was immer du willst.«

Er schwieg wieder. Dann meinte er: »Stell mir doch einfach Fragen, das macht es mir leichter.«

»Gut, mache ich, das Spiel gefällt mir. Also mal sehen. Hast du eine Liebesbeziehung zu ihr?«

»Hm, schon«, sagte er, »aber keine Liebesgeschichte im herkömmlichen Sinn. Mehr eine kosmische Liebesgeschichte.«

Ich kicherte lautlos in mich hinein, denn alle Liebesgeschichten sind kosmisch, wenn man mitten drin steckt.

»Ja, das kann ich verstehen. Was macht sie? Ich meine, hat sie einen Beruf?«

David zündete sich eine Zigarette an und öffnete das Wagenfenster. »Also, eigentlich ist sie Geologin. Sie war hier auf einer geologischen Forschungsreise.«

»Hier? Aha, ich verstehe. Du hattest also dein Liebesabenteuer hier in den Schwefelbädern und an den Ufern des sprudelnden Mantaro?«

Ich mußte ziemlich sarkastisch klingen, hoffte aber, er würde freier sprechen können, wenn ich es scherzhaft nahm.

Er reagierte nicht darauf. »Nein«, sagte er. »Ich war hier mit zwei anderen Typen, als ich sie kennengelernt habe.«

»Oh, eine Bergkameradschaft?« sagte ich schnippisch.

Er reagierte immer noch nicht. »Nein, das nicht«, sagte er. »So war es nicht. Eines Morgens wanderte ich allein, da kam sie diese Straße in einem alten Pontiac entlanggefahren. Sie blieb stehen und stieg aus. Als ich sie zum ersten Mal sah, dachte ich, sie ist die schönste Frau, die ich je gesehen habe. Sie schien beinahe durchsichtig. Ihre Haut schimmerte so seltsam. Ich weiß nicht, was sie anhatte. Wahrscheinlich Jeans. Aber sie bewegte sich, als würde sie schweben, und ich konnte meine Augen nicht von ihrem Gesicht lassen. Es war unglaublich, es hat mich einfach umgeworfen. Und doch ging es mir dabei fabelhaft, und ich war innerlich ganz ruhig. Völlig friedlich.«

Als David seine Gefühle beschrieb, wurde sein Gesicht ganz weich. All die Muskelspannungen, die normalerweise in ihm arbeiteten, waren vollkommen gewichen. Er wirkte, als sei er in Trance.

»Wie sah sie sonst aus?« fragte ich.

»Klein. Wirklich klein und zierlich, mit langem schwarzen Haar und dieser wunderbaren, sehr transparenten Haut und dunklen, beinahe mandelförmigen Augen. Keine orientalischen Augen, keine Schlitzaugen, sie waren leicht schräg gestellt. Sie ging auf mich zu, beinahe als wisse sie, daß ich kommen würde, als erwarte sie mich. Wir gingen nebeneinander her, und das Merkwürdige ist, obwohl es mir damals nicht merkwürdig erschien, daß wir nicht miteinander sprachen. Das war irgendwie nicht notwendig. Ich habe so etwas noch nie erlebt, aber es beschäftigte mich gar nicht sonderlich. Es war beinahe, als wisse sie ohnehin, was ich denke.«

David schwieg.

»Ja«, fuhr er fort, schüttelte den Kopf in der Erinnerung. »Ja, und nach einer Weile hatte ich das Gefühl, ich müsse etwas sagen. Also fragte ich sie, was sie hier oben tue, und sie sagte, sie sei mit ihren Leuten hier, um einige geologische Untersuchungen in den Bergen vorzunehmen. Ich fragte sie, mit welchen Leuten, und sie sagte, das würde sie mir später sagen. Das klang völlig normal. Ich fragte sie, woher sie käme. Sie sagte, das erzähle sie mir auch später. Also stellte ich keine weiteren Fragen. Dann fing sie an, mich auszufragen. Aber aus irgendeinem Grund, den ich nicht erklären konnte, hatte ich wieder das Gefühl, daß das eigentlich nicht notwendig sei.«

»Wie meinst du das?« fragte ich.

Ich spürte, daß David irgendwie in einer anderen Welt war, als er sich an das außergewöhnliche Treffen erinnerte.

»Hm, ja«, sagte er zaudernd, »du kennst das Gefühl, das einen manchmal überkommt, wenn man jemand kennenlernt, daß der dich wirklich kennt und dich versteht? Nun, so ähnlich war das. Ich spürte, daß sie wirklich alles über mich zu kennen schien und daß sie nur nett sein wollte und mir Zeit geben wollte, mich daran zu gewöhnen.«

David sah geradeaus, dachte in sich hinein.

»Und du?« fragte ich. »Hattest du das Gefühl, du kennst sie auch?«

Ich erwartete, er würde mir sagen, er hatte das Gefühl, sie aus einem früheren Leben gekannt zu haben oder so was ähnliches.

»Nein, nicht wirklich.« Er zögerte wieder. »Ja, und dann«, fuhr er fort, »na ja, dann gingen wir ein Stück zusammen und bald fing sie an, über alle möglichen Dinge zu sprechen... die Welt, die Regierungen, die verschiedenen Lebensformen in verschiedenen Ländern, über Gott, über Sprachen, irgendwie redete sie völlig unverständliches Zeug. Ich hatte mich zu dieser Zeit noch nicht mit diesen Dingen befaßt, mußt du wissen.«

»Es ist also schon ziemlich lange her?«

»Ja, schon lange. Ich dachte beinahe, sie müsse eine internationale Spionin oder so was sein. Sie sprach über die negative Energie einiger unserer Weltführer, und daß die Menschen es nötig hätten, an sich selbst zu glauben, und daß die wichtigste Beziehung die zwischen jeder Seele und Gott war. Ich fragte sie, ob sie ein Jesus-Freak sei. Sie lachte, in gewisser Beziehung sei sie noch mehr als das, aber wenn wir wirklich verstanden hätten, worüber Christus eigentlich gesprochen hatte, würde niemand das für verrückt halten. Sie redete und redete. Wir aßen zusammen und sie redete. Es gefiel mir, ihr zuzuhören, mit ihr zusammenzusein. Aber ich wußte einfach nicht, was ich mit all dem, was sie sagte, anfangen sollte. Schließlich fragte ich sie, wo sie lebte, das wollte sie mir nicht sagen. Dann lächelte sie und sagte, sie müsse gehen, aber wir würden uns wiedersehen. Am nächsten Tag begegneten wir uns wieder. Wir wanderten den ganzen Tag über, und sie redete. Lauter wichtige Dinge. Ich wußte nicht, was ich davon halten sollte, und das sagte ich ihr. Sie sagte mir, sie würde es mir erzählen, wenn die Zeit gekommen sei. Aber wenn ich das Gefühl hätte, ich lernte von ihr, solle ich es einfach geschehen lassen und zuhören. Ich wanderte jeden Tag in diesen Bergen herum, und jeden Tag fand sie mich, wo immer ich auch hinging. Und eines Tages, als wir am Flußufer saßen, sprach sie sehr ausführlich über die menschliche Seele und ihren Sinn. Bevor ich Mayan traf, war es mir völlig egal, ob es ein Leben nach dem Tod gab oder ob Gott lebte und Seelen?... du liebe Güte. Aber ich hörte ihr zu, und nach einer Weile begriff ich, daß sie mir so etwas wie eine wichtige wissenschaftliche Information mitteilte. Sie sagte, ich solle alles aufschreiben, denn ich sei fähig, es aufzunehmen, und eines Tages würde ich es an den richtigen Menschen weitergeben... vielleicht bist du dieser Mensch.«

»Ich?« fragte ich verblüfft. Ich war völlig gefangen von seiner Geschichte über Mayan und begriff nicht, was ich damit zu tun haben sollte.

»Ja, vielleicht. Sie sagte, ich soll alles zu Papier bringen, damit ich es eines Tages weitergeben könne.«

»Und hast du es aufgeschrieben?«

»Ja. Möchtest du es lesen?«

»Aber sicher. Aber ich verstehe den Zusammenhang noch nicht. Warum hast du mir das nicht schon längst zu lesen gegeben, zusammen mit all den anderen Büchern?«

»Na ja, weil du nicht weißt, wer sie ist.«

»Wer ist sie? Was meinst du?«

David wurde tatsächlich rot. Dann nahm er sich zusammen. »Stell mir noch ein paar Fragen«, sagte er etwas angestrengt.

Das war mehr als eine einfache Geschichte »Junge-trifft-Mädchen-in-den-Bergen«. Es war eine Art Therapie.

»Okay«, sagte ich. »Mayan. Das ist ein exotischer Name. Woher kommt sie? Aus Polynesien vielleicht?«

David zog an seiner Zigarette. »Nein, weiter weg.«

»Weiter – weiter östlich? Ist sie aus Japan oder China?«

»Nein, weiter östlich und weiter oben.«

»Weiter oben?« Ich kam mir vor wie der Stichwortgeber in einem Boulevardstück.

»Ja, weiter oben und weiter draußen.«

»David«, sagte ich. »Was ist eigentlich los? Worüber sprichst du? Sag es mir. Das ist ein dummes Spiel. Ich hab' dir genug Stichworte gegeben – jetzt rede endlich. Woher könnte sie denn sein, daß es dir so schwerfällt, es zu sagen? Von einem anderen Planeten?«

David warf beide Arme in die Luft. »Du hast es kapiert!« sagte er. »Du hast es erraten. Es ist richtig.«

»Was, um Himmels willen?«

»Was du eben gesagt hast.«

»Daß Mayan von einem anderen Planeten kommt?«

»Ja, ja, ja, ja! Das war es, was mir so schwerfiel, dir zu sagen. Aber es ist wahr. Ich schwöre bei Gott, es ist wahr. Und sie hat es mir mehrere Male bewiesen, das werde ich dir erzählen.«

Ich spürte, wie mir der Mund zuklappte. Ich nahm eine von Davids Zigaretten und inhalierte tief. Ich kurbelte das Wagenfenster herunter und blies den Rauch in die Nachtluft. Dann kuschelte ich mich in den Sitz, legte die Füße auf das Armaturenbrett und rauchte. Ich erinnere mich deshalb an jede Einzelheit, weil mich am meisten verwirrte, daß ich das Gefühl hatte, er spricht die Wahrheit. Ich weiß, es muß verrückt klingen, aber ich fühlte wirklich, daß er nicht wahnsinnig war, Halluzinationen hatte oder eine Geschichte erfand. Schweigend fuhren wir weiter. Ich sagte nichts, David sagte auch nichts. Die Nacht war klar, trocken und kalt. Hatte er das wirklich gesagt? Ich hatte zu diesem Mann Vertrauen. Er hatte soviel teil an meinem wachsenden geistigen Verständnis. Ich glaubte zumindest, daß er an das, was er sagte, glaubte. Ich hatte wirklich von ein paar Menschen gehört, die behaupteten, daß sie mit Außerirdischen Kontakt gehabt hätten. Die Überprüfung des Wahrheitsgehaltes mußte ich Wissenschaftlern oder Psychologen überlassen. Aber hier galt es, einen Freund zu beurteilen. Ich starrte auf die Kristallsterne und erinnerte mich an das Teleskop, das ich als Kind nach monatelanger Bettelei zu Weihnachten bekommen hatte. Nächtelang hatte ich durch das Fernrohr in den Himmel gestarrt und mich irgendwo dazugehörig gefühlt. War das nicht der quälende Wunsch aller Menschen? War der Himmel eine fundamentale Erinnerung, daß wir Menschen zu dem magischen Netzwerk des Kosmos gehörten? Daß wir alle ein integrierter Teil eines gigantischen universalen Rätsels sind, das uns aufgrund unseres begrenzten dreidimensionalen Bewußtseins verschlossen ist. Verspürten David und andere wie er einen so starken Wunsch zu verstehen, daß sie tatsächlich glaubten, Kontakt mit einem Teil des kosmischen Rätsels zu haben? Ich rauchte meine Zigarette zu Ende, dann atmete ich tief durch, war mir der Idiotie bewußt, in dieser reinen Luft, meine Lungen zu vergiften.

Llocllapampa lag friedlich in der Dunkelheit. Neben unserem

»Hotel« schnorchelten junge Schweine in einem alten Autoreifen, schlabberten grunzend einen Körnerbrei, das Mutterschwein sah ihnen geduldig dabei zu.

Die Frau mit dem Kind war nicht zurückgekommen. Ihre Mutter hatte uns einen Niereneintopf in Weinsoße zum Abendessen gekocht. Das Brot war frisch gebacken, mit süßer Butter bestrichen. Zwei Kerosinlampen hingen von einem Deckenbalken und beleuchteten den Tisch. Das Radio quäkte wieder eine Fußballübertragung, und die Kinder der Familie versammelten sich um den Tisch, um uns beim Essen zuzusehen. Die ältere Frau kochte auf einem Gasherd. Die Propangasflasche stand draußen am Straßenrand. Der Ofen, das Waschbecken, der Eisschrank an der hinteren Wand des Raumes befanden sich im Dunkel.

»Eine schöne Nacht heute«, sagte die alte Frau zu David. »Das wäre eine gute Nacht für die Astronomen.«

David streckte die Arme über den Kopf und seufzte. Dann fragte er sie ganz nebenbei auf spanisch: »Haben Sie schon mal ein UFO gesehen?«

»O ja«, sagte sie. »Viele. Und mein Onkel hat gesehen, wie sie direkt in den Titicaca-See geflogen und verschwunden sind. Anfangs war er voller Angst, weil er dachte, er schnappt über.« Sie deutete mit dem Finger an die Stirn. »Aber dann haben ein paar seiner Freunde ihm gesagt, sie hätten das auch gesehen. Dann war er wieder beruhigt.«

David seufzte noch einmal tief, als sei er von dem, was sie sagte, erleichtert. Sie ging zum Herd, schöpfte von dem Eintopf in die Teller. Ich ging hinter ihr her.

»Was, glauben Sie, sind sie?« fragte ich, kam mir dabei vor wie einer von tausend Touristen, die die gleiche Frage gestellt haben mußten.

Sie stellte den Eintopf auf den Tisch. »Außerirdische Fremde«, sagte sie. »Das weiß doch jeder.«

»Glauben Sie, daß sie friedlich sind?« fragte ich.

»Ich weiß nicht, ich denke schon«, sagte sie. »Sie leben oben in den Bergen und fliegen mit ihren Scheiben unter die Berge, damit niemand sie finden kann.«

Sie brachte uns warmes Brot und fragte, ob es uns in Ataura gefallen habe. Ich nickte und lächelte. Sie schien nicht sonderlich interessiert, das absurde Thema weiterzuführen: Wie für unsere Freundin im Auto waren ihr die Außerirdischen in der Gegend nicht wichtig, eine Kuriosität, die nichts mit ihrem Leben zu tun hatte. Die Sorgen um den Alltag beschäftigten sie sehr viel mehr. Nachdem sie höflich Auskünfte erteilt hatte, wandte sie sich wieder ihren Aufgaben im Haushalt zu.

Ich schaute zu David über den dampfenden Eintopf. Ich hatte keinen Hunger.

»So reagieren sie alle hier oben«, sagte er entschuldigend. »Sie sind daran gewöhnt. Sie wundern sich nur, warum Leute wie wir so daran interessiert sind. Sie lachen über die Astronomen, die hierherkommen, um die Erscheinungen zu studieren, und warten. Sie sagen, die Scheiben lassen sich nie blicken, wenn sie hier sind. Sie sagen, die Leute in den Scheiben wollen in Ruhe gelassen werden, und so behandeln die Bergbewohner sie. Sie wissen nicht, warum sie hier sind, viele von ihnen sagen, sie holen Erze aus den Bergen.«

»Und sie haben keine Angst vor ihnen?«

»Anscheinend nicht. Sie sagen, sie haben noch nie jemanden angegriffen, im Gegenteil, sie laufen weg.«

»Und viele Menschen haben sie gesehen?«

»Shirley«, sagte David. »Jeder, mit dem ich hier oben geredet habe, hat eine Geschichte von fliegenden Untertassen. Jeder einzelne.«

Ich schaute ihm in die Augen. Sie waren ruhig und irgendwie erleichtert.

»David«, sagte ich, »wo kann ich deine Mayan finden?«

Er sah mich achselzuckend an. »Ich kann Mayan nicht *finden*«, sagte er ruhig. »Ich sehne mich sehr nach ihr und komme immer wieder hierher, weil ich hoffe, sie wiederzusehen. Sie hat mein Leben verändert. Alles, was ich jetzt denke, tue ich, weil ich es von ihr gelernt habe. Sie ist der Grund, warum ich solchen Frieden in mir selbst gefunden habe. Und ich möchte alles auf dich übertragen.«

Ich schaute aus dem Fenster in die schwarze Nacht der Anden.

»David«, sagte ich, »alles, was ich sagen könnte über das, was mir hier so plötzlich begegnete, wären Klischees.«

Ich stand auf. Wir gingen hinüber zu unserem »Hotel«. »Aber

danke, David«, sagte ich. »Danke, daß du so viel Vertrauen zu mir hast.«

Ich spürte den sanften Druck seiner Hand auf meiner Schulter und hörte seine etwas kehlige Stimme.

»Gute Nacht«, sagte er. »Und laß dich nicht von den Wanzen beißen.«

Ich küßte ihn auf die Wange und ging in mein dunkles, modriges Schlafzimmer und schlief auf der Stelle ein, weil ich offen gestanden ein wenig Angst hatte, wach zu bleiben und darüber nachzudenken, was eigentlich los war.

23. Kapitel

»Betrachtet man die Materie vom rein wissenschaftlichen Standpunkt, so ist die Annahme, daß inmitten der Myriaden von Welten, die im endlosen Raum verstreut sind, keine Intelligenz sein soll, die sich in Relation zur menschlichen Intelligenz wie diese zur Küchenschabe verhält, kein Wesen Kräfte besitzen soll, die den Verlauf der Natur beeinflussen können, wie die menschliche Kraft in Relation zur Schnecke, scheint mir nicht nur unbegründet, sondern anmaßend. Ohne über die Analogie alles Bekannten hinauszugehen, kann der Kosmos in ansteigender Skala mit Wesen bevölkert sein, bis etwas erreicht wird, das nicht von Allmacht, Allgegenwart und Allwissen zu unterscheiden ist.«

Thomas H. Huxley
Essays Upon Some Controverted Questions
(Aufsätze über einige widersprüchliche Fragen)

Am nächsten Morgen trat ich erfrischt, als hätte ich eine Woche geschlafen, in die Morgensonne.

David wartete schon. Wir nahmen unsere berühmte heiße Milch und frisches Brot zu uns und gingen los.

Ich schaute über die Gebirgsebenen hinüber zu den Gletschern am Horizont. »Was versteckt sich sonst noch da oben, außer den UFOs, von denen die Indios sprechen?« fragte ich und kaute an meinem Brot.

David lachte. »Wenn du schon danach fragst – Mayan sagte, die Täler zwischen den Berggipfeln sind vom Land her unerreichbar. Deshalb sind sie für sie sicher. Als sie mir das zum ersten Mal beschrieb, klang es für mich wie aus *Lost Horizon.*«

»David«, sagte ich, »hemm – erzählte Mayan, woher sie genau kommt?«

»Klar. Von den Plejaden.«

»Und hast du je ihre Behauptung, sie sei eine Außerirdische, in Frage gestellt?«

David lachte und spuckte dabei Brotkrumen aus.

»Soll das ein Witz sein? Erst glaubte ich, ich bin irrsinnig geworden! Oder sie. Ich glaubte ihr kein Wort. Im Gegenteil, als sie es mir sagte, wurde ich aggressiv und feindselig zu ihr. Eines Tages, sehr früh am Morgen bei Sonnenaufgang, lange bevor die Indios hier aufstehen, sagte sie mir, ich solle dort drüben an den Fuß des Berges gehen und eine der Bergspitzen beobachten. Das tat ich. Und weißt du, was ich sah?«

»Was?« Ich war gar nicht sicher, ob ich es wissen wollte.

»Ich blickte in den Himmel hinauf, und genau über dem Berggipfel erschien eine dieser fliegenden Scheiben, von denen die Bauern hier sprechen. Ich dachte, ich werde verrückt. Von dem Augenblick an hatte sie kein Problem mehr mit mir. Aber ich muß zugeben, sie nahm mir übel, daß ich sie gezwungen hatte, das Prinzip ›Sehen ist gleich Glauben‹ anzuwenden. Sie sagte, sie habe mich für intelligenter und aufgeschlossener gehalten.«

»Du meinst, so leichtgläubig wie ich?«

»Ich habe dir vor längerer Zeit gesagt«, meinte er, »echte Intelligenz ist Aufgeschlossenheit. Dadurch machst du keinen Narren aus dir.«

»Nein?« (Warum fühlte ich mich dann wie einer?)

David schaute mich an. »Nein«, sagte er mit Bestimmtheit. »Hör zu, Shirl, was mit dir geschieht, *ist* unbegreiflich. Das ging mir ebenso. Und es geschieht alles so unglaublich schnell. Man kann diese Dinge erst beschreiben, wenn man sie vollständig durchgestanden hat. Deshalb ist alles so mühsam. Es gibt eine Menge Beweismaterial von unbekannten Flugobjekten – ich meine von Quellen wie der Air Force, Radarstationen – Hunderte von *vielfältigen* Beweisen, das heißt von Leuten, die sie gleichzeitig am gleichen Ort, zusammen mit anderen Menschen gesehen haben. Das sind doch alles Tatsachen.«

»Stimmt.«

»Also gut. Wenn es UFOs gibt, muß sie jemand steuern – entweder im Raumschiff oder aus der Ferne. Und wenn es keine Erdbewohner sind – und alle scheinen sich darüber einig, daß diese Objekte Dinge tun, von denen unsere Technologie noch keine Ahnung hat –, dann müssen es Außerirdische sein.«

Er sah mich prüfend an. »Traurig, daß jeder seinen eigenen Beweis braucht«, fuhr er fort. »Mayan sagte, die Außerirdischen sind uns *überlegen*, weil sie den Prozeß der *spirituellen* Bereiche des Lebens verstehen. Sie sagt, Wissenschaft, wirklich hochentwickelte Wissenschaft und spirituelles Verständnis sind nicht voneinander zu trennen. Das hat auch Einstein gesagt. Und wenn du schon so weit in spirituellen Thesen vorgedrungen bist, warum versuchst du nicht, dich mit höherer Technologie zu befassen? Wenn dir das nicht zusagt, kannst du es wieder vergessen.«

Vergessen? Wer, zum Teufel, konnte so etwas einfach vergessen?

David sah, wie ich nachdachte... »aufgeschlossen«, wie er es nennen würde.

»Sieh mal«, sagte er. »Du hast doch kein Problem mit der Reinkarnation, oder?«

»Nein«, sagte ich, »nicht wirklich. Nicht, nachdem ich viel darüber gelesen und selbst Erfahrungen gesammelt habe. Ich meine, wenn ich eine Rolle spiele, ziehe ich mir das emotionelle Kleid eines anderen Menschen an. Also denke ich, die Seele tut etwas ähnliches, jedesmal wenn sie sich wieder verkörpert.«

Ich dachte an die vielen Schauspielerkollegen, die ich kenne, die sich oft wunderten, woher ihre Inspirationen kommen, wenn sie mit Rollen konfrontiert sind, die ihnen völlig fremd sind, die in keinem Zusammenhang stehen mit dem, was sie persönlich erlebt haben: Oft gründen wir Gefühle, die wir spielen sollen, auf Ereignisse in unserem Leben. Doch sehr oft wird von uns verlangt, Gefühle und Reaktionen hervorzubringen, mit denen wir noch nie etwas zu tun gehabt haben, die außerhalb unseres Beziehungsrahmens stehen. Doch das Wunder der Inspiration trägt uns ein tieferes Verständnis zu, und wenn wir besonders gut sind, gibt es eine schwache Resonanz unter unserem Bewußtsein, die uns daran erinnert, daß wir tatsächlich emotionell dort gewesen sind.

Viele Schauspieler sind tatsächlich die geistigen Wiederbeleber der Seelenerfahrung. Vielleicht war das der Grund, warum Reinkarnation für mich nicht so furchtbar fremd schien. Meine Gedanken wanderten wieder zurück zu den verwunschenen Sommernächten meiner Kindheit, als ich mit meinem Teleskop im warmen Gras saß. Es war, als *erinnerte* ich mich an frühere Gefühle, die ich einst gehabt hatte, wenn ich in die Sterne schaute. Sie kamen mir vertraut vor. So einfach war das. War es ein schwaches Wiedererkennen des Wissens vom Leben dort oben? Hatte ich, oder jeder andere Mensch auf Erden, diese Bekanntheit erfahren mit »Helfern« von anderen himmlischen Orten während unseres langen Kampfes durch die Traumata der Zeit? John und McPherson und Ambres hatten das behauptet. Aber wer waren *sie*? Quatsch, dachte ich, es ist doch ganz einfach. Sie waren körperlose Geister, die glaubten, die Erde wurde zu allen Zeiten von Außerirdischen besucht. David ist ein verkörperter Geist, der das ebenfalls glaubt... meine Gedanken sprangen zur Bibel, und ich fragte mich, ob Hesekiel und Moses sich vor Jahrhunderten in der gleichen Situation befanden, wie David heute mit seiner Mayan zu sein glaubte. Damals war es einfacher, dachte ich. Wunder waren damals eine alltägliche Sache – damals glaubte *jeder* an solche Dinge. O Gott, dachte ich – genau wie die Bewohner hier in den Anden...

Ich schlug David vor, uns eine Weile in die Sonne zu setzen. Wir kamen an eine grasbewachsene Stelle zwischen den Felsen und legten uns hin. Wir atmeten ein paar Minuten tief und schauten einfach in den Himmel.

Ich wollte alles aus meinen Gedanken verdrängen und einfach »sein«. Ich spürte, daß David das auch tat. Vögel tschilpten, und der Fluß gurgelte und raunte. Ein kleiner schwarzer Hund trottete an uns vorbei, hinterließ seine Markierung an einem Busch und trottete vergnügt weiter.

Es mußte wohl eine halbe Stunde so vergangen sein. Wir sprachen nicht. Es war angenehm, sich so friedlich zu fühlen. Dann hörte ich, wie David etwas sagte. Seine Stimme war verwaschen und verschlafen. Oder vielleicht war nur ich schläfrig.

Ich schaute zu ihm hinüber. »Was?« fragte ich.

Er seufzte, drehte sich zur Seite und schaute mich an. »Willst du über Mayan reden?« fragte er. »Weil sie viel über dich zu sagen hatte.«

»Über *mich*?« Das war ja lächerlich. »Hör mal, David, ich kenne keine Mayan. Ich meine, sie ist *dein* Problem.«

David grinste. »Oh, sie ist kein Problem – obwohl sie ein paar Probleme für dich aufgeworfen haben mag.«

»Was soll das heißen?«

»Na ja, deshalb möchte ich über sie sprechen.«

Ich dachte einen Moment nach. »Okay, kann ich es auf Tonband aufnehmen?«

»Sicher.«

Ich holte den Recorder heraus und drückte auf den Aufnahmeknopf. Wenn das wirklich alles geschehen sollte, dann wollte ich in der Lage sein, irgendwem Beweise vorzulegen. Ich prüfte, ob das Band lief und sagte: »Also, David, was gibt's?«

»Zuerst mal, erinnerst du dich an einen Typen, der mal vor deiner Tür stand – vielleicht vor zehn Jahren, mit drei Steinen von einem Massai-Häuptling, den du gut kanntest?«

Ja, ich erinnerte mich an eine Begebenheit etwa zwei Jahre nach meiner Afrikareise, irgendwann Mitte der sechziger Jahre. Es klingelte, und ein Mensch stand vor der Tür, der sich nicht vorstellte. Er hatte keinen Eindruck auf mich hinterlassen, händigte mir lediglich drei bunte Steine aus, von denen er sagte, sie seien magische Amulette für Gesundheit, Weisheit und Sicherheit. Er hatte einen Massai-Häuptling während einer Safari in Afrika getroffen, der hatte ihn gefragt, ob er aus Amerika komme. Er hatte ja gesagt, und der Häuptling wollte auch wissen, ob er mich kenne. Er antwortete – nein, aber er habe von mir gehört. Der Häuptling sagte einfach: »Geben Sie ihr das von mir.« Der Mann sagte ja, er würde das schon irgendwie schaffen.

Ich war verblüfft.

»Wie, zum Teufel, weißt du von diesem Mann?«

»Das war ich«, sagte David.

»Du?« Meine Stimme war ein ersticktes Quieken.

»Ja. Beruhige dich, Shirl. Zu dieser Zeit wußte ich auch noch nicht, worum es überhaupt ging. Ich habe dir einfach ein paar Steine gebracht, das war alles.«

»Und was dann?« fragte ich aggressiv. Ich kam mir wie überfallen vor.

»Sehr viel später erklärte mir Mayan die Bedeutung. Sie sagte, die Steine seien dir von mir überbracht worden, weil wir einander in einem vergangenen Leben kannten und du eines Tages einen Beweis darüber haben wolltest.«

»Und warum diese Geheimnistuerei? Warum konntest du mir bisher nicht sagen, *wer* du bist?« Schon während ich fragte, wußte ich die Antwort.

»Du warst noch nicht bereit dazu. Es ging nur darum, dir die Steine zu bringen – und das, bevor einer von uns eine tiefere Bedeutung ahnte. Mayan mußte *mich* überzeugen. Und nun muß ich dich überzeugen...«

»Vermutlich«, sagte ich gedehnt, »wenn ein Beweis nötig ist, dann hat das Sinn. Aber warum? Was bedeutet das alles?«

»Es geht darum, Shirley, daß du lehren mußt. Wie ich. Nur auf breiterer Basis.«

»Auf breiterer Basis?«

»Ja.«

»Was soll das? Ich bin keine Lehrerin. Ich habe gar keine Geduld dazu. Ich lerne lieber.«

»Ja, aber du schreibst doch gern, nicht wahr?«

O mein Gott, dachte ich. Soll ich ein Buch über all das schreiben? Hatte ich das unbewußt bereits vorgehabt? Hatte ich deshalb meinen Recorder überallhin mitgenommen und Notizen gemacht am Ende eines jeden Tages?

»Sie meinte, mit deiner Geisteshaltung könntest du ein unterhaltsames, informatives Buch über deinen persönlichen Ausflug in diese Dinge schreiben und dabei die Leute vielleicht aufklären.«

Du lieber Himmel, dachte ich, hatte das einen Sinn? Meine zwei anderen Bücher waren persönliche Aufzeichnungen und enthielten Gedanken zu meinen Reisen durch Afrika, Indien, Bhutan, Amerika, über Politik, dem Showgeschäft und China – sollte ich jetzt einen Bericht über meine früheren Leben, über Gott und Außerirdische schreiben? Ich lachte über die Absurdität des Gedankens.

»Wer würde mir denn glauben, wenn ich so etwas publiziere?«

»Du wirst staunen, es gibt mehr Menschen, die sich mit dieser Thematik beschäftigen, als du für möglich hältst. Jeder ist von dem Wunsch beseelt, die Wahrheit zu erfahren. *Jeder.*«

»Die Wahrheit? *Welche* Wahrheit?

»Die einfache Wahrheit, sich selbst zu kennen. Und sich selbst zu kennen, das heißt, Gott zu kennen.«

»Du meinst, *das* ist die Große Wahrheit?«

»So ist es. Der springende Punkt ist, Shirley, daß sie einfach *ist*. Gott *ist* einfach. *Der Mensch* ist kompliziert. Der Mensch hat sich selbst kompliziert gemacht. Aber er sehnt sich nach dem Verständnis, nach der Wahrheit hinter der Kompliziertheit. Und die, die anfangen, es zu verstehen, haben den *Wunsch*, dieses Verständnis mitzuteilen.«

»Aber es würde doch nur *mein* Verständnis sein. Das ist doch nicht notwendigerweise die Wahrheit.«

»Nein«, sagte David. »Es gibt nur eine Wahrheit und die ist Gott. Du kannst anderen helfen, Gott durch sich selbst zu verstehen, indem du sie wissen läßt, wie du Gott durch *dich selbst* verstehst.«

Ich fühlte einen Kloß in meinem Magen und in meinem Herzen. Ja, es stimmte, ich teilte meine Abenteuer gern in meinen Büchern mit. Aber zu sagen, ich wolle darüber schreiben, wie ich *Gott fand*, erschien mir völlig lächerlich und absurd. Ich war nicht einmal sicher, ob ich an das, was man Gott nannte, glaubte. Ich interessierte mich für Menschen. Der Gedanke, daß ich frühere Leben erfahren hatte, interessierte mich, weil er mir eine Erklärung dafür lieferte, wer ich heute bin.

»David, sieh mal, meine eigene persönliche Identität, und wie ich dazu kam, so zu sein, wie ich bin, ist etwas, mit dem ich mich wohlfühle, aber ich kann nicht sagen, ich *glaube* an Gott.

»Das ist richtig«, sagte er. Du *glaubst* nicht an Gott. Du *kennst* Gott. Glauben erfordert das Akzeptieren von etwas Unbekanntem. Du hast einfach vergessen, was du bereits weißt.«

Ich saß in der sonnendurchfluteten Stille, meine Gedanken hämmerten aufeinander ein. Ich hatte vergessen, was ich bereits wußte.

David schien die Angst in mir zu spüren und sprach weiter: »Das ist sicher der falsche Ansatz für deine Arbeit, wenn du Angst vor öffentlicher Bloßstellung hast.«

»Was meinst du?« fragte ich.

»Jedesmal wenn du die Bühne betrittst oder eine Rolle in einem Film übernimmst, setzt du dich einem möglichen Reinfall aus.«

In der Form hatte ich das noch nicht gesehen, aber er hatte recht. Ich litt schrecklich unter Lampenfieber, das hat nichts damit zu tun, ob ich gut oder schlecht sein würde, sondern damit, was die Leute von mir denken. Und das war der große Unterschied.

»Ist dir jemals in den Sinn gekommen«, fuhr er fort, »daß du einen öffentlichen Beruf gewählt hast, um deine Angst vor Bloßstellung zu *überwinden*?«

Der Gedanke war mir oft in den Sinn gekommen; ich hatte mir das jedoch nicht eingestanden. Ich sehnte mich nach Anonymität, wollte die Fliege an der Wand sein, stellte lieber Fragen, als welche zu beantworten, und immer wenn ich mich beruflich der Öffentlichkeit stellen mußte, konnte ich es kaum erwarten, bis alles vorbei war und ich mich wieder in die Abgeschiedenheit zurückziehen konnte mit meinen Gedanken und meiner Schreiberei. Und doch blieb ich eine Persönlichkeit des öffentlichen Lebens, als würde ich nach und nach versuchen, die Angst aus mir herauszuzwingen. In letzter Zeit war das etwas besser geworden. Tatsächlich, je mehr ich über mein inneres Selbst erfuhr, desto weniger befangen war ich, was andere über mich dachten. Ich hatte mich immer nach dem Gefühl der Sorglosigkeit gesehnt und danach, daß es mir völlig egal ist, was andere über mich denken. Und ich hatte meine Persönlichkeit in der Öffentlichkeit so fest im Griff, daß die Leute wirklich glaubten, es sei mir völlig egal, was andere von mir denken.

Und zu David sagte ich: »Denkst du, ich habe *geplant*, eine sogenannte ›freigeistige‹ öffentliche Persönlichkeit zu werden, damit ich über das, was du und Mayan sagt, schreiben kann?«

»Vielleicht«, sagte er, »vielleicht ist das dein Karma, das du dir ausgesucht hast. Warum läßt du das Ganze nicht für eine Weile auf sich beruhen?«

Auf sich beruhen lassen? Ich hatte alle Mühe, meinen Verstand daran zu hindern, über seine eigenen Gedanken zu stolpern. Mir war, als würde ich weit über das hinausgreifen, was ich erfassen konnte. Als würde ich in der Finsternis herumtasten mit einer Papplaterne, die mir leuchten sollte... Begriffe wie inneres Wissen, höheres Bewußtsein, hohe Schwingungen, innerer Friede, Erleuchtung, et cetera, et cetera, et cetera. Nichts davon war mir klar. Ich wurde wütend. Nahm David mich auf den Arm, mir vorzuschlagen, darüber zu schreiben?

»David«, schrie ich ihn an, »um Himmels willen, du behauptest, diese Mayan ist eine *Außerirdische?* Na gut. Mein Gott, wenn du das glauben willst, dann glaube es –, aber ich halte die ganze Sache für einen Haufen Scheiße!« Ich hielt es einfach nicht mehr aus.

Ich war plötzlich voller Mißtrauen, kam mir absurd vor, ehrliche Fragen zu stellen, als wäre die ganze Diskussion glaubwürdig; Fragen an einen Menschen, der behauptete, er habe eine Beziehung mit einer Außerirdischen gehabt. Es war plötzlich, verdammt noch mal, zuviel.

Ich war mehr als nur ein bißchen wütend und aggressiv. Ich wollte auch mehr als nur hart sein. Über den ganzen Quatsch schreiben? Ich konnte nicht einmal mehr darüber nachdenken. Mir war, als würde mein Kopf explodieren. Ich hatte die Grenze meiner Aufgeschlossenheit erreicht.

David blieb friedlich sitzen. Dann drehte er sich auf den Bauch, offenbar unbeeindruckt von dem, was in mir vorging. Ich spürte, wie mein Puls sich beschleunigte, und ich fing an, mir auszurechnen, wie lange es dauerte, aus den Bergen hinunter zu kommen, mich in ein Flugzeug zu setzen, das mich in die gesunde Welt zurückbrachte, die ich begreifen konnte.

Meine feindseligen Gedanken rasten, als führte ich einen inneren Dialog, ein Selbstgespräch über meine eigene einfältige Aufgeschlossenheit und die bittere Wahrheit, daß ich einer von den Schwachköpfen bin, die jede Minute geboren werden, wie P.T. Barnum gesagt hatte.

David atmete ruhig.

»David!« Meine Stimme war hart. »Bist du da oder nicht?«

»Ich bin hier«, antwortete er sofort. Seine Stimme war sanft, mit einem ekelhaft geduldigen Tonfall.

»Also?« sagte ich laut und wütend.

Er hob eine Augenbraue. »Also was, Shirley? Du scheinst den Gedanken der Reinkarnation akzeptiert zu haben. Du bist zumindest teilweise von der Existenz der UFOs überzeugt und folglich davon, daß etwas sie steuert. Also, was bringt dich auf den Gedanken, daß die menschliche Rasse ein Exklusivrecht auf Leben im Kosmos hat?«

Ich wußte nicht, was ich denken sollte. Ich fühlte mich nicht wohl. Meine Haut juckte. Die Sonne brannte sengend. *Ich wollte nicht mehr hier sein.*

Nach einer Weile sagte David: »Versuche dich zu beruhigen. Atme tief und konzentriere dich darauf. Ich kenne diesen Kampf. Ich habe denselben Prozeß durchgemacht. Du bist überfordert.

Mit allem überfordert. Du mußt in deinem eigenen Tempo vorgehen; versuche friedlich vorzugehen. Auf diese Weise machst du größere Fortschritte.«

»Fortschritte?« schrie ich ihn an. »Du wirfst alles durcheinander, woran die Menschheit glaubt, ersetzt es mit unglaublichen metaphysischen Thesen und zweilichtigem Quatsch, und *das* nennst du Fortschritt?«

»Merkwürdig«, sagte er. »Sie denken, *unsere* Prioritäten sind Quatsch: *Wir* befinden uns immer noch im Mittelalter. Im Grunde genommen sind wir immer noch ziemlich primitiv.«

»Na gut«, sagte ich. »In Ordnung. Ich weiß es, verdammt noch mal. Aber die Menschen *sind* wahrscheinlich nur tierisch. Das erklärt unsere Verhaltensweisen. Also, warum trittst du dann für all diese Ideen ein, daß wir besser sind, als wir eigentlich sind?«

»Das ist doch der springende Punkt«, sagte er nicht etwa belehrend, sondern als sei es *meine* Erkenntnis, »du bist wütend, weil ich an dich glaube, mehr als du es tust, und das ist eine Herausforderung für dich, über deine bisherigen Fähigkeiten hinauszugehen.«

Mein Gott, dachte ich, das hatte ich immer mit Gerry gemacht. Ich lachte verächtlich über die Art, wie ich meine kosmische Wut auf ein persönliches Beispiel reduzierte.

»Geht's dir besser?« fragte David. »Ich weiß, wenn du verstehst, dann verstehst du schnell.«

»Ach, Scheiße«, sagte ich. »Ich weiß nicht. Ich weiß nicht, wovon du redest.«

»Doch, das weißt du«, sagte er milde.

Ich stand auf und ging um David herum, wollte ihn mit den Füßen treten, ja – ich wollte ihn richtig treten.

»Hab keine Angst«, sagte er, »denk daran, du bist auf dem richtigen Weg, sonst wärst du nicht hier.«

Es war zum Lachen.

»Es ist ohnehin nur eine Frage der Zeit«, fuhr er fort. »Es ist ein Kampf, ich weiß. Aber so ist das Leben.«

Ich lachte wieder.

»Und denk daran, diesen Kampf hast du schon in vielen Lebenszeiten durchgemacht. Also beruhige dich. Du schaffst es auch diesmal.«

Ich kniete mich neben ihn ins Gras.

»Aber wenn ich diesen sogenannten geistigen Kampf schon einmal durchgemacht habe, warum muß ich ihn noch mal durchmachen?«

»Weil es andere Gesichtspunkte der Progression deiner Seele gibt, die du bewältigen mußt. Geduld und Toleranz, zum Beispiel. Es genügt nicht, die geistigen Aspekte des Menschen intellektuell zu verstehen. Du mußt sie *leben*. Verstanden?«

»Soll ich leben wie Jesus Christus oder so?«

»Richtig. Er hat die Entfaltung seiner Seele beinahe zur Vollkommenheit erarbeitet. Die Botschaft Christi war: Jeder Mensch kann erreichen, was Er erreichte – der Mensch muß nur sein Potential erkennen. Das ist alles.«

»Und was ist mit deinen Außerirdischen? Sie etwa auch? *Müssen* sie das auch?«

»Gewiß«, antwortete er. »Jede lebende Seele im Kosmos muß das tun. *Das* ist der Sinn des Lebens. Das versuchen sie alle zu lehren... erkenne dein gesamtes Potential. Auch Außerirdische lernen noch über sich selbst. Doch auf der Erde fehlt der geistige Aspekt von uns selbst.«

Ich schaute hinauf in die Sonne. Meine Haut hatte aufgehört zu jucken, und die Sonnenstrahlen brannten nicht mehr. Mein sechzig-Minuten-Band war beinahe am Ende.

»Mayan sagte immer«, Davids Stimme war ein Murmeln, »liebe Gott, liebe deinen Nächsten, liebe dich selbst und liebe das Werk Gottes, denn du bist Teil dieses Werkes. Denke daran. Und noch etwas. Sie sagte, ich solle nicht vergessen, dir eine Sache zu sagen. Sie sagte, wenn man die Frucht am Baum erreichen will, muß man sich auf den gefährlichen Ast hinauswagen.«

Schweigend stoppte ich den Kassettenrecorder und ließ mich auf den Rücken fallen.

Aber das Tonband befindet sich in meinem Besitz. Ich habe es immer wieder abgehört, und David hat die gleichen Worte wiederholt, die McPherson und Gerry benutzt hatten.

»Das UFO-Phänomen ist eine Herausforderung an die Menschheit. Die Aufgabe der Wissenschaft ist es, diese Herausforderung anzunehmen, das Wesen der UFOs zu erforschen und die wissenschaftliche Wahrheit herauszufinden.«

Dr. Felix Zigel
Intitut für Luftfahrt, Moskau.

Lange lag ich auf dem Rücken. Dann spürte ich, wie David sich bewegte. Ich drehte mich um und sah ihn an. Er öffnete die Augen weit, deckte schützend die Hand darüber. Eine Träne tropfte ihm aus dem Augenwinkel. Er sah aus, als erwache er aus tiefem Schlaf.

Er seufzte tief und streckte sich. »Ich war weg. Entschuldige, aber ich lag so friedlich in der Sonne, daß ich mich einfach ausgeschaltet habe.« Er reckte die Arme in die Luft und rieb sich die Augen. »Es ist warm und schön.«

Ich schaute ihn nur an.

»Was denkst du?« fragte er und wischte sich übers Kinn. »Wie lange habe ich so gelegen?«

»Eine Stunde etwa«, sagte ich. »Und ich habe dir etwas mitzuteilen.« Etwas in meiner Stimme ließ ihn aufmerken. Er richtete sich auf.

»Es ist unglaublich, ich komm' mir vor wie ein Trottel. Zum Teufel mit aufgeschlossener Intelligenz. Ich glaube, ich bin ein vollkommen einfältiger Trottel.«

David sah mich traurig an. »Du meinst wegen Mayan?« fragte er.

»Ich spreche von der ganzen verdammten Sache!« antwortete ich, beinahe in Tränen vor Wut, Erschöpfung, Verzweiflung und einem sehr viel tieferen Gefühl – einer Angst, daß meine Wut falsch war...

»Ich weiß«, sagte er. »Mein Gott, ich weiß. Ich habe diesen Horror selbst erlebt. Aber nach einer Weile konnte ich einfach nicht mehr ignorieren, daß das, was sie sagte, richtig war. Verstehst du? Man kann sich über Gefühle lustig machen. Aber wenn es zum springenden Punkt kommt, ›*sind*‹ Gefühle alles. Sogar Wissenschaftler müssen ein ›Gefühl‹ haben, bevor sie anfangen, Dingen auf den Grund zu gehen. Ich ›fühlte‹ einfach, daß sie die Wahrheit sagte.«

Ich starrte ihn an. Dann stand ich auf und starrte auf ihn hinunter.

»David, wie willst du wissen, daß du nicht einfach ein tief in deinem Unbewußten festsitzendes Bedürfnis projiziert hast, das sich in der Weise manifestierte, daß du glaubst, was diese Person namens Mayan von sich selbst gesagt hat. Vielleicht *mußtest* du das glauben – also hat sie dich aufgelesen und dir gesagt, was du glauben wolltest.«

David schaute mich erstaunt an. »Aber ich *wollte es nicht* glauben. Ich habe dir doch erzählt, es dauerte zwei Aufenthalte hier und monatelanges Zuhören, bevor ich überhaupt höflich mit ihr war, wenn sie versuchte, mir etwas über diese Dinge mitzuteilen. Ich haßte, was sie sagte. Sie wollte es schon beinahe mit mir aufgeben. Sie meinte, ich war fast zu aggressiv, um es zu ertragen. Sie hatte recht. Sie warf all meine Überzeugungen durcheinander; ich zweifelte an meiner Zurechnungsfähigkeit. Ich liebte meine schnellen Autos, meine schnellen Mädchen und mein Leben in der Schickeria. Ich dachte nicht im Traum daran, mein Leben zu ändern und durchgeistigt zu werden. Ich war auch nicht unglücklich oder auf der Suche nach irgend etwas. Doch nach einer Weile mußte ich zugeben, daß das, was sie sagte, überzeugend klang.«

»Was klang überzeugend? Daß sie von den Plejaden kam?«

»Nein«, antwortete er. »Das nicht. Ihre geistige Botschaft überzeugte mich. All ihre Lehren und Erklärungen über Reinkarnation des Lebens und Kosmische Gesetze und Gerechtigkeit. *Das* hatte Sinn. Davor konnte ich nicht weglaufen.«

Ich sah ihn mir genau an. Er wirkte so echt.

»Ich will dich von nichts überzeugen, Shirley. Was du glaubst, ist deine Sache. Ich finde nur, du solltest ernsthaft die Möglichkeit dessen, was ich sage, in Erwägung ziehen. Für mich spielt deine Überzeugung keine Rolle. Ich weiß bereits, was ich glaube.«

Unbeweglich stand ich vor ihm.

Ein gelber Güterzug quälte sich durch die Unterführungen in den Felswänden. Am liebsten wäre ich auf die Kohlenhaufen gesprungen und hätte mich mit schwarzem Ruß beschmiert, das war Wirklichkeit. Ich wollte zu jeder peruanischen Musikbox tanzen, die irgendwo plärrte. Das war Wirklichkeit. Ich wollte mich in die orangefarbenen Luftbläschen des Mantaro stürzen ohne Angst, zu ertrinken. Ich wollte zu den Huaytapallana-Gletschern hinaufsteigen, mich über sie hinauslehnen, damit ich selbst sehen konnte, was auf der anderen Seite war.

Ich ging weg. David blieb, wo er war.

Für den Rest des Tages wanderte ich allein durch die Berge. Meine Gedanken waren wie dicke Eisenketten aneinandergeschmiedet... voller Verwirrung, Angst, Trauer und Verletzung. Und dann überkamen mich wieder unerwartete Freudenausbrüche. Was war eigentlich los, was geschah denn mit mir?

Glaubte David nur, was er glauben mußte? Ich dachte an Kalifornien. Hatten Kevin Ryerson und Cat es nötig, an geistige Wesenheiten zu glauben? Waren Sturé und Turid und Lars und Birgitta so voller Lebensangst, daß sie alle glauben mußten, diese inkarnierte, geistige Wesenheit Ambres würde sie leiten? Keiner von ihnen machte einen ängstlichen, unsicheren Eindruck, und David hatte all diese Menschen nie kennengelernt, und doch hatten sie alle dieselbe Überzeugung – von der Realität der karmischen kosmischen Gerechtigkeit bis zur Existenz einer außerirdischen Spiritualität.

24. Kapitel

»Betrachten wir unseren eigenen Körper. Ich glaube, er setzt sich zusammen aus Myriaden und Myriaden unendlich kleiner Wesen, jedes in sich selbst eine Lebenseinheit, und diese Einheiten bilden Gruppen – oder Schwärme, wie ich sie gerne nenne – und diese unendlich kleinen Einheiten leben ewig. Wenn wir ›sterben‹, begeben sich diese Schwärme von Einheiten sozusagen wie ein Bienenschwarm woanders hin und funktionieren in anderer Form oder Umgebung.«

Thomas A. Edison
The Diary and Sundry Observations
(Tagebuch und diverse andere Beobachtungen)

Auch am nächsten Morgen zog ich allein los, wanderte durch die Gegend, dachte nach – nein, ich dachte nicht wirklich nach. Ich ließ nur die ganze neue Erfahrung durch mich hindurchspülen, ohne zu versuchen, die Dinge zu ordnen. Wirklich neues Denken zu absorbieren, neue Ansichten zu gewinnen, eine völlig neue Lebensperspektive ist ein Prozeß, der Zeit in Anspruch nimmt – einfach Zeit –, nur um durchzufiltern. Wir sind so an die Dinge gewöhnt, mit denen wir groß geworden sind, daß wir die Wichtigkeit der Schweigezeiten vergessen haben, Zeiten, in denen wir die Welt ausschalten – die einsamen Zeiten des Erwachsenwerdens. Und vielleicht brauchte man immer etwas Einsamkeit. Ich brauchte sie jetzt unbedingt. Am späten Nachmittag kam ich zu David zurück.

»Hast du Lust auf ein Schwefelbad?« fragte ich ihn.

»Gute Idee.«

Unterwegs holte David aus seiner Hosentasche ein Kettchen, das wie Silber aussah und gab es mir. Das gleiche trug er die ganze Zeit. »Das hat Mayan mir gegeben«, sagte er. »Nimm es. Du sollst es, solange wir hier oben sind, tragen. Es hilft dir, die Dinge klarer zu sehen.«

Ich legte es mir ums Handgelenk.

»Woraus ist es?« fragte ich.

»Ich weiß nicht. Schwer zu sagen. Aber es klappt.«

»Was klappt?« Ich verstand nicht, wovon er sprach.

»Wenn ich mein Kettchen trage, sind meine Gedanken irgendwie erweitert, und ich kann klarer denken.«

»Wie kommt das?«

»Ich weiß nicht genau. Es hat etwas zu tun mit dem, was sie die dritte Kraft nennt.«

»Mayan hat dir diese Kettchen gegeben?« fragte ich.

»Ja. Lass' uns im Badehaus weiterreden. Dort kann ich besser denken, und ich versuche, dir zu erklären, was sie mir gesagt hat.«

»Okay.«

Es wurde kühler, als wir in der Nachmittagssonne die Steinstufen hinuntergingen; der Himmel war klar und kristallen. Ich sah den Mond wie einen hellen, großen Ball im Himmel hängen. Ich spürte, wie mein Kopf vibrierte. Etwas von meiner Verwirrung schwand. Der Himmel war Wirklichkeit. Die Kühle durchdrang mich. Der Mond war eine Tatsache. Alles Dinge, die ich nicht in Frage stellte.

David trug die Kerze, ich den Kassettenrecorder. Mein weicher Wollponcho war mir nachts so wertvoll wie mein Hut tagsüber. Ich freute mich auf das lauwarme Schwefelwasser. Meine Muskelschmerzen begannen schon jetzt besser zu werden. Die »Wasser« wirkten schmerzlindernd; auch das war eine Tatsache. Wir hängten unsere Kleider an die Nägel der modrigen Wand und stiegen ins Wasser, unsere Füße rutschten auf dem algenbewachsenen Felsgrund. Um uns blubberte es, als würde das Wasser sprechen. Wir ruderten heftig mit den Armen.

Wieder empfand ich den starken Auftrieb des prickelnden Wassers als angenehm. David entzündete die Kerze, tropfte Wachs auf den Boden neben dem Becken und stellte die Kerze in das erkaltende Wachs.

»Entspanne dich«, sagte er. »Du bist so angespannt wie ein Trommelfell. Ich muß dir mehr sagen von dem, was Mayan mich gelehrt hat. Es ist eine Sensation.« Als wäre mein Verstand nicht schon genug Sensationen ausgesetzt.

Ich ließ den Kassettenrecorder laufen.

»Zuerst«, sagte David, »ein kurzer Ausflug in die Chemie, was wir in der Schule über die Zusammensetzung des Atoms gelernt haben.«

»Ich habe Chemie nicht gehabt. Ich wußte immer, daß ich zum Theater will, also habe ich mich nicht dafür interessiert.«

»Egal. Du weißt, das Proton ist die positive Energieladung und das Elektron die negative.«

»Ja.«

»Und du weißt, daß jede dieser Ladungen einander ausgleichende Energie trägt.«

»Ja.«

»Und daß negative und positive Ladungen einander anziehen und gleiche Ladungen einander abstoßen.«

»Ja.«

»Du weißt, daß sich die Elektronen ständig kreisförmig in großen Geschwindigkeiten um die Protonen bewegen in etwa der gleichen Weise wie die Erde und andere Planeten unseres Systems um die Sonne. Mit anderen Worten, das Atom ist ein miniaturplanetarisches System.«

»Ja, das habe ich gelesen. Ziemlich aufregend, finde ich, daß das Atom ein Mikrokosmos eines planetarischen Systems ist. Da fragt man sich, ob das ganze Universum in einem Wassertropfen enthalten sein könnte.«

Davids Gesicht leuchtete auf.

»Also«, sprach er weiter, »es ist eine Kraft am Werk, die als bindendes Element wirkt, um diesem miniaturplanetarischen System die Rotation zu ermöglichen. Diese Energie hat Mayan die Göttliche Kraft genannt – eine Kraft, die der Ursprung und Lenker aller Materie im Kosmos ist. Eine Kraft, die das Atom aufbaut. Alles in der Schöpfung besteht aus Atomen – Bäume, Sand, Wasser, die Schnurrhaare einer Katze, Planeten, Galaxien – alles. Alles Physische besteht aus Atomen. Diese Kraft ist der Ursprung, die Quelle, das denkende Element in der Natur.«

»Moment mal«, sagte ich. »Ein *denkendes* Element?«

Er schaute eine Weile in die Kerzenflamme. Dann fuhr er fort: »Das erkläre ich dir später, Shirley, laß mich weitersprechen, einverstanden? Hör einfach zu.«

»Gut«, sagte ich. »Diese Quelle ist also ›denkendes Element‹ in der Natur. Und weiter?«

»Also gut, jetzt möchte ich das Atom in seine Bestandteile zerlegen. Du weißt, ein einziges Atom besteht aus Protonen, Neutronen und Elektronen.«

»Richtig.«

»Und du verstehst, daß diese Ursprungskraft das Bindemittel ist, das Elektronen, Protonen und Neutronen zusammenhält.«

»Es klingt wie eine Art Ozean, in dem alles schwimmt.«

»Ja gut«, sagte David. »Dieser ›Ozean‹ hält die Atome zusammen, die Planeten, die Galaxien, hält das ganze Universum zusammen – in vollständiger Harmonie.«

»Das hat dir Mayan gesagt?« Ich begann einen seltsamen Aufruhr in meinem Kopf zu spüren.

David nickte. »Hab Geduld mit mir.«

»Gut.« Ich schluckte.

David fuhr fort. »Die Quelle oder der ›Ozean‹, wie du sie nennst, besteht aus ausgleichenden und gegensätzlichen Polaritäten.«

»Polaritäten?« fragte ich.

»Ja, Polaritäten von Positiv und Negativ, von Yin und Yang oder wie die Wissenschaft sie heute bezeichnet von ›Quarks‹.«

»Davon habe ich gehört«, sagte ich.

»Das überrascht mich nicht. Einige Wissenschaftler vermuten die Existenz dieser Energie, können sie jedoch nicht messen, da sie nicht molekular ist. Sie sagen, diese Energie füllt den interatomaren Raum, aber sie haben nicht die geringste Ahnung, was sie eigentlich ist. Auch sie bezeichnen sie als bindendes Element des Atoms, und nennen sie ›Gluon‹. Sie wissen, es handelt sich dabei nicht um etwas Stoffliches, eher etwas aus Energieeinheiten.«

»Und worauf willst du hinaus?«

»Mayan sagt, diese subatomare Energie ist der Ursprung. Deshalb ist die Quelle, diese Form der Energie nicht molekular. Und jetzt komme ich zum schwierigen Teil. Diese Energie ist die Energie, aus der unsere Seele besteht. Unsere Körper bestehen aus Atomen; unsere Seelen bestehen aus dieser Ur-Energie.«

Nervöser Schweiß bildete sich auf meiner Schädeldecke. War es möglich, daß die Seele aus einer Energiekraft bestand, die so wirklich wie die physikalische Kraft war? Ist es das, warum die Seele ewig lebt? Meine Gedanken wirbelten durcheinander.

Davids Worte holten mich zurück.

»Unsere Wissenschaft lehnt die Existenz der Seele ab, also kann sie die wissenschaftliche Zusammensetzung der Urquelle nicht ergründen. Wenn die Wissenschaft diese Urquelle erkennt, dann wird sie die Spiritualität als physikalische Realität akzeptieren.«

»*Was?* David, begreifst du eigentlich, welch ungeheuerliche Hypothese das ist? Wer *sagt* denn, daß diese Urquelle, wenn sie existiert, notwendigerweise die Seelenkraft ist? Es könnte doch alles sein – Teil einer vierten Dimension, oder Raum, oder Zeit – irgend etwas. Und es bringt mich an diesem Punkt nicht weiter, ob wir tatsächlich wissen oder nicht wissen, woraus die Seele besteht. Wenn wir ihre grundsätzliche Existenz als Glauben voraussetzen müssen, und das müssen wir, da es keinen *Beweis* gibt – was hat es dann für einen Sinn, sie in ihre Bestandteile zu zerlegen. Warum, zum Teufel, ihre Zusammensetzung nicht als Glauben hinnehmen? Warum überhaupt irgendwelche Fragen über die Mechanik einer Sache stellen? Mechanik hat doch nur Bedeutung, weil sie bewiesen werden kann. Die Seele kann nicht *bewiesen* werden, und was mich angeht, ist das auch nicht nötig. Aber versuche nicht, mir Mechanik für Glauben zu verkaufen.«

David kicherte. »Mayan sagte, das sei der Haken an unserer Wissenschaft. Sie lehnt die Existenz von Kräften ab, die in einfachen geistigen Bereichen wohnen. Deshalb wissen wir auch nicht, was Elektrizität *ist*, wir wissen, daß sie existiert, weil sie physikalische Ergebnisse zeigt.«

»Und du glaubst wirklich, die Seele ist eine *physikalische* Kraft?«

»Ja, genau. Aber sie ist eine signifikant andere Kraft als die physikalisch atomaren und molekularen Kräfte, aus denen der Körper besteht. Sie ist eine subatomare Kraft, ein intelligenter Energieträger, der das Leben schafft. Sie ist Teil jeder einzelnen Zelle, sie ist Teil der DNS (Desoxyribonucleinsäure), sie ist in uns, aus uns, und die Gesamtheit davon – die überall herrscht – ist das, was wir ›Gott‹ nennen.«

Ich schwitzte, und mir war schwindlig. So sehr ich mich dagegen sträubte, ich kann nur sagen, es klang realistisch für mich. Ich weiß nicht, warum. Ich kann es nicht erklären. Ich hatte die Empfindung, mich an etwas zu *erinnern*, irgendwo weit hinten in meinem Gehirn, an einer Stelle, die ich noch nie berührt hatte. Was David von Mayan erzählte, rief ein *Wiedererkennen* in mir wach, wie wenn plötzlich etwas Form annimmt, auf das man gestarrt hatte, ohne es zu sehen. Ich fühlte, was er sagte, ist wahr, weil ich es irgendwie gewußt hatte, irgendwann in der Vergangenheit. Nicht so sehr die Zusammenhänge, sondern das sichere Wissen eines bedeutenden Bewußtseins, das außerhalb oder vielmehr *zusätzlich* und als Teil des Lebens, das wir kennen, existiert.

»Verstehst du?« sagte er sanft. »Das ist es. Diese Quelle erschafft und erfüllt alles Leben. Sie ist der Anfang und das Ende; das Alpha und das Omega. Sie ist der Gott der Schöpfung. Und sie ist in uns.«

Ich starrte ihn an. Ich konnte nicht sprechen. Es gab nichts zu sagen.

Ich dachte daran, wie hochmütig es war, sich Gott in Menschengestalt vorzustellen, erschaffen durch unser eigenes Bild. Kein Wunder, daß wir den Geist ablehnten. Sogar unsere religiösen Vorstellungen der Seele beruhten meist auf körperliche Darstellungen. Und die Wissenschaft weigerte sich, die Möglichkeit der tatsächlichen Existenz einer geistigen Form einzugestehen.

»Nun verstehst du auch, daß«, sagte David, »als Christus sagte, Gott ist überall, er das in gewissem Sinn wörtlich gemeint hat – er wollte dadurch ausdrücken, daß diese lebensbegleitende, geistige Energie überall ist. Das Leben besteht aus einer Kombination von Molekularstruktur, der physischen Materie, und der Quelle, der geistigen Energie. Die physische Form stirbt. Die geistige Energie lebt ewig.«

Ich fuhr mir durch die Haare, um den Schweiß wegzuwischen, schlang die Arme um meinen Körper. Dann sagte ich laut: »Energie kann nicht erschaffen oder zerstört werden, lediglich verändert«, als würde ich eine pyhsikalische Formel aufsagen.

»Richtig«, sagte David. »Alles ist Energie. Doch die Wissenschaft befaßt sich nur mit dem, was sichtbar und beweisbar ist. Molekulare Einheiten sind leichter zu erkennen als Energieeinheiten. Und die Seele ist eine Ansammlung von Energieeinheiten. Sie besitzt ihren eigenen freien Willen, und wenn ihr begleitender Körper stirbt, individualisiert sie sich, bis sie ihre karmische Entscheidung trifft, in welcher Form sie leben möchte, und das ist Reinkarnation. Also Leben nach dem Tode. Also Leben vor der Geburt.«

Ich schwieg. Wollte denken. Wollte nicht denken. Ich wollte mich vor allem ausruhen. Ich atmete tief. Etwas wie Galle stieg in meiner Kehle auf. Ich starrte in die flackernde Kerze. Mein Kopf war leicht. Ich fühlte körperlich, wie sich eine Art Loch in meinem Kopf öffnete. Es wuchs wie eine Höhle aus klarem Raum, der offen war und ohne spürbare Bewegung. Es fühlte sich nicht gedanklich an, sondern wirklich physisch. Die Kerzenflamme schmolz allmählich in den Raum in meinem Kopf. Wieder fühlte ich mich die Flamme *werden*. Ich hatte keine Arme, keine Beine, keinen Körper, keine Körperform. Ich wurde der Raum in meinem Kopf. Ich spürte, wie ich in diesen Raum floß, ihn ausfüllte und mit ihm wegfloß, aus meinem Körper aufstieg, bis ich zu schweben begann. Mir war bewußt, daß mein Körper im Wasser blieb. Ich schaute hinunter. David stand neben meinem Körper. Mein Geist oder mein Verstand oder meine Seele, oder was immer das war, schwebte höher in den Raum. Durch die Decke des Badehauses, über den Fluß in der Abenddämmerung. Ich spürte buchstäblich, daß ich flog... nein, fliegen war nicht das richtige Wort... es war sanfter als das... gleiten schien es am besten zu beschreiben... ich glitt höher und höher, bis ich die Berge und die Landschaft unter mir sehen konnte, und ich erkannte die Plätze, die ich während des Tages durchwandert hatte.

Und mit meinem Geist verbunden war eine dünne, dünne Silberschnur, die nach unten lief und an meinem Körper im Wasserbecken befestigt war. Es war kein Traum. Nein, mir war alles bewußt. Mir war sogar bewußt, daß ich nicht zu weit weg von meinem Körper gleiten wollte. Ich fühlte mich mit ihm ganz fest verbunden. Und ich war ganz sicher, zwei Formen zu fühlen... meine Körperform unten und meine geistige Form, die schwebte. Ich war an zwei Stellen gleichzeitig, und es war völlig normal. Im Schweben bemerkte ich eine schwingende Energie um mich. Ich konnte sie nicht sehen, aber ich hatte eine neue Empfindung, sie »wahrzunehmen«. Es war wie eine neue Dimension der Wahrnehmung, die nichts zu tun hatte mit hören, sehen, riechen, berühren oder schmecken. Ich konnte es nicht beschreiben. Ich wußte, daß es mich gab – physisch –, und doch wußte ich, daß mein Körper unter mir war.

Hatten das all die Menschen erlebt, mit denen Elisabeth Kübler-

Ross Experimente gemacht hatte? Hatte meine geistige Energie sich von meiner körperlichen Form getrennt? Schwebte ich *als* meine Seele? Diese Fragen stellte ich mir, als ich frei über der Erde schwebte. Ich war mir so bewußt, daß ich in jenen Momenten erfaßte, wie unwichtig mein physischer Körper ist. Ich erlebte eine Trennung, machte die Erfahrung, zwei Wesen zu sein – und noch sehr viel mehr darüber hinaus.

Ich beobachtete die Silberschnur, die an meinem Körper befestigt war. Ich hatte über die Silberschnur in esoterischer Literatur gelesen. Sie glitzerte in der Luft. Sie schien in ihrer Länge unbegrenzt... völlig elastisch, dabei immer an meinem Körper befestigt. Meine Fähigkeit zu sehen kam aus einer Art geistigem Auge. Es war nicht, wie mit wirklichen Augen sehen. Ich schwebte höher und fragte mich, wie weit die Schnur sich dehnen würde, ohne zu reißen. In dem Augenblick, als ich an ein Zögern dachte, hörte ich auf, höher zu schweben. Ich stoppte meinen Flug im Raum bewußt. Ich war so hoch, daß ich die Krümmung der Erde sah und die Dunkelheit auf der anderen Seite des Globus. Der Raum, der meinen Geist umgab, war sanft und rein und beruhigend. Ich begann, Wellen der Energieverbindung wahrzunehmen und wellenförmige gedankliche Energiemuster. Die Silberschnur war nicht gespannt, sie schwebte sanft. Ich dirigierte mich selbst nach unten, zurück in meinen Körper. Langsam stieg ich ab, langsam hinunter und hinunter, langsam durch den Raum auf die Erde zurück. Die Energieschwingungen hörten auf... das schwankende Gefühl der sich bewegenden Gedankenwellen verschwand über mir, und mit einem sanften Ruck schmolz ich zurück in meinen Körper. Mein Körper war eine angenehme, vertraute Empfindung, gleichzeitig aber auch beschwerlich und begrenzt... Ich war froh, wieder zurück zu sein, gleichzeitig wußte ich, daß ich wieder hinauswollte.

Die Silberschnur schmolz in die flackernde Kerze, und ich schüttelte die Konzentration ab und schaute zu David hinüber, der lächelte.

Ich begriff nicht wirklich, was geschehen war. Ich versuchte es, David zu erklären.

»Ich weiß«, sagte er. »siehst du, wie die Verwirklichung ein physischer Akt ist? Du hast dir *vergegenwärtigt*, daß deine Seele den Körper verläßt, und das hat sie getan. Nichts weiter.« Aber er schien ausgesprochen entzückt darüber.

»Du meinst, ich hatte eine Astralprojektion?«

»Sicher. Ich hatte mich heute morgen auch auf eine Astralreise begeben, als du spazierengingst. Auf diese Weise mache ich Ausflüge in die ganze Umgebung – und spare eine Menge Benzin dabei«, grinste er. »In der astralen Welt kannst du gehen, wohin du willst und alle möglichen anderen Seelen treffen. Nur wenn du zurückkommst und in deinem Körper aufwachst, weißt du manchmal nicht, wo du gewesen bist. Es hat Ähnlichkeiten mit dem Traum.«

»Das geschieht also, wenn man stirbt; die Seele schwingt sich einfach aus dem Körper und schwebt in eine astrale Welt?«

»Sicher«, sagte David. »Mit dem Unterschied, daß du erst tot bist, wenn deine Silberschnur reißt. Die Schnur reißt nur dann ab, wenn dein Körper die Lebenskraft nicht mehr länger halten kann. Es ist wirklich ganz einfach. Ich kann dir zwar nicht genau sagen, wie es ist zu sterben. Aber im Prinzip ist es das gleiche wie die Astralprojektion, nur daß es keinen Körper mehr gibt, in den du zurückkehrst.«

Ich fing leicht zu zittern an, sehnte mich nach heißer Milch ... etwas Vertrautem. Ich konnte mich ja nicht in ein warmes, gemütliches Zimmer zurückziehen oder mich in einem heißen Schaumbad entspannen, sondern mußte mich mit dem, was es hier gab, begnügen.

»Ich denke, ich muß aus dem Wasser«, meine Zähne fingen an zu klappern.

»Gut, du bekommst gleich deine heiße Milch und was zu essen.«

Ich rubbelte meine Haut, bis sie prickelte, und zog mich mit der Behendigkeit einer Verkleidungskünstlerin an. Draußen umarmte mich David so stürmisch, als hätte ich einen Leistungstest bestanden.

Alle meine Wahrnehmungen waren drunter und drüber ... das heißt, alle meine weltlichen Wahrnehmungen. Meine neuen Wahrnehmungen waren klarer, einfacher geworden. Was mir widerfahren war, hatte eine traumhafte Qualität, war jedoch kein Traum, sondern eher etwas wie eine neue Dimension. Eine Wolke aus Ruhe hüllte mich ein, als wir Milch tranken und bei der Frau ohne

Zähne und den Kindern Eintopf aßen. Die Sportübertragung aus Lima quäkte laut über den Kurzwellenempfänger, unterbrochen von Berichten sich verbreitender Unruhen in Huancayo, das etwa eine Stunde weiter oben in den Bergen lag. Der Sprecher sagte, es handle sich um Inflationsdemonstrationen. Die Menschen warfen Steine in die Schaufenster der Geschäfte, aus Protest gegen die hohen Lebenshaltungskosten. Selbst hier oben im Gebirge hatten die Menschen nicht genug zum Leben, weil die Löhne sich nicht den Preisen anpaßten. David sagte, es gäbe vielleicht einen Regierungswechsel, ob durch Umsturz oder anderes, aber das wäre ohnehin egal, denn das Problem würde dadurch nicht aus der Welt geschafft. Als wir zu unserem »Hotel« hinübergingen, war es bereits dunkel. Wir stolperten über ein paar große Felsbrocken. Die Demonstranten errichteten überall Straßensperren, um den Verkehr nach Huancayo zu behindern, wo die 100 000 Einwohner bereits einer Ausgangssperre nach neun Uhr abends unterworfen waren. Die Felsbrocken behinderten auch das Eintreffen der Regierungstruppen. Ich hatte eine Kerosinlampe bekommen, die, nach Petroleum stinkend, etwas Wärme verbreitete.

David sagte: »Schlaf gut. Entspanne dich. Vielleicht treffen wir uns auf der astralen Ebene!« Blinzelnd ging er.

Der kalte Lehmboden roch muffig, und als ich mich in meinen Poncho hüllte, fragte ich mich, wie aufgeschlossen ich diesem Lernprozeß gegenüber wäre, wenn ich es bequemer hätte. War es notwendig, grundsätzlich primitiv zu leben, um Grundsätzliches zu lernen? Ich starrte in die zerbrochene Kerosinlampe, bis mir die Augen wehtaten. Ich horchte in die Stille der Berge. Draußen grunzten die Schweine.

Meine Gedanken wirbelten, sausten und tobten um sich selbst. Ich war erschöpft. Ich wollte aus mir selbst weg. Wollte ich weglaufen und mich verstecken, alles vergessen, was ich hier oben erlebt hatte? Ich bin ein lebenshungriger Mensch, der alles, was es gibt, spüren, fühlen, erfahren will. Ich konnte mir nicht vorstellen, daß ich mich nicht mehr von der täglichen Hetze begeistert mitreißen lassen würde. Aber wollte ich wirklich mein altes Leben wieder? Die bekannte Qual der Suche nach Sinn und Zweck, meine Ängste, meinen Neid, meine Kämpfe im Bestreben nach der Wahrheit in dieser Realität. Sehnte ich mich, alles, was mich unglücklich gemacht hatte, zurückzubekommen, nur weil es mir vertraut war? Würde ich jemals wieder ruhig leben können in dem Glauben, daß Leben und Realität das ist, was ich sehen, berühren und hören kann? Daß der Tod der Tod sei und einfach das *Ende*? Wollte ich zurück zu dem »sicheren« Gefühl, daß es ohne Beweis nichts gab, das wert war, daran zu glauben?

Ich hörte ein leises Pochen an der Wand zwischen Davids und meinem Raum. »Entspanne dich, Shirley«, flüsterte David laut mit lachender Stimme. »Ich spüre deine Gedanken; sie lassen mich nicht schlafen.«

Ich lachte. »Du hast mich da reingezogen«, sagte ich und starrte auf die graue, trostlose Wand neben dem Bett. »Und jetzt sagst du, ich lass' dich nicht schlafen...«

»Versuche zu schlafen, du brauchst es.«

»Sicher, aber wie? Wie kann ich einschlafen, wenn ich weiß, ich werde eine Million Jahre leben? Ich weiß gar nicht, ob mir das so gut gefällt.«

»Konzentriere dich.«

»Worauf?«

»Auf deinen Goldenen Traum, erinnerst du dich?«

»Ich, ich erinnere mich.«

Aber das stimmte nicht. Ich konnte an nichts denken, was ich meinen Goldenen Traum nennen könnte. Und *das* war schlimmer als alles andere.

25. Kapitel

»... ist unser ganzes Leben von der Geburt bis zum Tod mit all seinen Träumen nicht selbst ein Traum, den wir als wirkliches Leben hinnehmen, dessen Wirklichkeit wir nicht anzweifeln, nur weil wir kein anderes, wirklicheres Leben kennen? Unser Leben ist nur einer der Träume dieses wirklichen Lebens, und so bleibt es ewiglich bis zum letzten, dem echten wirklichen Leben – dem Leben Gottes.«

Leo Tolstoi
Briefe

Die folgenden Tage verbrachte ich mit Spazierengehen und Denken. Manchmal begleitete mich David, manchmal nicht. Manchmal wollte ich heim, zurück nach Amerika, zurück zur Vertrautheit meiner alten Welt mit ihrer Schnellebigkeit, ihren fadenscheinigen Beziehungen, ihrer unechten Romantik, all der Hast ohne ersichtlichen Sinn – den gesellschaftlichen Ereignissen, Nachrichten, Kunstrichtungen, dem Kino, den Hits, den Flops, dem Schweiß, der harten Arbeit, dem schwarzen Humor, Interessenkämpfen, neuen Moden, dem Profitdenken, Farbfernsehen und dem Erfolg. All das vermißte ich. Ich war daran gewöhnt. Ich hatte in ihrer farbenprächtigen Konfusion überlebt, und sie fehlten mir. Aber ich wollte nicht mehr unerfüllt in ihr sein. Ich schaute der Frau ohne Zähne zu, wie sie ihre Wäschestücke wusch, indem sie mit den Füßen darauf herumstampfte. Und sie wurden sauber – die Wäschestücke, meine ich. (Vielleicht auch die Füße.) Das wollte ich mit meinem Leben tun... darauf herumtrampeln, bis es sauber war. *Konnte* ich jetzt in meine alte Welt zurückkehren? Würde ich zwiegespalten sein? War ich überhaupt mehr als eine Person?

Bei dem Gedanken mußte ich lachen. Das war doch die ganze Lektion, oder? Ich war all die Menschen, die ich je gelebt hatte. Wahrscheinlich hatte ich andere Versionen dieser Gehirnwäsche mehr als ein paar Mal durchgemacht.

David beobachtete mit Gelassenheit und Verständnis, wie ich diese Gefühlswallung durchlebte.

»So ist es mir auch ergangen«, sagte er eines Tages, auf einem Felsen sitzend, den Blick in eine Gebirgsblume gesenkt. »Erkenne dich selbst, erinnerst du dich? In dir ist das Universum.«

Eines Abends nach unserem Eintopf im »Food«-Haus fragte er, ob ich Lust habe, den Himmel zu beobachten. Das Essen hatte uns warm gemacht und gab uns das Gefühl der Widerstandskraft gegen die Kälte.

»Versuchen wir es«, sagte er. »Wenn's zu kalt wird, gehen wir hinein. Das Stroh hält uns warm, wenn wir uns tief eingraben.«

Mit einer Schaufel von einem der Koka-Blätter kauenden Arbeiter gruben wir ein tiefes, rechteckiges Loch in die weiche Erde direkt hinter unserem »Hotel«. Dann füllten wir Strohballen hinein, legten uns in das Strohnest und deckten uns mit weiterem Stroh zu.

David schaute in den Himmel. Er hatte einen sehnsüchtigen Gesichtsausdruck.

Ich fragte mich, wie ich über Peru denken würde, wenn ich es verließ. Ich hatte die seltsame Angewohnheit, nach jedem Land Heimweh zu haben, in dem ich einmal war – sogar nach der Sowjetunion, wo es mir nicht besonders gefallen hatte. Ein Funke in mir war immer angerührt, wenn ich neue Länder kennenlernte; er verfolgte mich, wenn ich sie wieder verließ. Ich hätte gern gewußt, in wie vielen Ländern meiner früheren Lebenszeiten ich gelebt hatte. Ich begriff nicht, warum ich mich daran nicht erinnern konnte.

Die Sterne über uns schienen kaum zwei Meter entfernt zu sein. Ich schauderte ein wenig, doch die Großartigkeit machte mein Frösteln lächerlich. David lag ruhig neben mir. Wir schauten etwa eine Stunde lang in den Himmel.

Dann sah ich zu ihm hinüber.

»Ich bin froh, daß ich gekommen bin«, sagte ich. »Danke.«

Bald darauf schliefen wir ein. Sollten die Scheiben aus dem Weltraum erscheinen, so war es uns egal. Wir brauchten unseren Schlaf. Bei Tagesanbruch erwachten wir und gingen etwa zwei Stunden im Morgengrauen spazieren. Wir sprachen nicht viel miteinander. Und später, als wir unsere heiße Milch und die

Brotfladen zu uns nahmen, drehte sich unsere Unterhaltung darum, wie beruhigend es ist zu wissen, daß nichts und niemand jemals stirbt. Am Nachmittag gingen wir wieder spazieren ... die Berghänge hinauf und hinunter, den Mantaro entlang. Unterwegs kauften wir Mantaro-Joghurt. Wir sprangen und liefen, wateten im kalten Fluß und bespritzten uns mit dem orangefarbenen Wasser. Ich fühlte mich völlig in der Gegenwart, und als ich in der späten Nachmittagssonne ein Nickerchen machte, ausgestreckt im sonnenwarmen Gras, war mir, als würden sanfte Wellen flüssigen Samts mich umspülen.

Ich begann, eine neue Betrachtung des Lebens und meiner Person zu fühlen. Ich bemerkte, ein altes Selbst aufzugeben, ein Selbst, das geglaubt hatte, daß Schuld, Habgier, Materialismus, sexuelle Schwierigkeiten und Zweifel zum Menschsein führten. Ich hatte mich einmal recht und schlecht mit der Beständigkeit dieser Emotionen abgefunden. Nun mußte ich dieses Abfinden umkehren, in eine neue Art Lebensdenken verwandeln, dazu war es erforderlich, das Negative zu verarbeiten; und wenn ich mich weigerte, dies zu tun, mußte ich mit meinem eigenen Karma später dafür bezahlen. Da mein Leben offenbar nicht zu Ende sein würde, wenn ich sterbe, wäre ich damit bis in die Ewigkeit beschäftigt. Also konnte ich ebensogut jetzt anfangen. Eine solche Gedankenkonzeption war mir vollkommen fremd. Ich dachte über mein Leben und meine Beziehungen nach.

Ich erinnerte mich, als Gerry mir eines Tages plötzlich eröffnete, er fühle sich mir nicht gewachsen, weil ich ihn in einem so romantischen Licht sehe. Es lag an meiner Art, unsere Beziehung zu programmieren, daß sie unmöglich klappen konnte. Das hatten romantische Erwartungen so an sich. Sie machten das Leben unmöglich – denn romantischen Illusionen kann man unmöglich gerecht werden.

Mit einem Mal dachte ich anders über Gerry. Ich sah ihn in objektiverem Licht, sehr viel realistischer und von *seinem* Gesichtspunkt aus.

David und ich sprachen darüber, obwohl ich Gerrys Identität nie preisgab. Aber David half mir, meine eigenen Gefühle besser zu verstehen. Allmählich dämmerte mir, daß ich alle meine liebenden, beschützerischen kokonhaften Beziehungen zu Männern benützt hatte, um mich selbst zu *blockieren*. Um mich davon abzuhalten, wirklich frei zu sein und mich auszubreiten, hatte ich ein Spinnennetz sanfter Sicherheit um mich und den Mann in meinem Leben gesponnen. Dieses *Wir* war mir wichtiger als das *Ich*. Im Namen der Liebe schützte ich mich selbst vor meinem eigenen Potential.

David und ich machten jeden Tag meilenweite Spaziergänge über die Hochebene mit ihren Weizenfeldern und entlang den Ufern des Mantaro. Wir schauten uns Sonnenaufgänge und Sonnenuntergänge an, und wenn mein Problem mich zu überwältigen drohte, besprach ich es mit ihm, und er erinnerte mich daran, die Gründe meiner Widersprüche zu untersuchen, und daß die Wahl völlig bei mir lag, in eine neue Freiheit und einen Lernprozeß durchzubrechen. Wir saßen irgendwo auf einem Hügel in der Sonne oder im sprudelnden Schwefelbad, und er kam immer wieder auf seine Gespräche mit Mayan zurück.

Während eines Treffens hatte sie davon gesprochen, wie wichtig es sei, daß alle Frauen an sich selbst als Frauen glauben, wie wichtig es sei, sich dessen bewußt zu sein. »Frauen haben das Recht, auch mit der Unabhängigkeit, die sie sich bereits in Ländern wie den Vereinigten Staaten erkämpft haben, noch unabhängiger und freier zu sein«, sagte sie. »Keine Gesellschaft kann demokratisch funktionieren, wenn die Frauen nicht in jeder Hinsicht gleichgestellt sind, *besonders in ihrem eigenen Selbstverständnis*. So etwas schafft man nur aus eigener Kraft.« Und weiter sagte sie: »Nur das, was aus eigener Kraft gewonnen ist, lohnt, es zu haben. Die Seelen der Menschen, besonders die der Frauen, sind an die Erde gekettet durch Begriffe von Heimat und Familie und begrenzter Liebe; und erst wenn sie lernen, diese Ketten für ein höheres Wissen zu durchbrechen, werden sie aufhören zu leiden.« Sie hatte David gesagt, daß Frauen klüger sind als Männer – was er mit ausdruckslosem Gesicht an mich weitergab. Er nahm Mayan wirklich sehr ernst. In einem anderen Treffen hatte Mayan die Wissenschaft als Dienerin Gottes beschrieben. Doch sie sagte, die Wissenschaft besäße so fortschrittliche Technologien auf Erden, die unserer Fähigkeit, damit umzugehen, entglitten seien. Wir seien an einem Punkt angelangt, wo Technologie total lebensbedrohend geworden ist. Es sei tatsächlich nötig, unsere Kernspaltungszentren abzubauen und in verstärktem Maß zu versuchen, die Probleme der gefährlichen und überflüssigen Technologien jeder Art zu lösen. Technologie sei nicht grundsätzlich zu verwerfen – es komme darauf an, wie man sich ihrer bedient und wofür man sie verwendet. Als Beispiel hatte sie die Sonne als grenzenlose Energiequelle genannt, die wir lernen müßten zu speichern und auszunutzen. Dann erst würde die Wissenschaft durch die Technologie den Menschen und der Erde nützen.

Mayan hob immer wieder hervor, daß in der Gesamtheit des Kosmos nichts so hoch bewertet werde wie eine lebende Seele und daß im Wert einer lebenden Seele der Wert des Kosmos liege. Sie sagte, die Menschheit erfahre eine spiralenförmige Entwicklung zu Höherem, auch wenn dieser Fortschritt manchmal nicht sichtbar sei. Mit jeder Wiedergeburt und Nachlebens-Reflektion befinden sich die Menschen auf einer höheren Stufe, auch wenn wir dies nicht erkennen. Das Fortschreiten jeder einzelnen Seele hat seine Wirkung auf den Antrieb und die Bewegungen des gesamten Kosmos, *so* wichtig ist jede einzelne Seele.

Sie sagte, der Mensch habe die Gewohnheit, sein Verständnis auf die Wahrnehmungen seines eigenen Gehirns zu reduzieren, daß es uns schwerfällt, unser eigenes Denkmuster zu durchbrechen, um mit unseren Vorstellungen Quantensprünge in andere Dimensionen zu unternehmen, die Grenzen zu durchbrechen, die uns durch viele Lebenszeiten von strukturiertem Denken aufgezwungen wurden.

Wir waren nun seit zweieinhalb Wochen in den Anden. Es hätten auch zweieinhalb Jahre sein können. Meine Ansichten hatten sich ganz offensichtlich verändert. Das fühlte ich in jedem Gedanken. Ich fühlte, wie sich mein eigenes Potential öffnete. Wenn ich nur daran festhalten könnte, wenn ich zur Erde zurückkehrte! Und ich fragte mich, ob meine neuen Gesichtspunkte mein Leben verändern würden.

Hin und wieder machten wir Ausflüge nach Ataura, um Batterien für den Kassettenrecorder zu besorgen, Papier, Bleistifte, und um einfach Menschen zu sehen. Wir sahen keine Aufstände, aber es wimmelte von Polizei. Wir kauften in kleinen staubigen Lebensmittelmärkten ein, Früchte und Gemüse waren nicht frisch und die Preise horrend. 95 Cents für einen Apfel! Kleine Kassettenrecorder kosteten 450 Dollar, und die Preise für andere Elektroartikel wären selbst in einem blühenden Wirtschaftssystem unerschwinglich. Kein Wunder, daß Rebellen die Leute aufwiegelten. Die Preise waren astronomisch und die Löhne niedrig. Es gab ein paar Amerikaner, hauptsächlich Studenten, die Bergtouren in den Anden machten. Auf dem Sonntagsmarkt in Ataura kamen die Menschen zu Hunderten aus meilenweit entfernten Orten, um ihre Waren zu verkaufen. Dort gab es alles vom alten Grammophon bis zur Ziege. Wir aßen Reis und Bohnen, und es war mir egal, ob die Zwiebeln mir Sodbrennen verursachten. Immer wieder hörten wir die Menschen in den Läden und Lokalen von UFOs sprechen. David übersetzte, und ich hatte bald den Eindruck, als habe jeder irgendwann ein UFO gesehen. Viele sprachen von zigarrenförmigen Objekten, aus denen Scheiben flogen.

Und beinahe jeder hatte eine Geschichte über die Huaytapallana-Gletscher. Zu gewissen Zeiten schienen sie in Flammen zu stehen, »wenn der Himmel Blitze spuckte« oder Formationen von Raumschiffen über ihren Gipfeln auftauchten. Es schien keine große Furcht bei den Erzählenden zu herrschen, lediglich Ehrfurcht. Und jeder, der ein UFO gesehen hatte, war überzeugt davon, daß zu den Raumschiffen Wesen aus dem äußeren Weltraum gehörten.

Am letzten Tag meines Aufenthaltes saßen wir in einem Café. Mein Flug von Lima nach New York war am nächsten Morgen um sechs Uhr gebucht. David schaute auf die Gipfel der Gletscher, steckte sich ein Gänseblümchen aus der Vase auf dem Tisch hinters Ohr und ging, um sich eine Zeitung zu kaufen. Ich sah, wie sein Gesicht ernst wurde, als er die Schlagzeilen las.

»In New York City hat es einen Stromausfall gegeben«, sagte er, »und eine Menge Leute haben sich kostenlos in den Geschäften bedient – Plünderungen.«

»O Gott! Gab es Tote oder Verletzte?«

Er las weiter. »Nein«, sagte er, »das Stromnetz ist einfach zusammengebrochen. Da wird es wieder großes Geschrei nach mehr Gesetz und Ordnung geben, und der Rassismus bekommt wieder großen Auftrieb, denn die meisten, die sich an den Plünderungen beteiligt haben, waren natürlich keine Weißen.«

Ich dachte an meine Freundin Bella Abzug. Sie mußte gerade dabei sein, ihre Kampagne für das New Yorker Bürgermeisteramt zu rüsten. Ob sie gewinnen würde? Das Senatsrennen hatte sie um 0,5 Prozent nicht geschafft. Sie galt als die große Favoritin.

Ich erzählte David davon, wie sehr ich Bella schätzte und wie sehr ich hoffte, daß sie sich durchsetzen könne.

»Ich finde sie auch ganz gut«, sagte er. »Bei Bella weiß man immer, wie man dran ist. Die Leute, die Bella nicht mögen, sind die Leute, die ich nicht mag.«

Ich nickte, dachte an ihre starke Persönlichkeit und daran, wie ich ihr bei ihrer Wahlkampagne helfen könnte, wenn ich in New York wäre.

»Ob Bella wirklich gewinnt? Oder ob sich der liberale Flügel der Demokraten in New York wieder zersplittert?«

David kaute an seiner Blume herum. »Möchtest du jemand danach fragen?«

»Was meinst du?«

»Es gibt eine Frau in der Stadt, die eine berühmte Hellseherin ist. In meinem Fall war sie ziemlich treffsicher. Wir könnten sie nach Bella fragen.«

»Okay. Warum nicht? Vielleicht erfahre ich, was mich erwartet, wenn ich nach New York zurückkomme.«

David fuhr zu einem bescheidenen Haus am Stadtrand, an einem Berghang gelegen. An der Hausmauer wuchsen Gebirgsblumen. Ein junges Mädchen öffnete uns die Tür und begrüßte David, als kenne sie ihn. Er sagte, wir würden gern ihre Mutter sprechen. Sie nickte und bemerkte, ihre Mutter arbeite schon den ganzen Vormittag an ihren Sanskrit-Texten.

»Sanskrit?« fragte ich. »Was hat eine peruanische Frau in den Anden mit Sanskrit zu tun?«

»Sie versteht es selbst nicht«, sagte David. »Sie hat nie Sanskrit studiert. Bewußt kann sie die Texte weder lesen noch schreiben. Aber sie versetzt sich in Trance, und eine automatische Schrift fließt durch ihre Finger. Auf diese Weise hat Mohammed den Koran geschrieben. Mit dem Unterschied, daß er Analphabet war.«

»Heißt das, eine innere Stimme inspiriert sie, Dinge niederzuschreiben, von denen sie nichts weiß?«

»Ja. Sie sagt auch, sie habe keine Kontrolle darüber, es überkommt sie zu den seltsamsten Stunden. Manchmal ertappt sie sich dabei, sogar im Dunkeln lange Passagen geistiger Lehren in einer Sprache zu schreiben, die sie nicht wiedererkennt.«

»Sind diese Schriften verifiziert worden?«

»Ja, sicher. Sie gilt als eine bedeutende Sanskrit-Expertin. Aber niemand kann erklären, wie und warum. Historiker und Sanskrit-Gelehrte aus der ganzen Welt haben die Echtheit überprüft und ihre Schrift als richtig beurkundet. Sie sagt, sie will es gar nicht verstehen, solange sie damit anderen Menschen helfen kann.«

Wir warteten in einer sauberen, karg möblierten Diele auf Maria. Als sie erschien, war ich überrascht, wie durchschnittlich sie aussah. Sie trug ein bedrucktes Baumwollkleid über breiten Hüften und watschelte in Schuhen mit dicken Blockabsätzen, die an den Außenseiten abgelaufen waren, auf uns zu. Sie hatte ein offenes, freundliches Gesicht und ihr Haar wies letzte Spuren einer herausgewachsenen Dauerwelle auf.

Sie umarmte David und führte uns in ihr ordentliches Wohnzimmer, das mit Möbeln aus dem Kaufhaus eingerichtet war. Wir nahmen an einem Glastisch Platz.

Sie sprach nur Spanisch und David übersetzte.

»Wie kann ich Ihnen helfen?« fragte sie.

David sah mich an. »Willst du sie über Bella fragen?«

»Sicher.«

Ich skizzierte Bellas Lebenslauf, und er übersetzte.

Maria streckte die Hand aus und sagte: »Könnte ich bitte etwas in der Hand halten, was Sie immer an sich tragen?«

»Warum?«

»Weil ich Ihre Energieschwingungen berühren muß.«

Ich nahm meine Halskette mit dem Brillantherz ab, das ich während der Dreharbeiten zu *The Turning Point* getragen und seither nicht abgelegt hatte.

Maria befingerte die Kette, schloß die Augen und schien meine Schwingungen zu »fühlen«.

»Sie sind eine gute Freundin der in Frage stehenden Frau?«

Ich nickte.

»Und sie versucht, eine führende Position in Ihrer Stadt New York zu gewinnen?« Das waren Feststellungen, weniger Fragen.

Ich nickte wieder.

Marias Augen öffneten sich.

»Nein«, sagte sie, »ich sehe nicht, daß sie diesen Kampf gewinnt. Stattdessen sehe ich einen Mann mit Glatze und langen Fingern.«

Ich schaute verwirrt zu David hinüber, wußte nicht, von wem sie sprach. Sie konnte ganz bestimmt keine Ahnung haben über politische Hintergründe in New York und reimte sich irgend etwas zusammen.

»Sind Sie sicher?« fragte ich. »Das muß ein Irrtum sein. Ich weiß nicht, wen Sie beschreiben, und ich kenne die Menschen, die ihre Kandidatur eingereicht haben. Irgend etwas kann da nicht stimmen.«

»Diese Person hat sich noch nicht nominieren lassen«, erwiderte sie.

Ein Schweißtropfen lief über meine Bauchdecke hinab. Ich wechselte das Thema.

Ich fragte nach Filmprojekten, die ich eventuell machen würde. Sie antwortete, ich hätte bereits einen guten gemacht, der Filmpreise gewinnen würde. Er sei schön, weil er sich um die Welt des Balletts drehe. (*The Turning Point* war zu der Zeit noch nicht angelaufen.)

Einen Augenblick saß ich still.

»Ich sehe auch einen Mann am Fenster stehen«, sagte sie. »Er blickt in den Schnee und begreift, daß er unmöglich mit Ihnen zusammensein kann.«

Ich blinzelte und hüstelte in mich hinein.

»Er hat viel darüber nachgedacht, aber er sieht keinen Weg, mit Ihnen ins reine zu kommen. Ich hoffe, Sie verstehen, worüber ich spreche.«

Ich wollte nicht länger über mich sprechen.

»Und was ist mit Bella?« fragte ich.

Maria schaute mich mit traurigen, runden Augen an.

»Diese Frau wird nicht gewinnen«, sagte sie. »Sie kommt nicht einmal in die Endrunde. Ein kahler Mann mit langen Händen, von dem bisher noch niemand gesprochen hat, wird siegen.«

Ich stand gleichzeitig mit Maria auf. Sie hatte offenbar andere

Dinge zu tun. Ich dankte ihr. Sie war warmherzig und traurig. Sie legte mir das Kettchen um den Hals und sagte, es würde sie freuen, mich wiederzusehen. Sie umarmte uns, und wir gingen.

Ich war verwirrt und erregt von dem, was sie gesagt hatte, hauptsächlich, weil sie ihrer Sache so sicher war.

»Wie konnte sie so sicher sein?« fragte ich David, als wir zum Wagen zurückgingen. Es hatte leicht zu nieseln begonnen, der Regen würde die Straßen der Bergstadt bald in Lehmmatsch verwandeln.

»Ich weiß nicht«, antwortete er. »Vielleicht hat sie nicht recht. Aber ich muß zugeben, das passiert nicht oft.« Er fröstelte ein wenig.

Wir fuhren Richtung Llocllapampa. David schwieg, und ich wollte ihn nicht aus seinen Gedanken holen. Ich wunderte mich wieder einmal über die Kette von »Zufällen«, die das Anwachsen unserer besonderen und wertvollen Freundschaft begleitete. Jedes Wort, das er nunmehr sprach, bekam eine verborgene Bedeutung. *Warum* war er überhaupt in meinem Leben aufgetaucht? Er hatte absolut nichts davon, mich zu kennen – und vor zehn Jahren war er als Fremder gekommen und gegangen, hatte die Massai-Steine bei mir abgegeben, um uns beide zu erinnern, so schien es, daß es kein purer Zufall war. Ich dachte an alles, was ich durch ihn gelernt hatte... an das abenteuerliche Wunder seiner Mayan, wer immer sie war... die Welt des Geistes, die sie ihm und er mir eröffnet hatte... an ihre Hinweise, daß die großen Mysterien des Lebens existieren, damit wir sie lösen, wir mußten nur genau hinsehen... an die Bücher, die David mir zu lesen gegeben hatte... an die Dutzende von Menschen hier, für die die Erscheinungen von UFOs alltäglich waren. Ich versuchte alles zusammenzusetzen: meine Sitzungen mit Ambres, mit McPherson und John, Welten voneinander entfernt, die doch alle von denselben Dingen sprachen... die ständigen Zusammenhänge von Gott, Geist, Liebe, Karma, anderen Welten, kosmischer Gerechtigkeit und dem grundsätzlich Guten und spiritueller Erleuchtung und Jesus und fliegende Objekte und der Goldenen Regel und hochstehende Zivilisationen und »Götter«, die in Feuerwagen erschienen, und Menschen durch die gesamte Menschheitsgeschichte, die unerklärte Wunder vollbracht hatten.

Fing das alles an, einen Sinn zu ergeben? Vielleicht waren die Menschen ein Teil eines ganzheitlichen kosmischen Planes, der seit Tausenden und Abertausenden von Jahren in Funktion war. War es sogar möglich, daß Menschen, die behaupteten, sie haben Reisen in Raumschiffen aus dem Weltall gemacht, die Wahrheit sprachen – auch wenn ihre Geschichten im *National Enquirer* landeten? Nein, das wäre wirklich zuviel... aber was sollte ich mit all dem anfangen? Würde mir irgend jemand glauben, wenn ich darüber schreibe? War David deshalb in mein Leben getreten? Er hatte gesagt, ich würde in der Lage sein, Demütigungen zu riskieren, wenn ich wirklich glaubte, was ich erfahren hatte. Und dann sagte er, meine Glaubwürdigkeit würde keinen Schaden nehmen, wenn die Leute glaubten, ich sei aufrichtig. Nun, aufrichtig war ich. Aber ich hatte so ein schreckliches, undefinierbares Gefühl bei dem Nachdenken darüber, *was* das eigentlich war, worin ich aufrichtig war...

Wir fuhren weiter in Richtung Llocllapampa. Ich wollte schnell packen, um ein letztes Mal den Sonnenuntergang zu genießen, bevor wir nach Lima aufbrachen. Als wir ankamen, wartete ein Peruaner in Uniform vor unserem »Hotel«. David sagte: »Ein Freund von mir wird dich nach Lima bringen. Er spricht kein Englisch, aber du kannst dich auf ihn verlassen. Du steigst in deine Maschine nach New York. Ich bleibe noch ein wenig hier.«

Ich hätte am liebsten geweint. »Moment mal«, sagte ich. »Einfach so? Ich gehe, und du bleibst hier? Ich will noch länger mit dir reden. Warum bleibst du noch?«

Er sah mich an. »Ich muß nicht zurück. Du mußt. Das ist alles. Denk einfach über alles nach, was in den letzten paar Wochen geschehen ist. Absorbiere es langsam. Es ist erst der Anfang für dich. Du mußt jetzt allein sein. Ich halte es für besser, daß du zu deinem realen Leben zurückkehrst, einfach, um zu dir zu finden. Du hast deine Aufzeichnungen, deine Tonbänder, viele Bücher zu lesen, und es gibt vieles nachzuforschen. Tu es. Du hast viel nachgedacht und viel gelernt. Jetzt brauchst du Zeit für dich.«

Tränen quollen mir aus den Augen. Ich wußte nicht, was ich sagen sollte. Er nahm meine Hand. »Schau in den Himmel«, sagte er. »Ist das die Freiheit? Und jetzt mußt du packen.«

Ein letztes Mal begab ich mich in meinen kalten, finsteren

Raum. Ich warf meine Kleider, Tonbänder und Notizen in den Koffer, sehnte mich danach, noch einmal ein Mineralbad zu nehmen. Ich würde die Schweine in der Stille der Gebirgsnacht nicht mehr grunzen hören, ich würde mir nicht mehr am Morgen die Zähne im orangefarbenen Fluß putzen, ich würde nicht mehr in der Nachmittagssonne spazierengehen, nicht mehr mit David zusammensein. Ich hatte mir keinerlei Gedanken über die Zukunft gemacht, und plötzlich lag sie in meinem Schoß.

Als ich mit Packen fertig war, ging ich hinaus in die untergehende Sonne. Die Frau mit dem Kind auf dem Rücken wartete am Plymouth mit meinem Uhrenring. Ich schaute David an, er zuckte mit den Schultern und lächelte. Ich nahm den Ring, legte ihn in ihre Hand und schloß die Finger darum, nickte lächelnd über ihr Entzücken und wandte mich an David.

Sehr sanft hob er mein Kinn. Ich hielt seine Hand mit beiden Händen fest. »Muß ich jetzt gehen? Einfach so? Einfach *weggehen*?«

»Ja.« Hand in Hand gingen wir zur Beifahrerseite. Ich blickte über die rotgetönten Berge. Er legte einen Arm um meine Schultern und öffnete die Wagentür für mich. »Wir sehen uns wieder. Das verspreche ich. Vertraue mir. Denk daran, wir haben so viele Leben zusammen verbracht, nicht wahr?«

Ich kratzte mich am Hals und versuchte nicht zu weinen, setzte mich ins Auto. Der Peruaner legte meinen Koffer auf die Rückbank. David knallte die Tür zu und beugte sich ins Wageninnere.

»Ich liebe dich«, sagte er. »Und denk daran, nichts ist so wichtig wie die Liebe.«

Ich spürte einen unerträglichen Schmerz in der Kehle, konnte kaum sprechen, aus Angst, die Beherrschung zu verlieren. »Ja«, stammelte ich, »ich verstehe es nicht, aber ich liebe dich auch.«

»Gut«, sagte er. »Und nun los und stürz dich ins Leben ... Es ist alles ganz einfach. Sei du selbst, hab keine Angst und liebe die Welt.«

Sein Freund startete den Motor und trat aufs Gaspedal. Wir ließen das kleine Dorf hinter uns. Ich sah mich nicht um, aber ich fühlte, wie David winkte, als er dastand mit seiner leicht abfallenden linken Schulter und uns nachblickte.

»... welch wunderbare Vertiefung der Gefühlskraft durch die Erkenntnis des Gedankens an die Vorexistenz gewonnen wird... Wir erfahren, daß wir nur in einer Hemisphäre gelebt haben, daß wir nur in Halbgedanken gedacht haben, daß wir einen neuen Glauben brauchen, um Vergangenes mit Zukünftigem über die große Parallele der Gegenwart zu verknüpfen und so unsere Gefühlswelt zu einer perfekten Sphäre abzurunden.«

Lafcadio Hearn
Kokoro

Der Mann am Steuer sagte etwas auf Spanisch, ich nickte lächelnd und war froh, daß ich nicht mit ihm sprechen konnte. Ich versuchte, den Schmerz in meiner Kehle zu betäuben, indem ich meine Augen die vertraute Landschaft in sich aufsaugen ließ. Wir wanden uns in Serpentinen die Anden hinunter, vorbei an den Bergwerkssiedlungen, vorbei an den Lamaherden, vorbei an den Frauen in ihren breitkrempigen, weißen, steifen Hüten, vorbei an dem UFO-Schild und dem Eisenbahnübergang. Die Luft wurde staubiger, weniger dünn, leichter zu atmen, aber nicht so berauschend. Hinter uns senkte sich die Sonne hinter die Berge. Die steile, gewundene Straße kamen leere Lastwagen den Berg herauf, die einen Tag später mit Kohle und Eisenerz beladen wieder ins Tal fahren würden.

In meinem Kopf schwirrten die verschiedensten Eindrücke: das prickelnde Schwefelwasser, warmes, saftiges Berggras, der orangefarbene Fluß, die Kokablätter kauenden Indios, verwirrende Gespräche mit David in der Sonne. Ich döste.

Mit einem Ruck erwachte ich, als der Wagen durch ein Schlagloch fuhr. Die Nacht war hereingebrochen, und die peruanischen Sterne glitzerten wie tieffliegende Kristallkleckse. Mein peruanischer Chauffeur fuhr mit stoischer Gelassenheit. Die Einfahrt nach Lima war wie die Rückkehr in eine rückständige Welt. Ich versuchte nicht hinzusehen. Armselige Hütten säumten den Straßenrand. Fabriken spuckten schmutzigen Rauch in die schmutzige Nachtluft. Wolken hingen über der Stadt, feucht, schwer und vergiftet, verbargen die glitzernde Schönheit der anderen Welt darüber. Ich fröstelte, zog meinen Ralph-Lauren-Ledermantel an, um mich auf New York vorzubereiten. Der Mann hielt vor den »Varig Airlines« und trug mir den Koffer zum Schalter. Ich bedankte mich und gab ihm lieber kein Trinkgeld. Wir schüttelten uns die Hände, er lächelte und fuhr mit der Klapperkiste weg, die mir wie eine Heimat geworden war.

Ich checkte ein und bestieg die Maschine. Zwei Stunden später in einer Höhe von etwa zehntausend Metern flogen wir durch eine Gewitterfront; es war, als prallten die Königreiche des Himmels aufeinander. Die Blitze zuckten über den Himmel, verwandelten den weiten Horizont in weißes, grelles Tageslicht. Der Anblick dieser ungeheuren Kraft der Elektrizität zwang mich in den Sitz, ich kam mir so klein und unbedeutend vor wie ein Floh. Nichts schien so mächtig wie die Natur. Doch laut David und Mayan und John und Ambres und McPherson und Cat und Cayce und – wie ich mittlerweile weiß – vielen, vielen anderen war nichts so mächtig, wie der *kollektive* menschliche Geist, dieses unendliche, elastische Netz der Stärke, genannt das menschliche Bewußtsein, dargestellt von der gemeinsamen Energie, die die Menschen ihre Seele nannten. Es schien, als gäbe es für mich endlose Welten zu erforschen. Und ich *wollte* sie erforschen, ich wollte wirklich wissen.

Vielleicht war es nicht möglich, den physikalischen Beweis der Existenz der Seele zu erbringen. Ich war mir nicht sicher, ob das wichtig ist. Vielleicht ist die Realität sowieso nur das, wofür sie einer hält. Das würde alle wahrgenommenen Realitäten wahr machen. Vielleicht war das die Lektion, die ich lernte – *ohne Grenzen zu denken*... zu glauben, daß alles möglich ist... zu glauben, daß man alles tun, in alle Höhen schweben, *alles werden kann*. Vielleicht war eine einzige Menschenseele *alles*. Und es liegt an uns, eine derartige Realität wieder zu erlernen.

Vielleicht war es die Tragödie der Menschheit, daß wir vergessen hatten, daß jeder von uns gottgleich ist. Wenn wir das wiederentdeckten, würden wir die Angst aus unserem Leben bannen. Und mit der Angst würden wir den Haß bannen. Und sehr viel mehr. Mit der Angst würden wir uns von Habgier, Krieg und Töten befreien. Angst ist die Wurzel und der Kreis, um den unser Leben sich dreht – Angst vor Versagen, Schmerz, Demütigung, Einsamkeit, Angst, nicht geliebt zu werden, Angst vor uns selbst, Angst vor dem Tod, und letztlich die Angst vor der Angst. Die Angst selbst ist tückisch, ansteckend, sie kriecht aus einem Punkt der Unwirklichkeit, um unser ganzes Leben zu durchdringen. Vielleicht ist der Glaube an den Tod die schwerwiegendste Unwirklichkeit von allem. Wenn wir wirklich wüßten, daß wir nie wirklich sterben, daß wir immer wieder eine neue Chance bekommen, daß kein Schmerz, keine Demütigung, kein Verlust endgültig und ewig ist, vielleicht würden wir dann verstehen, daß wir nichts zu fürchten hätten. Es könnte sein, daß die Menschen ihren Drang, die Dinge zu komplizieren, als Entschuldigung benutzten, um der Verantwortung zu entgehen, das zu sein, was wir wirklich von Anfang an sind – grundsätzlich Teil von dem, was wir »Gott« nennen, und daher ohne Einschränkung die Meister unseres eigenen, göttlichen Potentials.

Ich saß still und angespannt, durch meinen Gurt an den Sitz geschnallt – die Antwort des Menschen auf elektrische Entladungen, die um uns herum explodierten. Das Flugzeug wurde hin und her geworfen in den Naturgewalten, die wir durch unsere kleinen Fenster beobachten konnten. Die Nacht hatte sich in donnerndes, elektrifiziertes Tageslicht verwandelt, ein grelles Blitzgeflecht nach dem anderen enthüllte Wolken und Farben und eine astrale Weite von Luftströmungen, Regenschauer prasselten wütend auf unser kleines Flugzeug nieder. Niemand sprach, niemand schrie, und soweit ich sehen konnte, weinte auch niemand. Wir hatten keine Wahl. Momente wie diese zwingen zum Nachdenken, weiten das Bewußtsein über alles, was wir bisher gedacht haben.

Momente wie diese, die zu selten und in zu großen Abständen geschehen, sind Katalysatoren, um die innere Kontrolle, der wir wirklich fähig sind, ein wenig besser zu begreifen. Niemand in der Maschine konnte etwas gegen den Sturm tun, niemand konnte ihm Einhalt gebieten, niemand konnte ihn wirklich begreifen. Er war einfach da. Und diese elementare Krise brachte uns einander näher, wir teilten sie wortlos miteinander.

Ich beschloß, mich zu entspannen, begann bei den Füßen. Dann arbeitete ich mich hoch über Knöchel, Beine, Arme, den Solarplexus und die Brust. Es klappte. Ich fing an, mich als Teil des hin und her geschleuderten Flugzeuges zu fühlen. Ich atmete gleichmäßiger, mein Herz schlug langsamer. Der Schweiß in meiner Magengegend und auf der Stirn trocknete. Und dann begriff ich, daß ich meine Angst in den Griff bekam, indem mein Geist die Kontrolle über meinen Körper gewann ... ein positiver Geist, der darauf bestand, keine Angst zu haben. Und was stand über meinem Geist? Ich kann nur sagen, es war meine Seele. Meine Seele wußte, daß ihr nichts geschehen konnte, was auch meinem Körper widerfuhr. Meine Seele – mein eigener, unbewußter, individualisierter Teil der Universal-Energie – glaubte, daß sie Teil von allem war, auch von dem wütenden Gewittersturm am Horizont. Meine Seele wußte, sie würde überleben, sie war unzerstörbar, ewig, sie würde immer da sein, unbegrenzt in ihrem Verständnis, auch des Abenteuers, das wir Leben nennen.

In Frieden und erschöpft schlief ich ein.

26. Kapitel

»Heute vor Sonnenaufgang bestieg ich einen Hügel und
schaute in den wimmelnden Himmelsraum,
und ich sprach zu meinem Geiste: Wenn wir diese ganze Welt,
alles umfassen werden und die Freude und die Erkenntnis
jeglichen Dings auf ihr, werden wir dann erfüllt und
befriedigt sein?
Und mein Geist sagte: Nein, diese Höhe erreichen wir nur,
um sie hinter uns zu lassen und über sie hinaus zu gelangen.
Auch du stelltst Fragen, und ich höre dich an,
und antworte, daß ich nicht antworten kann, du mußt es
selber herausfinden.«

Walt Whitman
Gesang von mir selbst

In New York angekommen traf ich mich sofort mit Bella. Sie hatte Geburtstag, und ihre Wahlhelfer organisierten eine Party für sie im Studio 54.

Bella hatte gewußt, daß ich in Peru war, und ich sagte ihr, daß ich in einer Hütte in den Anden meditiert habe. Sie hatte meine Bücher gelesen und wußte, daß ich zu allen möglichen verrückten Abenteuern in der Lage war. Es fand sich keine Gelegenheit, länger miteinander zu reden. Ich sagte lediglich, ich hätte mich blendend in einer Lehmhütte erholt. Und sie lachte und rollte die Augen zum Himmel. Dann warf sie sich wieder in ihre Wahlkampfstrategie, was eigentlich nur eine herkömmlichere Art von Verrücktheit ist.

Ich beobachtete sie genau, wartete auf Anzeichen, die bestätigen oder dementieren würden, was Maria in den Anden gesagt hatte. Bellas verlorener Wahlkampf ist heute bereits Geschichte. Sie schaffte es nicht einmal bis zur Vorrunde. Ed Koch, der große Mann mit der Halbglatze und den langen Händen, schlug sie mit großer Mehrheit.

Hätte ich Maria nur mehr Fragen gestellt.

Mit der Anhäufung von Ereignissen, die zu meiner Reise nach Peru geführt hatten und den Ereignissen in Peru selbst, begann ich ein Leben unter der Oberfläche meines normalen Lebens zu führen. Ich machte Filme, tanzte und sang in meinen Fernsehauftritten und meiner Live-Show. Ich engagierte mich ziemlich aktiv in der Frauenbewegung, in der Politik und in Fragen der Menschenrechte, doch eigentlich wollte ich lieber reisen und nachdenken.

Meine Beziehung zu Gerry kühlte ab und verlief im Sande. Mit meinen neuen Perspektiven kam sie mir wirklich vor wie etwas aus einem anderen Leben...

Ich liebte es, zu reisen, weil mir das gleichzeitig zu einem genaueren Blick in die Welt und in mich selbst verhalf. Ich bereiste Europa, besonders Skandinavien, Südostasien, Japan, Australien, Kanada, Mexiko und viele Städte im übrigen Amerika.

Und je mehr ich reiste, desto mehr lernte ich über die geistigen Dimensionen des Lebens, die ich immer mehr erfaßte. Meine eigene Überzeugung gewann an Klarheit und wurde, wo immer ich mich hinbegab, bestätigt. Ich stellte fest, daß die Theorie der Progression der Seele durch den Prozeß der Reinkarnation Teil eines neuen Zeitalters neuer Gedankensysteme ist, nicht nur in Kalifornien, sondern in der gesamten westlichen Welt. Dies stellte sich während beiläufiger Gespräche heraus, und immer wenn ich tiefer nachhakte, erkannte ich, daß die Menschen danach hungerten, ihre Ansichten und Gefühle über vergangene Leben und geistiges Bewußtsein zu vergleichen. Meine Gesprächspartner versicherten meist am Ende, wie gut es sei, einen ernsthaften Dialog über diese Theorie mit jemand zu führen, der sie nicht für übergeschnappt hielt. Einige Menschen waren einfache Bürger in ihren jeweiligen Ländern, andere jedoch hatten hochdotierte, einflußreiche Positionen in politischen und journalistischen Bereichen. Letztere waren äußerst vorsichtig, hielten sich mit ihren Glaubensansichten zurück und waren traurig darüber, dazu gezwungen zu sein.

Aber ich wollte nicht nur sozusagen mit mir selbst sprechen. Ich wollte und brauchte Opposition. Kritik, Fragen. Danach suchte ich in meiner Lektüre und fand die stärksten Skeptiker unter denen mit der tiefsten Überzeugung. Ich weiß nicht, warum ich darüber erstaunt war. Menschen, für die Spiritualität und höheres Bewußtsein wirklich wichtig sind, wollen sich auf keinen Fall von Scharlatanen, selbsternannten Propheten und Salonmystikern auf die Schippe nehmen lassen. Ich stellte fest, daß Untersuchungsexperimente in allen Bereichen paranormaler Phänomene durchgeführt worden waren, die sich manchmal über Jahre hinzogen. Die Literatur über das Gesamtthema war sehr umfangreich – beinahe nicht zu bewältigen –, reichte zurück auf sumerische Keilschrifttafeln, ging die Jahrhunderte hindurch über ägyptische Aufzeichnungen zu griechischen Orakelsprüchen, Hindu-Schriften, der Druiden-Tradition, Aufzeichnungen der Essener, Literatur von Geheimbünden, wie der Freimaurer und vieles, vieles mehr, reichte bis zu den Schriften von C. G. Jung und neueren parapsychologischen Untersuchungen. Die Suche und die Überzeugung ging immer davon aus, das Potential für ein erweitertes Bewußtsein im Menschen zu erkennen, um ihm zu ermöglichen, *mit und durch* seine spirituellen Dimensionen intensiver und friedlicher zu leben.

Neben dem Lesen befragte ich die verschiedensten Menschen über ihre Überzeugungen. Immer wieder stellte ich die stärksten Vorurteile im Kopf der Menschen fest, die sich als intellektuelle Pragmatiker bezeichneten. Sie begannen bereits aggressiv zu reagieren bei Wörtern wie Parapsychologie, astral, spirituelle Dimensionen und kamen über vorgefaßte Meinungen nicht hinaus.

Es gab noch eine andere Art von Ablehnung spiritueller Werte, eine Abwehr, die eine echte Zweckhaltung mancher Menschen war. Sie hatten sich mit dieser Welt, so wie sie war, abgefunden, akzeptierten die Wunder und die Freuden, die das Leben auf Erden bietet, ebenso wie seine Schrecken und Schmerzen. Diese Menschen waren bereit, alles aufzunehmen, waren gewillt und eifrig, bis zur Grenze zu gehen, blieben jedoch immer innerhalb der Voraussetzung, daß dieses Leben alles sei. Auf eine gänzlich neue Dimension, die eventuell entscheidenden Einfluß auf ihre Freuden und Leiden haben könnte, wollten oder konnten sie sich nicht einlassen. Diesen Standpunkt konnte ich verstehen. Was genug ist, ist eben genug. Und doch...

Und doch, überall, wohin ich kam, stieß ich auf ein tiefes Bedürfnis nach Spiritualität und erweitertem Bewußtsein, einem

Bedürfnis der Menschen, sich zusammenzufinden, ihre Energien zu teilen mit *etwas*, das funktionierte. Ich stellte fest, daß viele Menschen ähnliche Erfahrungen wie ich gemacht hatten. Menschen, die mit Medienbefragung, Erinnerungen an frühere Leben, wachsendes geistiges Bewußtsein und sogar Kontakt mit UFOs hatten. Überall auf der Welt bildeten sich Gemeinschaften wie Findhorn. Ich besuchte einige von ihnen und hielt mich dort längere Zeit auf.

Ich fragte mich, ob der Eintritt ins Zeitalter des Wassermanns (wovon Astrologen und Astronomen sprachen) auch bedeutete, daß wir ins Zeitalter der Liebe und des Lichts treten. Das waren die beiden häufigsten Worte, um die Gefühle der Entdeckungen des neuen Zeitalters zu definieren. Einige Regierende redeten in spirituellen Begriffen – Pierre Trudeau forderte eine »Verschwörung der Liebe« für die Menschheit. Zbigniew Brzezinski sprach von einer »wachsenden Sehnsucht nach etwas Geistigem« in einer Welt der Technologie, in der sich der Materialismus als unbefriedigend herausgestellt hatte. Der spirituelle Drang machte also auch nicht Halt vor der Politik, wie ich immer vermutet hatte. Noch war der Drang, die materielle Ebene zu übersteigen, neu.

Ich machte mich wieder daran, zu lesen und informierte mich über die amerikanischen Transzendentalisten. Einige Anhänger dieser Bewegung waren Ralph Waldo Emerson, Henry Thoreau, Bronson Alcott (der Vater von Louisa M. Alcott) und Dutzende anderer. Sie hatten gegen die Über-Intellektualisierung und die linearen Ansichten, nur das zu glauben, was man sehen oder beweisen kann, angekämpft. Diese Ansichten hielten sie für begrenzt, da das menschliche Potential innerhalb dieser Grenzen nie voll entwickelt werden konnte. Sie glaubten, daß die echten Prioritäten unsichtbar und unberührbar waren – aber nicht *unwirklich*.

Interessanterweise war sogar die amerikanische Unabhängigkeitsbewegung von Männern geplant und durchgeführt worden, deren spirituelle Weltanschauung integrierter Bestandteil ihres Lebens gewesen ist. Als ich etwas über diese Periode amerikanischer Geschichte las, wurde mir klar, in welchem Maß wir vergessen hatten, wie *metaphysisch* kühn diese Revolutionäre gewesen waren. Unsere Vorväter – Thomas Jefferson, Thomas Paine, John Adams, Benjamin Franklin, George Washington –, alle waren sie Transzendentalisten.

Die Bedeutung ihres Glaubens schlug sich im Großen Staatssiegel der Vereinigten Staaten nieder, auf dessen Rückseite die Worte stehen: »Eine Neue Zeitordnung beginnt«, zusammen mit dem Auge Gottes an der Spitze der Großen Pyramide von Gizeh. Dieses Symbol ist auch auf der amerikanischen Ein-Dollar-Note wiedergegeben! Diese Symbole wurden den Vereinigten Staaten von den Transzendentalisten, den Gründervätern, in die Wiege gelegt.

Ich las mehr über diese Männer und erfuhr, wie sehr sie die alten Ordnungen mit ihren neuen Denkweisen bedrohten. Die Transzendentalisten bezogen sich nicht nur auf Traditionen der Quäker und Puritaner, sondern auch auf deutsche und griechische Philosophen und die Lehren östlicher Religionen. Als man ihnen Verachtung für die Geschichte vorwarf, antworteten sie, daß die Menschheit von der Geschichte befreit werden müsse. Sie glaubten, daß alle Wahrnehmungen relativ seien. Sie sahen *durch* ihre Augen, nicht *mit* ihren Augen.

Alle hoben sie hervor, daß die *innere Reform der sozialen Reform vorausgehen muß.* Sie unterstrichen die Notwendigkeit der persönlichen Veränderung, doch als die amerikanische Revolution in die industrielle Revolution überging, wurden die Transzendentalisten immer mehr mißverstanden und gerieten in wachsende Isolation. Technologien und Maschinen beherrschten die Gedanken der Amerikaner.

Die Transzendentalisten wurden zu einer okkulten Bewegung abgewertet, und sie zogen sich zunehmend in ihre eigenen Zirkel zurück. Bis zum Ende des neunzehnten Jahrhunderts waren die schlimmsten Befürchtungen unserer Vorväter eingetroffen. Wir befanden uns total auf dem Weg des Materialismus – unser geistiges Erbe war von der Industrialisierung erstickt worden, die Geschichtsbücher erwähnten unsere mystischen Anfänge nur noch am Rande.

Doch der geistige Beitrag unserer revolutionären Vorväter hatte sich in Kunst und Literatur niedergeschlagen.

So betrachtete William Blake die amerikanische und die französische Revolution lediglich als erste Schritte zu einer weltweiten Revolution des Geistes.

Blake, der von dem deutschen Mystiker, Schriftsteller und Philosophen Jakob Böhme und von Emanuel Swedenborg beeinflußt war, beeinflußte seinerseits Schriftsteller, Maler und Politiker: Nathaniel Hawthorne, Emily Dickinson, Herman Melville, John Dewey, Thoreau, Gandhi, Martin Luther King – sie alle glaubten fest an metaphysische Dimensionen, die letztlich das Mysterium des Lebens erklären würden.

Ich las und las und redete freier über meine Erfahrungen auf der spirituellen Suche. Mit mir waren viele Menschen auf der Suche nach dem Gleichgewicht zwischen ihrem inneren Leben und ihrem äußeren Leben. Viele nahmen an spiritistischen Sitzungen teil, um Antworten aus dem »Jenseits« zu erhalten.

Filmgrößen, Bankpräsidenten, Journalisten, Schauspieler und Schauspielerinnen, Musiker, Schriftsteller, Hausmänner und Hausfrauen traf ich auf diesen spiritistischen Sitzungen. Niemand zweifelte die Gültigkeit der Vorgänge an. Man schlug sich lediglich mit den empfangenen Informationen herum – Erinnerungen an frühere Leben, psychologische Informationen, Auskünfte über gesunde Ernährungsweisen, medizinische und wissenschaftliche Auskünfte. Berichte über Atlantis, Lemuria, die Erschaffung des Kosmos, über Außerirdische ... alles Erdenkliche, worüber man Fragen stellte. Die geistigen (körperlosen) Wesenheiten wurden zu Freunden und Vertrauten. Nach den Sitzungen diskutierte man über ihre Persönlichkeiten, ihren Humor, ihr Verständnis, als wären sie körperlich anwesend.

Als ich mich mit den Hunderten von Menschen, die an diesen Sitzungen teilnahmen, unterhielt, fiel mir auf, daß die Leute sich untereinander offener mitteilten und sich wohler fühlten, als mit den Menschen ihrer Umwelt, die die Notwendigkeit der Spiritualität nicht anerkannt hatten. Es handelte sich dabei nicht um ein religiöses Empfinden. Keineswegs. Ohne spirituelles Bewußtsein zu leben, war für sie wie ohne Arme und Beine zu sein. Manche hatten skeptische Fragen, wenn sie Zusammenhänge nicht begriffen. Aber all die Menschen, mit denen ich sprach, standen vollkommen zu ihrer Überzeugung. Sie erzählten mir von den Prophezeiungen, die durch Medien vermittelt und eingetroffen waren.

Sie erzählten mir, wie einige der Informationen über frühere Leben ihre Perspektiven auf ihr gegenwärtiges Leben verändert hatten. Sie sagten, wie leer das Leben ihrer Freunde zu sein schien, die ihre Suche nicht teilten – mit denen sie auch nicht in spirituellen Begriffen sprechen konnten. Sie waren keineswegs wortkarg, wenn ich ihnen Fragen stellte, sagten jedoch alle, sie hätten Schwierigkeiten, menschliche Beziehungen mit anderen aufrechtzuerhalten, die sie nicht verstanden. Sie gingen ihrem täglichen Leben nach mit dem Wissen und dem moralischen Rückhalt, daß sie einander hatten, doch hauptsächlich empfingen sie großes Glück und Freude aus der Tatsache, daß sie in näherer Beziehung zu ihrem eigenen spirituellen Selbst standen. Einige langjährige Beziehungen und Freundschaften brachen auseinander, weil ihre geistigen Überzeugungen und Wertvorstellungen nicht geteilt wurden und sie nicht an zynischen und intellektuellen Begrenzungen der Vergangenheit festhalten konnten. Einige sagten, sie seien gezwungen, ein Doppelleben zu führen – aus Angst, jene zu verlieren, die sie liebten.

Gleichzeitig sah sich die Naturwissenschaft ihren eigenen Schwierigkeiten ausgesetzt. In der *New York Times* las ich, daß die Wissenschaft gezwungen sei, sich mit der »Urknall«-Theorie der Erschaffung des Universums auseinanderzusetzen. Es sah so aus, als hätten die Theologen am Ende doch recht behalten. Das Universum war plötzlich »in einem einzigen Augenblick« durch eine kolossale Explosion vor etwa zwanzig Milliarden Jahren entstanden. Astronomische, naturwissenschaftliche und biblische Aufzeichnungen der Genesis schienen bestätigt, sehr zum Ärger vieler Wissenschaftler, die das – milde gesagt – »irritierend« fanden. Das Universum breitete sich an manchen Stellen mit einer Geschwindigkeit von hundertfünfzig Millionen Kilometer in der Stunde aus. Das bedeutet, *daß es einen Anfang gegeben hat.*

Die Frage der Naturwissenschaftler war nun: »Was war vor dem Anfang gewesen?« Und als Schlußfolgerung sagten sie: »Es muß einen Göttlichen Willen gegeben haben, der die Natur aus dem Nichts geschaffen hat.«

Vielleicht würde eine theologische Erklärung eine Antwort beinhalten. Der Wissenschaft war es gelungen, die Ursprünge der Menschheit auf unserem Planeten zurückzuverfolgen, die chemische Zusammensetzung des Lebens selbst zu ergründen, die Entstehung von Sternen aus Urnebeln. Doch nun war sie an eine solide Mauer gestoßen. In einem Artikel des Wissenschaftlers Robert Jastrow, dem Leiter des NASA's Goddard Institute for Space Studies heißt es: »Für den Wissenschaftler, der nach seinem Glauben an die Macht der Vernunft gelebt hat, endet die Geschichte wie ein Alptraum. Er hat die Stufenleiter der Unwissenheit erklommen, ist dabei, den höchsten Gipfel zu bezwingen; wenn er sich über den letzten Fels hinaufzieht, wird er von einer Gruppe Theologen begrüßt, die seit Jahrhunderten dort sitzen.«

Es schien, als steuere die ganze Welt auf eine Konfrontation mit sich selbst zu. In den letzten hundert Jahren haben wir größere und schnellere Fortschritte gemacht als in allen Jahrhunderten zuvor, vor allem in Bereichen der Technologie, die geradezu vor Neuentdeckungen barst und die nur von einigen Teilbereichen der Wissenschaft erreicht wurde. Dieses schnelle Wachstum hält immer noch an. Zeitgenossen erinnern sich an eine völlig andere Welt aus ihrer Kindheit, als das Leben sich in der Geschwindigkeit bewegte, wie man Zeit brauchte, um zum Nachbarn auf ein Schwätzchen zu gehen; gleichzeitig leben junge Menschen im Zeitalter des Fernsehens und der Telefonkommunikation, die Computer-Generation, der das Lesen schwerfällt und für die Schreiben eine komische Sache ist.

Diese schnelläufigen Entdeckungen auf allen Gebieten hatten die Zeitbegriffe verändert. Wir erfahren eine Form der Zeiterweiterung, eine Art adrenalingesteigertes, zum Zerreißen gespanntes Gefühl, das in Krisensituationen auftritt: Doch diese Erweiterung, diese Krise geschieht in so breitgefächerten Bereichen, konfrontiert uns täglich in jedem Aspekt unseres Lebens. Kein Wunder, daß immer mehr Menschen sich der Dimension des Geistes zuwenden, auf der Suche nach einem Ganzen, das im Strudel der Energiewellen ihres Lebens verlorengegangen war. Je intensiver ihr Leben wurde, desto mehr müssen sie diese Energien kontrollieren.

Mir schien, diese Suche, diese Empfindung einer geistigen Dimension, diese Hinwendung zu einer Quelle innerer Stärke mußte unweigerlich stattfinden, die Menschheit mußte sich selbst wieder erreichen. Es war ein Prozeß beschleunigter spiritueller Entdekkung, die die Energie der Entdeckungen in anderen Bereichen allmählich einholte. Darüberhinaus betrachtete ich die geistige Entdeckung als eine wichtige Komponente, wenn wir nicht durch die anderen Energien, die wir freimachten, die Orientierung verlieren wollten. Wir brauchten diese zentrierte Ruhe, die innere Sicherheit, um unsere Vitalität zu entspannen und gleichzeitig zu konzentrieren, damit wir unsere eigenen Energien steuern können. Es genügt nicht, mit Adrenalinstößen auf äußere Reize zu reagieren.

Mit dem Anwachsen meiner geistigen Interessen und Erfahrungen schrieb ich immer mehr auf. Anfangs in erster Linie für mich selbst. Es half mir, das, was ich dachte, deutlicher zu machen, und außerdem habe ich immer schon gern geschrieben. Das, was mir immer schon Spaß gemacht hatte, bekam nun eine zusätzliche Dimension. Mein ganzes Leben fing an, sich für mich zu erhellen, doch manchmal fragte ich mich, wie die Leser auf das, was ich zu Papier brachte, reagieren würden, wenn ich es je publizieren würde. (Zu diesem Zeitpunkt brauchte ich keine spirituellen Meister mehr, um mir die denkbaren Reaktionen vieler Intellektueller, die ich kenne, vorzustellen – all jene, die nicht durch persönliche Freundschaft mit mir in ihrem Urteil milder gestimmt wurden.)

Was mich betrifft im Hier und Jetzt, war ich an einer Art Scheideweg angelangt. Ich hatte immer noch mit meinen persönlichen Ängsten zu kämpfen, über dieses Material aus meinem neuen Blickwinkel des Glaubens zu schreiben. Was konnte ein Mensch also tun, wenn er damit konfrontiert ist – obwohl es eine allmähliche Konfrontation war –, daß das Leben, das die Menschen bis zu diesem Punkt geführt hatten, nur ein *Teil* der Wahrheit ist? Ich war nie jemand, der sich vor etwas gedrückt hat. Das war auch jetzt nicht meine Absicht. Ich hatte mich der Öffentlichkeit gestellt in Fragen der Politik, der Frauenrechte, sozialer Veränderungen, in Fragen des Krieges und in vielen Dingen, die für mich Ungerechtigkeiten darstellten. Ich stand in der Öffentlichkeit. Ich *war öffentlich*. Das war mein Wesen. Ich bin es nicht gewöhnt, mich zurückzuhalten in Dingen, die mich interessieren oder an die ich glaube. Ich bin in der Öffentlichkeit großgeworden. Ich habe meine Fehler in der Öffentlichkeit begangen. Ich habe gelacht und geweint in der Öffentlichkeit, war verliebt in der Öffentlichkeit, habe in der Öffentlichkeit geschrieben, mich in der Öffentlichkeit entschuldigt, und nun dachte ich, werde ich vermutlich in der Öffentlichkeit zu sagen haben, was ich über menschliche und außerirdische Spiritualität denke.

Ich sprach mit Bella darüber. Ich hatte ihr längst meine Erlebnisse berichtet. Sie wußte, daß ich meine neuen Gedankenkonzeptionen weiter verfolgte, daß ich mit Medien arbeitete, mit Heilern und mit Meditation; daß ich Klassiker las, parapsychologische Zirkel besuchte, und daß ich versuchte, mein eigenes Bewußtsein in Dimensionen zu erweitern und zu erhöhen – mochten sie auch gegenwärtig über unser Verständnis hinausgehen.

Nun versuchte ich eine Erklärung zu finden, warum ihre politischen Lösungen in denselben Fehlschlägen zu resultieren schienen wie in der Vergangenheit, versuchte ihr zu sagen, daß es vielleicht Zeit für uns alle sei, das Leben von einer anderen Perspektive zu sehen. Wir saßen in Manhattan in einem Restaurant, das die ganze Nacht geöffnet hat, nachdem wir wieder einmal einen Film gesehen hatten, der Gewalt und Angst kommerziell ausbeutet.

»So kann es nicht weitergehen«, sagte ich. »Wir alle haben Angst. Wir können diesen Planeten jeden Tag in die Luft jagen. Das Leben um uns scheint auseinanderzufallen, und die einzigen Lösungen, die wir parat haben, sind mehr Gesetz und Ordnung und höhere Rüstungsausgaben.«

»Und?« fragte sie mit ihrem durchdringenden Blick. »Und? Hast du eine andere Lösung?«

»Nun ja«, zögerte ich. »Wir sind doch alle Sklaven unserer eigenen Ängste geworden. Wir *erwarten* ständig, daß wir in Schwierigkeiten geraten bis zu einem Grad, wo wir beinahe zufrieden aufatmend festellen, daß die Dinge wirklich daneben gegangen sind.«

Bella legte die Hände in den Schoß und starrte auf ihren Salatteller. »Na ja«, sagte sie, »dann schlagen die Dinge eben fehl. Damit müssen wir Politiker uns auseinandersetzen.«

»Könnte es sein, daß die Politiker sich so sehr auf den Schlamassel konzentrieren, daß sie keine Zeit finden, sich Gedanken zu machen, wie man ihn abschalten könnte?«

Bella zuckte die Achseln. »So was kann man nicht verallgemeinern. Du hast genug mit Politik zu tun gehabt, um das zu wissen. Worauf willst du hinaus?«

»Angst, Bella. Angst. Angst vor dem Tod; Angst vor unserem selbstverursachten Holocaust; Angst vor der Zukunft oder Angst, daß es gar keine gibt, weil wir zum ersten Mal in der Geschichte tatsächlich in der Lage sind, die Welt zu zerstören; Angst vor viel kleineren Dingen, wie die Arbeit zu verlieren oder unsere Familien oder das Ansehen bei Freunden und Nachbarn...«

»Moment mal. Angst zu haben ist völlig natürlich – in manchen Situationen ist es sogar sehr gesund. Die Menschheit wäre ohne Angst nicht so weit gekommen.«

»Gut, das stimmt. Doch aus demselben Grund wäre die Menschheit nicht da, wo sie ist, wenn sie ihre Handlungen nicht immer von Angst diktieren ließe. Es ist nicht falsch, Angst zu haben, aber es ist gefährlich, unser Leben von Angst bestimmen zu lassen. Und außerdem bin ich heute der festen Überzeugung, daß die meisten dieser Ängste unnötig sind.«

»Wieso?«

»Na ja, offen gestanden, Bella, für mich hat die Überzeugung der tatsächlichen Existenz der Seele, ich meine als Realität, den ganzen Unterschied ausgemacht. Das ist mir nicht gerade leichtgefallen. Aber ich bin zu diesem Schluß gekommen, und ich glaube, daß jeder Mensch eine Seele hat, beziehungsweise eine Seele göttlichen Ursprungs *ist*, viele Male gelebt hat und in Zukunft leben wird.«

»Aha«, sagte sie und verschränkte die Hände, »wir sollen uns also einfach zurücklehnen und alles dem kosmischen Plan oder so was ähnlichem überlassen.«

»Nein«, sagte ich. »So würde ich es nicht ausdrücken. Ich halte es vielmehr für wichtig, sich mit seinem eigenen Selbst auseinanderzusetzen, und anderen Menschen so freundlich und tolerant wie möglich zu begegnen in dem Bewußtsein, daß alles, was wir reinstecken, zurückkommt. Jeder von uns muß bei sich selbst anfangen, weil wir das einzige sind, was wir wirklich vollständig kontrollieren können.«

»Heißt das, du willst dich von deinem Engagement in der Politik und der Frauenbewegung und allem zurückziehen?«

»Wo denkst du hin? Im Gegenteil, ich werde mich höchstens noch mehr dafür engagieren.«

»Was hat sich dann für dich geändert?«

»Geändert hat sich, wie ich darüber *fühle*. Ich sehe die ganzen Probleme aus einer neuen Perspektive, in der kein Platz für Angst ist. Angst hat uns alle ausgeschaltet, uns von uns selbst entfernt und einander entfremdet. So viele Menschen sind teilnahmslos, apathisch – mein Gott, du weißt selbst, wie schwer es ist, die Wähler an die Wahlurnen zu bewegen. Verdammt viele Menschen haben einfach zu große Angst, sich Gedanken zu machen, oder glauben, es ist egal, ob sie sich Gedanken machen oder nicht. Sie ahnen nicht, daß sie keinen *Mut* haben, sich über *sich selbst* Gedanken zu machen, daß sie sich gegen *sich selbst* entscheiden. Stattdessen kritisieren sie das, was der Nachbar tut. Es kommt immer alles auf die Persönlichkeit zurück. Und dann gibt es diejenigen, die sich aus Angst verschließen. In unserem Leben gibt es eine Menge der verschiedensten ›Gefühle‹. Aber *Mitgefühl*, eines der wichtigsten, fehlt uns einfach. Meiner Meinung nach sollten diejenigen, die nicht an Spiritualität, an die Seele, an Reinkarnation, was immer, glauben, genau da anfangen, indem sie sich von ihrer Vorstellungskraft helfen lassen, mitzufühlen; und wenn sie nie darüber hinauskämen, würde die Welt trotzdem ein besserer Ort werden. Wenn wir alle uns von unseren Ängsten befreien könnten, das heißt unsere eigene Spiritualität klar verstünden, sie anerkennen und ein höheres Bewußtsein erlangten, wäre der Schneeballeffekt gewiß erstaunlich.«

»Ich verstehe nicht, was du meinst. Gib mir ein Beispiel«, sagte Bella. »Ich meine, wir leben nun mal in dieser Welt, *wer* ist ein Beispiel dafür?«

Ich dachte einen Moment nach, und dann sagte ich beinahe unfreiwillig: »Anwar Sadat, dann Martin Luther King, Buddha, Christus oder Gandhi. Alle diese Menschen glaubten fest an einen höheren kosmischen Plan, der sie befähigte, einen positiven Glauben an das menschliche Potential zu haben. Sie hoben immer das Positive hervor. Ebenso wie Thomas Jefferson, Thoreau, Voltaire – und viele mehr.«

»Ja«, sagte Bella. »Aber woran, würdest du sagen, haben sie geglaubt?«

»An eine Art höherer Harmonie; daran, daß wir Teil eines größeren Planes sind, der sich nicht nur auf *diese* Lebenserfahrung bezieht.«

»Willst du sagen, sie alle haben an Reinkarnation geglaubt?«

Ich nippte an meinem Rotwein, dachte an all das, was ich über die Gründerväter der Amerikanischen Unabhängigkeitsbewegung gelesen hatte; ihre Verbindungen mit mystischen Sekten und Lehren und der Existenz der Seele.

»Nicht unbedingt«, sagte ich. »Aber Jefferson und Washington und Ben Franklin – die meisten Männer, die die Verfassung unterzeichneten und das Grundgesetz aufsetzten, sagten, sie wollen eine neue Republik auf den Grundsätzen spiritueller Werte errichten. Und diese Werte, an die sie glaubten, gingen zurück auf die Glaubenssätze in Hindu-Schriften und auf ägyptische Mystik. Deshalb haben sie die Pyramide auf die Dollar-Note gesetzt – der Dollar und das große Staatssiegel sind voller spiritueller Symbole, die ihre Ursprünge weit vor der Unabhängigkeitserklärung haben. Und alle jene vor-christlichen Glaubensrichtungen beschäftigen sich mit Reinkarnation.«

»Gib mir Material darüber.«

»Natürlich. Ich erwähne das nur, weil sie unsere ursprünglichen Politiker waren, doch keiner der modernen Politiker scheint überhaupt die Ursprünge unserer Demokratie zu kennen. Sie sind durch die vielen Probleme davon abgelenkt. Wenn sich jedoch einige von ihnen mit dem, was ihre Vorväter geplant hatten, auseinandersetzten, wenn sie sich mit deren frühen Prioritäten identifizieren könnten, dann würden sie heute andere Prioritäten setzen, und damit vielleicht sogar den zerstörerischen selbstmörderischen Kurs, auf dem wir uns befinden, stoppen.«

Bella zündete sich eine Zigarette an und warf das Zündholz in den Aschenbecher. »Du glaubst also, daß die Menschen Teil eines größeren Planes sind, die meisten Menschen dies jedoch heute nicht mehr wissen, daß unsere Ideen und Überzeugungen fehlgeleitet sind und deshalb die Welt im argen liegt?«

»Richtig. Mit dem Unterschied, daß es nicht ›die meisten‹ sind. Die meisten Menschen glauben nämlich an Reinkarnation, an einen größeren Plan. Aber die westliche Welt läßt einen wichtigen Teil beiseite.«

»Und dieser wichtige Teil ist *was*?

»Die Vorexistenz der Seele – die Tatsache, daß wir viele Male gelebt haben und viele Male leben werden, daß die Gesetze von Ursache und Wirkung sich selbst ausarbeiten.«

Bella dachte eine Weile nach, zog an ihrer Zigarette, blies den Rauch hörbar aus. »Hör zu«, sagte sie, »ich bin im orthodoxen jüdischen Glauben erzogen worden, und ein tiefer Glaube an ein spirituelles Wesen ist mir nicht fremd.« Davon hatte sie nie vorher gesprochen. »Aber«, fuhr sie fort, »an die Seele zu glauben ist eine Sache, an die Reinkarnation der Seele eine andere. Du magst recht haben mit dem, was du empfindest und was du glaubst, aber ich kann es nicht. Eines möchte ich dir nur sagen – ich wollte, ich könnte es.«

Tränen stiegen mir in die Augen. »Warum, Bella?«

»Weil ich dann«, sagte sie langsam, »glauben könnte, daß alles sich zum Rechten wendet, auch wenn ich nichts dazu tue. Dann müßte ich nicht so hart kämpfen, um die Dinge zu verbessern. Vielleicht brauche ich die Herausforderung. Aber, meine Liebe, wenn Leute wie ich nicht kämpfen und wir nicht unseren Teil beitragen, dann würde es sich vielleicht nicht zum Guten wenden. Verstehst du?«

Ich putzte mir die Nase. »Ich denke schon«, sagte ich. »Ja, ich verstehe. Wir alle müssen unsere eigenen Rollen spielen, aber die Herausforderung wäre auf alle Fälle da, denke ich. Oder vielleicht ist es für dich in diesem Leben notwendig, die Dinge auf diese Weise zu sehen. Ich weiß, daß *ich* viele verschiedene Menschen in verschiedenen Zeiten gewesen sein muß. Deshalb fühle ich mich an so vielen Orten in der Welt wohl. Ich habe oft das Gefühl, früher schon einmal dort gewesen zu sein. Und ich bin dabei zu lernen, diesen Gefühlen zu vertrauen, die mein Intellekt lächerlich findet. Wenn mir das gelungen ist, dann muß es anderen ebenfalls geschehen sein. Auf irgendeine seltsame Weise kennen wir uns vielleicht alle. Wie oft hast du schon jemanden getroffen und hattest dabei eine spontane Erkenntnis, etwas, das wir sogar ›Seelenverwandtschaft‹ nennen.«

»Nun ja«, meinte Bella vorsichtig. »Und du glaubst, daß wir alle Teil vom anderen sind – und gleichzeitig Teil eines größeren Plans?«

»Richtig. Und da erhebt sich die Frage nach den körperlosen Wesen. Wenn ich viele Lebenszeiten erlebt habe, was habe ich zwischen den Lebenszeiten gemacht? Wo war ich da? Wenn meine Seelenenergie eine Weile im Äther verbracht hat, wie die mystischen Schriften das behaupten, was wäre dann der Unterschied zwischen mir in Zwischenstufen des Lebens und Tom McPherson jetzt, der sagt, er sei eine Wesenheit, die durch Kevin spricht? Ich meine, vielleicht gibt es eine ganze Menge von Dimensionen der Realität, von denen die irdische Ebene nur eine ist.«

Bella sah mich forschend an. »Ich versuche zu kapieren«, sagte sie, »wie du auf all diese Dinge gekommen bist. Wie ist das alles passiert? Ich kenne dich und weiß, daß all die anderen berühmten und intelligenten Menschen, die dasselbe glauben wie du, nicht verrückt waren. Also was ist eigentlich los?«

Ich lehnte mich zurück. »Ich weiß es nicht, Bellitschka. Vielleicht ist das Leben nur ein kosmischer Witz. Wir nehmen ihn viel zu ernst. Wir versuchen aus der Moral ein Gesetz zu machen, anstatt sie zu leben, und verurteilen jeden, der anders denkt als wir, wenn es so etwas wie eine Realität gar nicht gibt. Vielleicht ist alles real – die irdische Ebene, die astrale Ebene, die einfache Ebene, ich weiß es nicht. Ich weiß nur, was *ich* erfahren, gefühlt und gelesen habe, das kann ich nicht verwerfen. Und warum auch? Einige der größten Denker, die diesen Planeten je betreten haben, glaubten an das, was ich gerade dabei bin zu verstehen. Also mache ich weiter mit meiner Wißbegier, nicht weil ich bloß neugierig bin, sondern weil es mich glücklich macht.«

Bella lächelte. »Gut, das kann ich verstehen. Aber sage mir, was verändert es in deinem Leben wirklich? Das würde mich interessieren.«

Ich überlegte, versuchte die richtigen Worte zu finden, die meine Freundin überzeugen würden. Schließlich sagte ich, »Bella, es ist komisch, aber zu *wissen*, daß es ein Gesetz von Ursache und Wirkung gibt, macht mir sehr bewußt, wie kostbar jeder einzige Augenblick jedes einzigen Tages sein kann.«

»Wie funktioniert das?« fragte sie.

»Nichts – buchstäblich nichts – ist unwichtig. Jeder Gedanke, jede Geste, alles, was ich sage und tue, ist mit einer Energie verbunden, die hoffentlich positiv ist. In meinem Hinterkopf ist mir ständig bewußt, daß die Harmonie existiert, als wirkliche Energie, als Quelle, aus der ich etwas holen kann. Mir ist bewußt, daß alles, was geschieht, einen Grund hat. Und ich weiß, was immer Gutes ich tun, welche Freude ich bereiten, welchen Beitrag ich leisten kann, und wenn es nur ist, daß ich zu jemandem ›Guten Morgen‹ sage, daß das irgendwann, irgendwo auf mich zurückkommt. Es hat nichts damit zu tun, mich in irgendeiner Form Liebkind zu machen. Ich fühle mich dabei nur unglaublich viel besser. Es gibt mir eine Art des Gefühls, in einem universalen *Jetzt* zu leben. Jede *Jetzt*-Sekunde wird wichtig. Es gibt mir das Gefühl, daß ich in einem *Gesamten* sehen kann, daß die Vergangenheit, die Gegenwart und die Zukunft voneinander abhängen.«

»Und du steigst nicht aus und ziehst dich zum Meditieren in eine Hütte zurück?«

Ich lachte. »Nein, das verspreche ich dir, nein. Ich mußte mich zurückziehen, als ich auf der Suche nach diesen Dingen war. Es hat Jahre gedauert, bis ich an diesem Punkt angelangt war. Aber jetzt – jetzt ist es eine zusätzliche Dimension, eine ungeheure Freude, ein Brunnen der Energie für mich geworden. Es bedeutet, daß ich mich tiefer engagieren kann als vorher. Doch nun betrachte ich das Leben nicht mehr als Schlachtfeld. Im Gegenteil, ich glaube, es kann das Paradies sein und mehr noch, wir sollten *erwarten*, daß es ein Paradies ist. Das ist für mich jetzt Realtität. Sich mit dem Negativen auseinanderzusetzen stärkt nur seine Macht.«

»Aber, meine Liebe, das Negative existiert. Man muß sich damit auseinandersetzen, findest du nicht?«

»Sicher. Ich weiß, daß viel Negatives existiert, weil wir es dazu machen. Wir *müssen* an eine positive Realität hier auf Erden glauben, weil der Glaube daran uns hilft, daß sie so wird. Das ist die wirkliche Macht, die wir haben, um etwas zu verändern. Sieh mal, Bella. Nimm die Natur als Beispiel. Die Natur kennt keine Moral und keine Bestrafung. Tiere töten – weil sie Nahrung brauchen, nicht weil sie hassen, nicht aus ›Sport‹. Ich sehe nicht, daß die Natur uns verurteilt oder bestraft, weil wir sie zerstören. Sie verschwindet einfach, wenn wir sie zerstören. Aber sie kommt wieder zurück, nicht wahr? Vielleicht in anderer Form? Die wirkliche Lehre aus all dem ist, daß das Leben ewig währt, egal wie gedankenlos wir uns verhalten. Und ich glaube, daß Seelen, unsichtbare Wesenheiten, Teil der zyklischen Harmonie der Natur sind. Keine Seele stirbt jemals; sie verändert lediglich ihre Form. Von dieser Warte aus betrachtet, ist das denkbare Wissenschaft, nicht Mystik.«

Die Kellnerin brachte uns die Rechnung.

»Tja«, sagte Bella, »du hast es wohl nie fertiggebracht, etwas nur halb zu tun, stimmt's?«

»Nein, vermutlich nicht. Und ich strebe an, ein Ganzes zu sein. Zum ersten Mal in meinem Leben fange ich an zu verstehen, was es heißt, ein Ganzes zu sein. Besonders, wenn es die Erkenntnis von allem, was man je gewesen ist, einschließt, die zwangsläufig dazu führt zu wissen, wer man jetzt ist. Ich mache mir keine Gedanken um die Vergangenheit und auch keine Gedanken um die Zukunft. Ich denke, handle, lebe für die Gegenwart, die von der Vergangenheit erschaffen wurde und die wiederum die Zukunft erschafft. Es ist wie Krishnamurti sagt – jeder Mensch ist ein Universum. Wenn du dich kennst, kennst du alles.«

»O mein Gott«, sagte Bella. »Wird man auf diese Weise Senator?«

»Ich weiß nicht. Ist denn Senator zu sein besser, als du selbst zu sein?«

»Versuchen Sie ein Urteil über mich zu fällen, Madame Natur?«

Ich nahm Bellas Hand und tätschelte sie. »Entschuldige, ich lerne immer noch...«

Wir gingen gemeinsam hinaus in die klare Nacht von Manhattan. Ich schaute hinauf in den Himmel, als wir Hand in Hand die Straße entlangschlenderten. Keine von uns sprach. Wir gingen ein paar Blocks, bis Bella sich entschloß, ein Taxi zu nehmen.

»Nun, mein Liebes«, sagte sie, »vielleicht gibt es einen Weg, das Desaster der Welt zu vermeiden...«

»He, Bella«, sagte ich, »kennst du die Etymologie des Wortes ›Desaster‹?«

»O Gott«, sagte sie, »was kommt nun schon wieder?«

»Also, das Wort stammt vom lateinischen *disastrum* und dem griechischen *disastrato*. Zerlegt man es, so bedeutet *dis* ›weggerissen sein von‹ und *astrato* bedeutet ›die Sterne‹. Das heißt, ein

Mensch der ›disastrato‹ ist, wurde von den Himmelskörpern getrennt oder von den Sternen weggerissen. Er erlebt also das, was die lateinische Sprache mit *disastrum* beschreibt – ein Desaster.«

Bella schaute hinauf zu den Sternen, dann wieder zu mir und blinzelte. »Das ist zu hoch für mich«, sagte sie. »Wenn es nur für dich richtig ist.« Sie küßte mich, und ich sah ihr zu, wie sie ins Taxi stieg und die Second Avenue entlangfuhr.

Ich ging zu Fuß in meine Wohnung, schaute hinauf, bis ich den Polarstern fand, den Großen Bär und dann den Kleinen Bär, dann suchte ich die Plejaden, die sieben Geschwister. Ich erinnerte mich, im Buch Hiob über die Plejaden gelesen zu haben. Ich erinnerte mich der Verbindungen der Plejaden mit der Großen Pyramide, den Inkas, den Mayas, den Griechen, den amerikanischen Indianern und den Indern. Ich schaute hinauf zu den Plejaden, dieser Sternenhäufung und versuchte in Begriffen, die ich verstehen konnte, zu denken. Wie weit entfernt waren diese Sterne wirklich? Die Wissenschaft hält es für unmöglich, solche Entfernungen zu bewältigen, da der Mensch vor Altersschwäche stürbe, bevor er sie erreichte. Aber waren Gedanken nicht schneller als Lichtgeschwindigkeit? Würde es je gelingen, mit der Projektion der eigenen Gedanken zu reisen? Würden Gedanken physische Materie beherrschen und bewegen können? Vielleicht wäre das im Endeffekt die Verbindung zwischen dem spirituellen Geist und der Technologie – die Entdeckung, daß die Macht des spirituellen Geistes die höchste Macht ist. Könnten wir damit umgehen, würde daraus eine noch höhere Technologie entstehen. In anderen Worten, wenn wir lernten, unsere spirituellen Gedanken zu erheben, könnten wir vielleicht unsere Körper dahin bringen, wo immer sie zu sein wünschten.

Auf dem Weg nach Hause dachte ich an all die Menschen, die so großen Teil an meinen neuen Denkweisen hatten. Ich dachte an Bella, und was sie mir bedeutete mit ihrer erregbaren, herausfordernden Persönlichkeit, die so beständig und entschieden die Absicht hatte, aus der Welt einen besseren Platz zu machen.

Ich dachte an Mike und seine gutgemeinte Skepsis, an Gerry und seine humanitären politischen Lösungen, an Kevin und seinen strahlend reinen Glauben, an Cat und Anne Marie und meine schwedischen Freunde, die mir geholfen hatten, eine andere Welt der Realität zu entdecken. Dann dachte ich an David und fragte mich, ob ich ihn je wiedersehen würde.

An der Straßenecke vor meinem Apartment-Haus bog der Bus aus der Haltestelle, ein Taxi setzte sich mit quietschenden Reifen vor ihn und raste bei Rot über die Kreuzung. Ich lachte über das verrückte, liebenswerte Chaos, das Manhattan ist.

Ein letztes Mal schaute ich hinauf zu den Sternen, dann ging ich in meine Wohnung und betrachtete mir die Steine, die David mir vor Jahren von dem Massai-Häuptling übergab; Steine, die ich in Pyramidenform aufstellte, lange bevor dies irgendeine Bedeutung für mich hatte, lange bevor David mir irgend etwas bedeutete, ich nicht einmal wußte, wer er war. Ich umfaßte die Pyramidenform mit meiner Hand.

Dann setzte ich mich und begann, an der Rohfassung eines Buches zu schreiben. Ich schrieb bis fünf Uhr am nächsten Morgen. Vielleicht würde ich eines Tages eine Reise zu den Plejaden unternehmen und sehen, was auf der anderen Seite ist. Ob es dort ebenso voller Wunder sein würde wie die Reise, die ich gerade in mein Inneres antrat?